dtv

Geisenheim am Rhein ist in Aufruhr: Wer hat Alexandra, Studentin an der Hochschule für Weinbau, mit einer Oscar-Replik erschlagen? Bestimmt nicht ihr Freund Manuel, der wegen belastender Indizien bereits in U-Haft sitzt, findet Thomas Achenbach, Kommilitone und WG-Mitbewohner des Verdächtigen. Alexandra war längst nicht so unbedarft, wie sie tat. Zusammen mit Johanna Breitenbach, Dozentin für Energiemanagement, begibt er sich in das undurchsichtige Geflecht von Interessen und Beziehungen. Ein Riesling bringt sie auf die richtige Spur ...

Paul Grote, geboren 1946, berichtete fünfzehn Jahre lang als Reporter für Presse und Rundfunk aus Südamerika. Seit 2003 lebt er als freier Autor in Berlin. Sein Gespür für Wein, sein Wissen und seine Erfahrungen spiegeln sich in allen seinen Krimis wider. Mehr unter: www.paul-grote.de

Paul Grote

Ein Riesling zum Abschied

Kriminalroman

Deutscher Taschenbuch Verlag

Von Paul Grote
sind im Deutschen Taschenbuch Verlag u. a. erschienen:
Der Champagner-Fonds (21237)
Sein letzter Burgunder (21391)
Tödlicher Steilhang (21464)
Königin bis zum Morgengrauen (21535)

Ausführliche Informationen über
unsere Autoren und Bücher
finden Sie auf unserer Website
www.dtv.de

Originalausgabe 2011
6. Auflage 2015
© 2011 Deutscher Taschenbuch Verlag GmbH & Co. KG,
München
Umschlagkonzept: Balk & Brumshagen
Umschlagfotos: plainpicture (oben) und
LOOK-foto/Rainer Martini
Gesetzt aus der Minion 10/11,75·
Gesamtherstellung: Druckerei C.H.Beck, Nördlingen
Gedruckt auf säurefreiem, chlorfrei gebleichtem Papier
Printed in Germany · ISBN 978-3-423-21319-6

Fast zwangsläufig wird man schließlich zu der Person,
für die einen die anderen halten.

Gabriel Garcia Marquez:
Erinnerung an meine traurigen Huren

1

Er blickte an dem Haus mit den dunklen Fenstern empor. Es schien verlassen, und nirgends brannte Licht, nur die Straßenlaternen, an diesem Sommerabend von Insekten umschwirrt, schienen hell und kalt. Der fahle Schein der Laternen, in dem Fledermäuse sich im Flug satt fraßen, ließ die menschenleere Straße noch einsamer erscheinen. Weiter vorn fiel das kalte Blau einer Lichtreklame auf den Asphalt. Der Nachtwind griff in die Tannen, die Schatten ihrer großen Zweige strichen lautlos über die Fassade. Im ersten Stock stand ein Fenster offen, eine weiße Gardine wehte heraus, wie um etwas zu verdecken – oder als Mahnung? Der weiße Schleier stand für einen Moment still in der Luft, verharrte in der Form einer Totenmaske, und Thomas Achenbach meinte, in ihr Alexandras Züge zu erkennen. Ihn schauderte.

Am Abend war bei Tisch über sie geredet worden, und die Gespräche hatten die Geburtstagsfeier überschattet. Am Freitag war er Alexandra zuletzt auf dem Campus begegnet. Jetzt war sie tot, erschlagen, und lag irgendwo in einem eisigen Keller der Gerichtsmedizin von Wiesbaden.

Ratlos, entsetzt und auch widerwillig hatten seine Kommilitonen die absurdesten Theorien gewälzt und jeden zum Mörder erklärt, der aus diesem oder jenem Grund als Täter in Betracht kam oder am wenigsten sympathisch war. An Manuel hatte niemand gedacht. Bestand nicht auch die Möglichkeit, dass Alexandra von einer Frau getötet worden war? Als eine Mitarbeiterin der Hausverwaltung am Montag die Heizungsmonteure in die Wohnung gelassen hatte, war die Tote entdeckt worden. Die Nachricht vom Mord hatte nicht nur unter den angehenden Önologen des Fachbereichs Geisenheim, wie dieser Teil der Hochschule RheinMain hieß, rasend schnell die Runde gemacht. Auch die Bevölkerung des Städtchens war schockiert. Seit dem Mord war nichts wie vorher.

Thomas fand es immer noch richtig, dass er sich den Abend über mit seiner Meinung zurückgehalten hatte. Im Grunde genommen hatte er überhaupt keine. Er wusste nichts über die Todesumstände. Außer Manuel und Regine, mit denen er die Wohnung teilte, wusste niemand von seiner Abneigung gegenüber der Toten, von seinem tief sitzenden Misstrauen. Er war Alexandra, wenn es sich irgendwie einrichten ließ, stets aus dem Weg gegangen, damit sich seine Antipathie nicht zur Feindseligkeit auswuchs. Ihm kam dabei entgegen, dass sich ihre Studiengänge sehr voneinander unterschieden. Alexandra hatte Internationale Weinwirtschaft gewählt.

»Ich will mir doch nicht alle fünf Minuten die Fingernägel sauber machen.«

Diese Worte, bei ihnen am Küchentisch ausgesprochen, hatte er noch im Ohr. Aber sie hatte es für nötig befunden, die Nägel mehrmals täglich zu lackieren, mal eben so, nebenbei. Er selbst und seine Freunde hingegen machten sich nicht nur die Finger schmutzig, auch die Hände, die Schuhe, sie schwitzten bei der Arbeit – sie studierten eben Önologie und Weinbau. Ihnen machte das nichts aus.

Es gab allerdings einige gemeinsame Lehrveranstaltungen, bei denen ein Zusammentreffen unvermeidlich war. Er und Alexandra hatten es bei der Andeutung eines Kopfnickens belassen. Morgen hätten sie sich bei der Mikrobiologie-Vorlesung gesehen, und auch im Kurs Weinbeurteilung waren sie zwangsläufig zusammengetroffen. Aber da saß sie stets neben Manuel.

Thomas wusste, dass Alexandra ihn genauso verabscheute wie er sie. Er hatte sie durchschaut – und sie hatte es gemerkt. Es war nichts als ein Augenblick gewesen, in seinem Blick hatte sie sich erkannt gefühlt, abends bei ihnen in der Küche, nach dem Essen, beim Espresso. Der Rest des Abends war dann nur noch peinlich gewesen, schließlich war sie Manuels Freundin.

»Ich liebe Hausmannskost«, pflegte sie an solchen Abenden zu sagen und hatte ihn, der meistens kochte, dabei herausfordernd angegrinst. Die brachte er nun wahrlich nicht auf den Tisch. Aber was war für eine junge Frau schon gut genug, die am liebsten in den Etablissements von Sterneköchen verkehrte?

Außer dem trockenen Hall seiner Schritte hörte Thomas nur das Knarren der großen Äste der Tannen. Es würde Regen geben. Er konnte es riechen. Er hatte sich angewöhnt, an allem zu riechen, nicht nur an Früchten, nicht nur am Essen, an Holz oder Blumen, er roch an Eisen, an Glas, an Kunststoffen und an der Erde. Und er hatte Alexandra von Anfang an nicht riechen können. Die Abneigung war geradezu körperlich. Aber das hatte er Manuel genauso verschwiegen wie dieses Gefühl, dass sie allen etwas vorspielte. Doch er hatte es gespürt, und es verletzte ihn. Thomas' gespanntes Verhältnis zu Alexandra machte seinem Freund arg zu schaffen.

An der Kreuzung neben der Sparkasse blieb Thomas stehen, schaute nach rechts zum Bahnhof und blickte noch einmal zu dem Haus mit dem offenen Fenster zurück. Er meinte, die weiße Gardine wieder gesehen zu haben, aber war das bei der Entfernung überhaupt möglich? War es ein Zeichen, ein Wink, eine Warnung? Ihm wurde schon wieder kalt, die Gänsehaut kroch von den Schulterblättern zum Nacken hinauf. Geh weiter, sagte er sich, sieh nach vorn, doch auch der Anblick des nächtlichen Bahnhofs mit dem wartenden Taxi, das abgeblendet unter dem Baum davor parkte – der Fahrer hoffte wohl auf einen späten Fahrgast aus dem letzten Zug aus Wiesbaden –, wirkte nicht beruhigend. Links daneben drohte die massige Silhouette des in völligem Dunkel liegenden Schlosses Schönborn. Der Anblick der Weinstöcke davor, von einer halbhohen Mauer umfriedet, ließ Thomas aufatmen. Riesling wuchs hier. Was sollte es im Rheingau auch anderes sein? Ein wenig Spätburgunder? Thomas betrachtete die knorrigen Gebilde, von Blättern umrankt, in der Dunkelheit mehr Scherenschnitt als Wirklichkeit. Geisenheimer Schlossgarten hieß diese Lage mitten in der Stadt, fünfundzwanzig oder dreißig Jahre mochten die Weinstöcke hier stehen. Anthroposophen hätten an dieser Stelle kaum je etwas gepflanzt, ihnen wäre es für die Pflanzen zu laut gewesen. Aber eine Nacht wie diese, wenige Tage nach einem Mord und noch dazu kurz vor dem Regen, war sehr still – bis der nächste Güterzug aus dem Rheintal heraufdonnerte und die lautlose Dunkelheit zerriss. Thomas ging schnell weiter, um seinen düsteren Gedanken zu entkommen.

Er ärgerte sich, dass er zu träge gewesen war, den Vorderreifen seines Fahrrades zu flicken, andernfalls wäre er längst zu Hause gewesen. Den Wagen ließ er grundsätzlich stehen, wenn klar war, dass probiert und getrunken wurde. Es gab kein Essen unter den angehenden Önologen, bei dem nicht wenigstens einer von ihnen die Weine vom elterlichen Weingut oder sonstige Proben auf den Tisch stellte. Heute hatten sie die Weine von Hans Lang probiert, es hatte sozusagen ein Themenabend über biologisch gemachte Weine werden sollen.

In Sachen ökologischer Weinbau war Lang einer der Ersten im Rheingau, und was er und seine Mannschaft produzierten, gehörte zur Spitze. Sie hatten Gutsweine sowie zwei Lagen- und Ursprungsweine probiert, »vom bunten Schiefer«. Zum Kauf von Ersten Gewächsen reichte das studentische Budget nicht. Thomas war der Ansicht, dass ein Winzer, der seinen einfachsten Weinen nicht die gleiche Sorgfalt angedeihen ließ wie seinen besten Gewächsen, ihnen nicht als Vorbild dienen konnte. Aber Lang war ein Vorbild, und seine Weine waren erschwinglich, und es war eine Frage des Geschmacks, des Anspruchs und der Möglichkeiten, für welchen Wein man sich entschied.

Thomas hatte es der Spätburgunder angetan, ein rebsortentypischer Wein, diskret im kleinen Holzfass ausgebaut, mit einem schönen Beerenaroma. Als grandios hatte er den Johann Maximilian »R« von einer Probe auf dem Weingut in Erinnerung. Thomas' Freunde hatten mehr vom Grauburgunder und von Langs Riesling mit der Goldkapsel geschwärmt, leider hatten sie von allem nur eine Flasche, mehr gab der väterliche Monatsscheck nicht her. Sie lernten, sie probierten, sie diskutierten, und sie genossen, aber heute hatte ihre Privatdegustation, wie sie es nannten, nicht in euphorischer Stimmung geendet.

Heute Nacht kam Thomas die Winkeler Straße besonders lang vor, fremd und leblos, und er fragte sich, welche Sorge ihn mehr bewegte. War es Mitgefühl für Manuel, mit dem er seit einem Jahr zusammenwohnte und studierte, der sein Partner und inzwischen auch sein Freund geworden war? Mit Argwohn hatte er bemerkt, wie Alexandra ihn eingewickelt und umgarnt hatte, wie er mehr und mehr auf ihre Tricks reingefallen war und ihren lasziven Mund. Sie hatte mit Manuel gespielt, sie hatte seine Klaviatur schnell begriffen und ihre Fertigkeiten ausprobiert und perfektioniert. Manuel war blind gewesen, dankbar für das, was er für Liebe, für Zuneigung hielt. Er begriff nicht, dass sie ihn ausgenutzt, ihn verführt und dabei in die Irre geführt hatte.

Manuel war reich, vielmehr seine Eltern waren es, und für jemanden, der hoch hinauswollte, so hoch hinaus wie Alexandra, musste er das Ziel ihrer Träume gewesen sein.

Kreisrund und hell stand der Mond am Himmel, Wolkenschleier zogen vorüber. Thomas wäre gern unten am Rhein gewesen, ein Glas Wein in der Hand, und hätte das Glitzern des Lichts auf den Wellen genossen, aber er war zu müde, bis ans Ufer zu laufen. Außerdem war der Weinstand bestimmt längst geschlossen. Er sah das Schild an einem Mast:

Weinproben, Flaschenwein, Verkauf – Versand

Alles hier in Geisenheim war Wein, kam mit dem Wein, geschah durch den Wein und hing vom Wein ab. Vom Küchenfenster der WG sah er den Rothenberg, der sich nach dem langen Winter längst mit frischem Grün überzogen hatte. Auch sein Leben drehte sich um nichts anderes, seit er Köln hinter sich gelassen hatte.

Die Straße machte einen Bogen nach links, das Licht der Schaufenster erleuchtete die Fußgängerzone. Einen Bürgersteig gab es nicht, die Autos standen dicht an den Hauswänden. In dieser Nacht wirkte alles leblos und ungenutzt. Eine solche Nacht hatte Thomas in den anderthalb Jahren in Geisenheim noch nicht erlebt. Aber in einer solchen Nacht war er auch noch nie durch die Stadt gegangen, weder nach einem derartig schrecklichen Ereignis noch allein. Obwohl es ein Umweg war, ging er am Bach hinunter zum Dom und folgte dem Plätschern des Wassers.

Wäre Alexandra einfach aus Manuels Leben verschwunden, hätte sich an einen wohlhabenderen Kandidaten rangemacht, wäre er froh gewesen und Manuel einiges erspart geblieben. Außerdem hätte er die Chance gehabt, etwas über sich selbst zu lernen: Falschheit zu erkennen, seine Reaktionen darauf und seine Schwäche zu begreifen. Man war zu einem Teil immer selbst schuld! Nun aber würde sich dieser Widerspruch niemals auflösen, die Trauer würde die Erkenntnis unmöglich machen, die Chance war vertan. Alexandra gab es nur noch in der Vergangenheit, sie war das Opfer, damit wurde sie heilig gesprochen – und er, Thomas, sah sich zum Schweigen verdammt, denn über Tote sprach man nicht schlecht. Wieso eigentlich, wenn sie es verdient hatten? Aber seine Meinung teilte kaum jemand, und allen Unbeteiligten war es egal.

In der Rheingau Apotheke hing ein Plakat mit dem Produkt des Monats. Einen Wein des Monats konnte Thomas sich durchaus vorstellen, aber ein Produkt des Monats – aus einer Apotheke? Kopfschmerztabletten? Nasentropfen oder Insulinspritzen? Na dann schon besser Kondome, aber die gab's in der Drogerie, und schon wieder dachte er an Alexandra und daran, dass er den Eindruck gehabt hatte, dass sie nie wirklich scharf auf Manuel gewesen war. Oft war sie abends nicht bei ihm geblieben und hatte vorgeschützt, noch lernen, einen Vortrag oder eine Präsentation ihrer Arbeitsgruppe vorbereiten zu müssen. Sie hatte sich dann von Manuel heimfahren lassen und ihn anschließend nach Hause geschickt oder war selbst ins Auto gestiegen oder hatte sich ein Taxi kommen lassen. Manuel, der Idiot, hatte sogar dafür bezahlt.

Regine, der Frau in der WG, war das natürlich aufgefallen, und vorsichtig wie sie war, hatte sie ihre Kritik in Verwunderung gekleidet. Sie kannte Thomas' Einstellung Alexandra gegenüber und hatte ihn mehrmals gefragt, woher er die Frechheit nahm, derart negative Äußerungen über Menschen von sich zu geben. Ihr gefiel überhaupt nichts, was den geringsten Anschein von Radikalität erweckte, was sich absolut anhörte und sich nicht zurücknehmen ließ; alles das, wofür man sich nicht entschuldigen konnte, war ihr zuwider. »Schwamm drüber« war einer ihrer Lieblingsausdrücke, und es ärgerte Thomas maßlos, wenn sie meinte, dass schließlich jeder selbst wissen müsse, was er tue.

Für einen Moment blieb Thomas vor dem Fotogeschäft stehen. Hochzeitsbilder waren der Renner: Ein überglückliches Brautpaar vor einem vom Wein überrankten Torbogen lachte ihm entgegen. Das würde Manuel nun erspart bleiben. Der einzige Moment, an dem Thomas seinen Freund hatte zweifeln sehen, war der gewesen, als Alexandra erklärt hatte, dass sie in Weiß heiraten wolle, und Thomas erinnerte sich an Manuels Augen. Es war ein sehr kurzer Blick gewesen, ein Blick, in dem Zweifel aufgetaucht waren, Angst, als würde er den Boden unter den Füßen verlieren, als wenn er Thomas hätte fragen wollen, ob es das war, was er meine. Alexandra hatte es bemerkt, ihre Augen waren denen von Manuel gefolgt, und sie fand sich von Thomas' Blick gefangen. Sie hatte gespürt, dass er ihr misstraute, und ihre Augen hatten sich mit Verachtung gefüllt.

Die übergroße Taschenuhr über dem Juwelierladen zeigte zehn Minuten vor Mitternacht. Thomas ging schneller, er wollte schlafen, er wollte nicht denken, nicht grübeln. Sicher war Manuel noch wach, und es würde wieder eine Nacht mit unendlichen Gesprächen werden. Manuel war traurig, aber er war auch hilflos, und ihm fehlte die Orientierung. Er stand wie vor einer inneren Mauer. Er wusste, dass dahinter etwas lag, aber er wusste nicht, was es war. Noch nie hatte Thomas einen Menschen in diesem Zustand erlebt.

Vor ihm schälte sich die Linde aus dem Dunkel, mit ihr hatte Geisenheim sich zur Lindenstadt gemacht. Der Baum sollte siebenhundert Jahre alt sein. Im Rathaus dahinter brannte unter den Arkaden über der Freitreppe noch Licht. Die Buchhandlung Untiedt, wo er seinen Bedarf an Büchern und Schreibpapier deckte, lag im Dunkeln. Der Besitzer vom »Kiosk Linde« hinter dem Rathaus versuchte verzweifelt, die letzten Zecher am Stehtisch vor seiner Tür zur Aufgabe zu bewegen, und als Thomas um die nächste Ecke bog, hörte er noch immer ihre lauten Stimmen. War Alexandra für sie ein Thema? Sicher, denn vor Kurzem war hier auf jemanden aus einem fahrenden Auto heraus geschossen worden.

Regine konnte mit all dem am wenigsten anfangen; sie war nur entsetzt, dass Menschen anderen Menschen etwas antun konnten. Am liebsten hätte sie den Kriminalbeamten, von denen sie gestern verhört worden waren, einen Namen gesagt und damit basta. Aber sie konnte keinen Namen

nennen, hatte nicht den leisesten Verdacht. In Gefühlsange-
legenheiten war Regine hilflos, in allen Fragen des Weinbaus
war sie Spitzenklasse und bei der Lösung von technischen
Problemen immer vorneweg. Aber mit Männern, Kindern
oder Familie hatte sie nichts im Sinn. Thomas erinnerte sich
schmunzelnd, wie sie vor dem Schaufenster des Geisenheimer Wäschegeschäfts »Unterm Rock« stehen geblieben waren, um einen Freund zu begrüßen. Als sie bemerkt hatte,
wo sie standen, war sie knallrot geworden.

Thomas sah drei junge Leute, die er vom Sehen her
kannte, das »Colours« betreten. Gehörten sie zu den Land-
schaftsarchitekten oder zu den Getränketechnikern? Er zögerte, ob er auch ... nein, besser nicht, Manuel würde ihn
vielleicht brauchen. Das Bräunungsstudio »California – sun
& more« erinnerte ihn wieder an Alexandra. Hier hatte sie
sich ihre Ganzkörperbräune geholt, wie er bemerkt hatte,
als er einmal unabsichtlich in das nicht abgeschlossene
Badezimmer geplatzt war.

Zehn Minuten später war er zu Hause. In dem Zweifami-
lienhaus oberhalb der Bahnlinie bewohnten sie zu dritt die
untere Etage. Auf der Straße davor stand Manuels schwarzes
Alfa Romeo Cabrio, ein Anlass für neidvolle Blicke. In Manuels Zimmer brannte Licht, demnach war er noch wach.
Thomas schloss die Haustür auf, die Wohnungstür war nicht
abgeschlossen, und als er leise Manuels Zimmer betrat, sah
er nur den über die Tasten des Klaviers gebeugten Rücken
und die langen schwarzen Locken, die sich bewegenden
Hände, von denen eine plötzlich weit nach links griff und
mit spielerischer Leichtigkeit zurück über die Tasten lief.
Das einzige Geräusch war Manuels heftiger Atem und die
trockene Berührung der Tasten mit den Fingern. Beethoven,
wie ihn einige Studenten nannten, die von seiner Passion
wussten, hatte die Stummschaltung aktiviert. Nur er hörte
sich selbst über den Kopfhörer. Manuel hatte sich in seine
Welt zurückgezogen.

Müssen wir wieder von vorne anfangen?, fragte sich Thomas und dachte daran, wie die Starre von Manuel nach und nach abgefallen war, wie er aus seiner Zurückgezogenheit hervorgekrochen war und sich seiner Umwelt mit vorsichtiger Neugier näherte. Zu einem großen Teil hatten die Besuche auf ihrem Pfälzer Weingut dazu beigetragen. Zuerst hatte er sich geweigert, die Einladungen anzunehmen, mittlerweile freute er sich auf die Wochenenden, obwohl sie immer in eine elende Schufterei ausarteten – und das nach einer anstrengenden Studienwoche mit einem Stundenplan, der für studentische Sperenzien, wie nächtliche Fahrten in die Disco nach Wiesbaden, kaum Zeit ließ. Thomas hatte es gern gesehen, dass Manuel besonders zu seinem Vater Zutrauen gefasst hatte, erstaunt, dass es Väter gab, mit denen man reden, zu denen man gar ein freundschaftliches Verhältnis haben und sie lieben konnte. Manuel konfrontierte ihn mit Fragen, die er seinem eigenen Vater nie hatte stellen dürfen, die nie beantwortet worden waren. Der Vater hatte sich Manuel schon immer entzogen und das Geld gemacht, mit dem er ihn heute vollstopfte und ihn sich vom Leib hielt. Der Alfa Romeo war mehr ein Schweige- als ein Geburtstagsgeschenk gewesen. Als Manuel, ein Mensch mit einem grünen Daumen und ein Crack in Biologie, den Wunsch geäußert hatte, Winzer zu werden, hatte ihn sein Vater endgültig abgeschrieben.

Thomas sah Manuel lange zu, sah seine Hände über die Tasten gleiten, sah, wie er Weinstöcke anfasste, vorsichtig, respektvoll, aber doch entschieden. Da nahm Manuel die Bewegung hinter sich wahr, hielt inne und hob den Kopf. Er drehte sich um und blickte Thomas mit großen Augen an, als sei er bei etwas Verbotenem ertappt worden, dann lächelte er erleichtert.

»Du hast mich überrascht …«, sagte er atemlos.

Thomas ging zum Klavier und nahm die Notenblätter in die Hand. Es war das Klavierkonzert Nr. 1 von Chopin.

»Das werde ich beim Rheingau Musik Festival in diesem Jahr im Kloster Eberbach spielen. Es wird mein erster großer Auftritt werden.« Manuel seufzte. »Schade, dass Alexandra das nicht erleben darf. Sie hätte sich riesig gefreut.«

»Bestimmt«, sagte Thomas und nickte mehrmals, als müsse er das Gesagte bestätigen, »das hätte sie gewiss getan.«

Es war schrecklich, einen Freund anzulügen, aber hätte er Manuel die Wahrheit sagen sollen? Alexandra hätte aller Welt erzählt, dass sie die Freundin des Solisten sei und der Rest des Orchesters unwichtig.

Manuel schaltete die Stummschaltung des Klaviers aus, rührte einige Tasten an, horchte auf den Klang und nickte. »Wie war dein Abend? Worüber habt ihr geredet?« Furcht stand in seinem Gesicht.

Thomas biss sich auf die Lippe und zuckte mit den Achseln. »Worüber wohl – ist doch klar, oder? Alle wollen wissen, was los ist, sie fragen, ob wir mehr wissen, wir hatten ja engen Kontakt zu ihr, besonders du! Und dass die Leute neugierig sind bei so einer Sache (das Wort »Mord« wollte er lieber nicht in den Mund nehmen), finde ich verständlich.«

»Sensationsgierig sind sie, geil auf Drama, für die ist es doch nichts weiter als eine neue *Soap*, eine Seifenoper. Endlich ist in dem verpennten Geisenheim mal was los. Da können sie sich das Maul zerreißen. Aber was es bedeutet ...«, er hielt inne, und sein Blick kehrte sich nach innen, »was es bedeutet, was dieser Verlust bedeutet, für sie, für Alexandra, für mich, für ihre Eltern ...«

»Du kennst sie?«, unterbrach ihn Thomas. »Das wusste ich gar nicht.«

»Nein, ich kenne sie nicht, sie sollen morgen in Wiesbaden sein.«

»Hast du etwa mit ihnen geredet?« Thomas wunderte sich, denn Alexandra war den Fragen nach ihren Eltern stets ausgewichen, was seinen Verdacht genährt hatte, dass sie sich ihrer schämte.

»Ich weiß es von der Polizei. Kurz nachdem du gegangen bist, hat dieser Typ von der Mordkommission angerufen. Ich glaube, der taucht morgen hier auf, er hat gefragt, wann wir zu Hause sind. Die wollen uns alle noch mal verhören. Du kennst ja die dummen Sprüche, alles sei reine Routine.«

»War das wieder dieser Sechser? So heißt der wohl ...« Thomas erinnerte sich an das erste Gespräch oder Verhör mit dem unangenehmen Kommissar. Er ernährte sich falsch, das sah man ihm an, und Thomas hielt ihn für einen jener Polizisten, die ihre Überlegenheit herauskehren, aber in Wirklichkeit unter einem Minderwertigkeitskomplex gegenüber Studenten litten. »Hat er irgendeinen Verdacht geäußert? Haben sie irgendwelche Spuren gefunden?«

Die Entspannung, die Manuel beim Klavierspiel gewonnen hatte, war verflogen. Seine sonst vollen Lippen waren wieder schmal geworden, er senkte die Augen, und seinem Körper entwich die Luft wie einem Ballon, der in sich zusammenfiel.

»Es gibt keinerlei neue Hinweise, bislang ... hat dieser Sechser gesagt. Alexandra muss ihren Mörder in die Wohnung gelassen haben. Es sind keinerlei Einbruchsspuren gefunden worden. Es gibt keine Hinweise auf einen Kampf oder darauf, dass sie sich gewehrt hat. Abwehrverletzungen nennt man das wohl. Es ist ein grausiges Vokabular.« Bittend sah er Thomas an. »Können wir nicht von etwas anderem reden?«

»Vorhin haben sie mich gefragt, wer alles einen Schlüssel zu ihrer Wohnung hatte. Woher soll ich das wissen? Vielleicht eine ihrer Freundinnen, die Rosa Handtaschen?«

Ein verzweifeltes Kopfschütteln war alles, was von Manuel kam. »Bitte, hör auf, mir solche Fragen zu stellen.«

»Was ist mit ihrem Mobiltelefon?«

»Ich habe nicht danach gefragt, ehrlich gesagt habe ich es vergessen«, sagte er unwillig. »Außerdem war ich froh, als das Gespräch vorüber war. Der Kommissar ist direkt auf mich losgegangen, so als zweifelte er an allem, was ich sagte, so von oben herab, weißt du?«

Manuel war am Ende seiner Kräfte. Seine Freundin war tot, ermordet. Es war für Thomas schwer zu begreifen, wie viel Alexandra Manuel bedeutet hatte. Sie war zwar nicht seine erste Freundin gewesen, aber die erste, von der er meinte, geliebt zu werden. Er verkniff sich weitere Fragen und ging zu dem Bord neben dem Piano, wo der Flaschen-kühler stand. Der Rest in der grünen Flasche reichte kaum, um ein Glas zu füllen.

»Ich hole eine neue«, sagte Manuel entschuldigend und stand auf. »Ich habe zu viel getrunken. Mit den Noten hat es heute nicht so geklappt. Die wollten nicht in meiner Art gespielt werden.« Er grinste verlegen. »Aber ich habe die ganze Scheiße für eine Weile vergessen. Wenn Regine kommt, trinkt sie vielleicht noch ein Gläschen mit, oder?«

»Wo ist sie eigentlich?« Thomas blickte auf die Uhr. Es war Viertel vor eins. »Sonst ...«

In diesem Moment hörten sie Schlüssel klimpern. Leise, als wolle sie niemanden wecken, trat ihre kleine Mitbewoh-nerin in den erleuchteten Flur. Sie hatte offenbar nicht erwartet, ihre beiden Wohnis, wie sie ihre Mitbewohner nannte, noch munter anzutreffen. Um acht Uhr begann die Vorlesung zur Agrarmeteorologie, die sie alle gemeinsam belegt hatten.

»Noch Lust auf einen kleinen Schlaftrunk?«

Regine nickte begeistert, obwohl sie todmüde zu sein schien. »Ich habe den ganzen Abend über keinen Tropfen angerührt, obwohl Thorsten mich ...«, erschrocken hielt sie inne, und ihre Wangen überzogen sich mit einem feinen Rot. Thomas und Manuel kapierten es sofort: War der Fall eingetreten, den Regine für die Zeit ihres Studiums immer weit von sich gewiesen hatte? Den Annäherungsversuchen ihrer Kommilitonen wich sie stets mit Bravour aus, hatte auch die gut gemeinten immer mit einem coolen Spruch beendet, darin war sie klasse. Und nun tauchte ein Thorsten auf? In jeder anderen Situation hätten Thomas und Manuel sie nach ihrer neuen Bekanntschaft gelöchert, aber nach einem Seitenblick auf Manuel, dem sein kläglicher Gemütszustand ins Gesicht geschrieben war, hielt Thomas sich zurück.

»Gibt's irgendwas Neues?«, fragte sie vorsichtig. »Wisst ihr inzwischen mehr?« Es war klar, worauf sich ihre Frage bezog.

Manuel überließ Thomas die Antwort. Er ging in die Küche, sie hörten, wie er den Kühlschrank öffnete und wieder schloss und laut in der Schublade mit dem Besteck herumkramte.

»Der Korkenzieher ist in der mit dem Kleinkram«, sagte Regine, die ihm mit Thomas gefolgt war.

Manuel starrte auf den Korkenzieher in seiner Hand und dann auf den Schraubverschluss der Flasche. »Es gibt keine neuen Erkenntnisse.« Mit einem Knacken brach der Schraubverschluss, ein langweiliges Geräusch im Vergleich zum Herausrutschen eines Korkens. »Jedenfalls hat die Polizei nichts in der Richtung verlauten lassen. Ach – nur dass in ihrer Küche eine angebrochene Flasche Riesling stand – und zwei sauber abgewaschene und abgetrocknete Gläser, nicht ein Fingerabdruck war drauf. Da hat sich jemand Mühe gegeben, seine Spuren zu beseitigen.«

»Würdest du dich als Mörder anders verhalten?«

Manuel überging Thomas' Einwand.

»Ein Riesling zum Abschied – Weingut Altensteineck?« Regine schüttelte den Kopf. »Ganz ordentlich, aber nichts Besonderes. Wundert mich, dass Alexandra so was getrunken hat.«

Mit einem Glas in der Hand setzte sich Regine an den Küchentisch und hielt es Manuel am ausgestreckten Arm hin. »Ich bin sicher, dass man den Mörder bald fasst. Man traut sich nachts ja gar nicht mehr auf die Straße.«

»Woher weißt du, dass es ein Mann war?«, fragte Thomas und steckte seine Nase ins volle Glas.

»Ist doch logisch. Eine Frau schlägt nicht zu. Eine Frau mordet anders.«

»Als wir neulich die Pfähle in der Neuanpflanzung gesetzt haben, hast du dich mit voller Kraft reingehängt, nicht anders als ein Mann. Wenn es eine Winzerin war, eine angehende zumindest?« Wer ihm dabei kurz in den Sinn gekommen war, ließ sich Thomas nicht anmerken.

»Übrigens …« Thomas wurde gewahr, dass Manuel längst nicht genügend Abstand hatte, um darüber zu reden, deshalb wechselte er das Thema. »Ich wollte fragen, Regine, ob du am Wochenende mit uns rauf in die Pfalz kommst. Wir müssen spritzen, und du kannst die Düsen besser einstellen als ich. Während der Lehre hatte ich kaum Gelegenheit dazu. Du hast das schon auf eurem Weingut gemacht.«

»Und was war letztes Jahr? Du warst dabei.«

»Ja, mit dem alten Betriebsleiter des Vorbesitzers, von dem wir das Weingut übernommen haben. Aber der will keine Neuerungen, der ist unfähig, was zu lernen, und er kann nicht erklären.«

»Genau wie mein Vater.« Regine verzog gequält das Gesicht. »Ihr Quereinsteiger habt es leichter.« Damit meinte sie Thomas und auch dessen Vater, der als ehemaliger Chef-Einkäufer eines Weinimporteurs das Weingut übernommen hatte. Manuel hingegen war Neueinsteiger, er hatte nach dem Finanzstudium in der Schweiz lediglich ein halbjähriges Praktikum auf einem Weingut absolviert.

»Dafür haben wir andere Probleme, du Klugscheißerin. Was ist? Kommst du mit?«

»Am Wochenende muss ich selbst auf den Schlepper.«

»Auch nachts? Und was sagt Thorsten dazu?«

»Jetzt meinst du wohl, dass du mich erwischt hast, nicht wahr? Außerdem haben wir ein Gerät mit Radialgebläse, und ihr habt eins mit Tangentialgebläse. Und ihr habt ein

Recyclingsystem. Damit würde ich auch lieber arbeiten, aber mein Alter ... na ja, ihr fangt eben in der Gegenwart an, und wir leben in der Vergangenheit. Frag doch morgen einfach die Techniker drüben vom Weinbau, die erklären dir alles.« Sie trank ihr Glas aus, stellte es unsanft auf den Tisch, umarmte Manuel und gab ihm einen Kuss auf die Wange. »Frühstück um sieben Uhr? Ich gehe pennen ...«

Thomas und Manuel blieben zusammen, bis die Flasche leer war. Thomas meinte Manuel alles berichten zu müssen, was während des Essens an diesem Abend geredet worden war.

»Haben sie ihn schon?« Die pausbäckige Verkäuferin in der Bäckerei sah Thomas mit großen Augen an und tastete derweil nach den Roggenbrötchen im Korb hinter ihr. »Sie wollten drei haben, oder?«

Die Fragen nach dem Mörder hingen Thomas zum Halse heraus, obwohl er sie sich natürlich selbst auch stellte. Es hatte den Anschein, dass die gesamte Bevölkerung des Städtchens wusste, dass er mit dem Freund des Mordopfers zusammenwohnte und Alexandra gekannt hatte.

»Was für ein hübsches Mädchen«, sagte die Verkäuferin und steckte noch zwei Kümmelbrötchen in die Tüte, dann stutzte sie, runzelte die Stirn. »Jetzt habe ich doch vier Roggenbrötchen genommen. Drei wollten Sie haben, oder?«

Thomas zwang sich ein Lächeln ab. »Und drei Stütchen, also Rosinenbrötchen. Und dann nehme ich noch ein Dinkelbrot.« Vielleicht konnte er sie mit Bestellungen von ihren Fragen abbringen. Doch die Verkäuferin blieb hartnäckig.

»Ich verstehe nicht, wie jemand einer so hübschen Frau was antun kann. Was sind das nur für Menschen heutzutage?«

»Keine Ahnung. Möglicherweise ...« Thomas tat geheimnisvoll und beugte sich über den gläsernen Tresen, »möglicherweise läuft der Mörder noch in der Stadt herum!« Er machte ein so finsteres Gesicht, dass die Verkäuferin zweifeln musste, ob er sie ernst nahm. Beleidigt packte sie die Brötchen ein.

»Es kann doch nicht sein, dass man sich über eine so ernste Sache lustig macht, das ist ... Sie wissen bestimmt mehr, als Sie mir sagen.« Sie nickte, um sich selbst zu bestätigen. »Wahrscheinlich hat die Polizei Sie vergattert, den Mund zu halten? So wird es sein, damit die Untersuchung nicht gefährdet wird.« Das hörte sich ganz wichtig an.

»Das Dinkelbrot, bitte ...« Thomas hatte die Tüte mit den Brötchen in Empfang genommen und streckte die andere Hand aus, als eine Kundin den Laden betrat, die mit Vornamen begrüßt wurde. Die Verkäuferin brannte darauf, ihr zu erzählen, dass jemand aus dem Dunstkreis des Mordopfers neben ihr stand. Sie gab Thomas die Tüten, er zahlte, verstimmt über das Gespräch und dass hier niemand so schmackhaftes Brot buk wie ihr Edelbäcker in Köln, der auch nicht wesentlich teurer gewesen war. Mit einem hinterhergeworfenen »Schönen Tag noch« wurde er verabschiedet.

Er hatte sich notgedrungen Manuels Rennrad ausgeliehen und es vor dem Schaufenster der Bäckerei abgestellt. Durch die Scheibe sah er die beiden Frauen tuscheln, und die Verkäuferin zeigte mit dem Finger auf ihn wie auf den Mörder persönlich. So würde man ihm überall begegnen, bis der tatsächliche Mörder gefasst wäre. Es graute ihm vor den Fragen an der FH, mehr noch waren es die Blicke, die ihn verunsicherten, besonders wenn er neben Manuel den Hörsaal betrat.

Der Besuch im Supermarkt, wo er Aufschnitt fürs Frühstück kaufen wollte, war angenehmer, hier wechselte das Personal mit den Minijob-Verträgen so häufig, dass niemand mehr einen Kunden kannte. Er kaufte Käse und gekochten Schinken, Regine bestand darauf, und nahm eine Packung aus dem Kühlregal, um das Kleingedruckte zu lesen. Wie leicht vergriff man sich, packte Kunstkäse in den Einkaufswagen und kam mit Pseudo-Schinken nach Hause. Man musste schon genau hinsehen. Nichts war so, wie es aussah, sogar beim Wein: Wenn Riesling auf dem Etikett stand, konnten durchaus fünfzehn Prozent Weißburgunder in der Flasche sein. Das, was er für Betrug hielt, war legal.

Als ihn das Mädchen an der Kasse anblickte, stand schon wieder diese verdammte Frage im Raum. Der Gedanke an den Mord ließ ihn nicht los, seit sie am Dienstag davon erfahren hatten. Es fiel Thomas schwer, sich auf seine Angelegenheiten zu konzentrieren, auf das Studium, auf die Vorlesung in Mikrobiologie heute, er hatte nicht einmal die der letzten Woche wiederholt. Er durfte den Anschluss nicht verpassen. Er musste den Spritzplan für ihr Weingut aufstellen, auch den für seine Arbeitsgruppe. Er hatte fest mit Regines Hilfe gerechnet und nicht bedacht, dass ihr Vater wie immer mit alter Technik auf der Stelle trat.

Thomas hängte sich die Tasche auf den Rücken und stemmte sich in die Pedale. Manuel würde in seinem Zustand in Bad Dürkheim sicher auch keine Hilfe sein. Ob es gut war, ihn mit Arbeit zu überschütten? Sie hatten ihren eigenen Versuchsweinberg angelegt, genau nach Geisenheimer Vorbild, nur dass sie zu Hause völlig auf sich gestellt waren.

Dieser verfluchte Mord. Wer kam auf eine so beknackte Idee? Was hatte Alexandra getan, gewusst oder unterlassen, dass jemand sie aus dem Weg räumen wollte?

Thomas sah den Wagen im letzten Moment aus der Einfahrt kommen. Er riss an den Bremsen, die Tasche rutschte vom Rücken, die Brötchen kullerten über den Asphalt – aber das Rad stand. Eine Bleistiftlänge trennte ihn von der Motorhaube des Wagens. Die Fahrerin ließ wenig gerührt die Scheibe herunter, entschuldigte sich kurz – und fuhr die Brötchen platt. Thomas starrte ihr nach … das war heute nicht sein Tag …

2

Heute stand sie zufällig mal als Erste in der Warteschlange und hätte sofort auf die Fähre fahren können, dummerweise sprang jetzt der verflixte Motor nicht an. Hinter ihr wurde gehupt, der Einweiser auf der Fähre fuchtelte in der Luft herum, er sorgte für Stress. Erst nachdem sie den Schlüssel aus dem Zündschloss gezogen und wieder hineingesteckt hatte, entschloss sich der Computer – ein Auto konnte man ihren neuen Peugeot längst nicht mehr nennen – aufzuheulen. Natürlich fuhr sie zu schnell über die Ladeklappe, hatte einen kurzen Aufsetzer und hielt drei Zentimeter vor dem Einweiser, der nicht einen Schritt zurückgewichen war. Er dachte sicher was Blödes über Frauen, doch das war Johanna Breitenbach schnuppe. Sie gab den Blick genauso unverfroren zurück. Der Mann musste neu sein, die meisten Einweiser kannte sie vom häufigen Übersetzen, schließlich nutzte sie die Fähre zwischen Bingen und Rüdesheim mehrmals pro Woche, um zur Fachhochschule nach Geisenheim zu kommen, wo sie, wie auch an der FH in Bingen, über Umweltschutz dozierte. Im letzten Winter, als der Fährverkehr kurzfristig eingestellt worden war, hatte sie einen riesigen Umweg über Mainz und Wiesbaden in Kauf nehmen müssen.

Johanna stieg aus und stützte sich auf die Reling neben der Schranke. Was hinter ihr geschah, interessierte sie nicht, vor ihr lag der Rhein und glänzte kalt wie flüssiges Silber in der Morgensonne. Es war kühl für die Jahreszeit, der Wein war vom Austrieb her erst im Fünf-Blatt-Stadium, wie es ihre Kollegen nannten, dafür war das Licht grandios, und Johanna hätte auch eine Überfahrt von einer Stunde in Kauf genommen, denn das Panorama der Rheinlandschaft war gewaltig. Nach dreißig Kilometern in Ost-West-Richtung knickte der Strom genau am Binger Loch nach Norden ab und brach zwischen Taunus und Hunsrück durch, um seinen bisherigen Lauf in Richtung Norden fortzusetzen. Die rechtsrheinischen Weinterrassen oberhalb von Rüdesheim boten nicht nur einen strahlenden Anblick, sie erinnerten Johanna auf angenehme Weise an ihre Arbeit. Seit einem Jahr versuchte sie, den angehenden Önologen der Hochschule und aufgeschlossenen Winzern sowohl im Rheingau wie auch auf der Rheinhessischen Seite einen wirtschaftlichen Umgang mit Energie zu vermitteln.

Die fossilen Brennstoffe gingen zu Ende, die Zeit wurde knapp, die Preise wurden ins Uferlose gesteigert, die Länder würden sich gegenseitig überbieten, und wer sich nicht rechtzeitig umzustellen verstand, würde als Sklave in den Händen der Energiekonzerne enden und untergehen. Und die Klimaerwärmung nahm mit der Umweltverschmutzung zu. Dass die Entwicklung eine andere Richtung nehmen würde, hielt sie für ausgeschlossen. In der Hinsicht war sie pessimistisch. Nach zwanzig Jahren als Umweltingenieurin traute sie weder den Regierungen noch den Konzernen zu, ihr Konzept zu ändern und sich auf neue Bedingungen einzustellen.

Ihre Zeit als Dozentin hatte ihr Vertrauen in die Zukunft nicht gestärkt, im Gegenteil. Sämtliche deutschen Maßnahmen zum Schutz der Umwelt in den vergangenen zwanzig Jahren waren durch den Dreck, den Chinas Wirtschaftswachstum innerhalb von sechs Monaten hervorrief, aufgehoben worden. Jede weitere Krise diente sowohl den Politikern wie auch der Wirtschaft als Vorwand, auf Wachstum zu setzen und weiterzuwursteln wie bisher. Dabei pinselten die Marketingstrategen alles »grün« an, äußerst »nachhaltig« natürlich, aber nur, um ihre Mitmenschen noch mehr zu verwirren. Die Strategen besaßen sicher in kühleren und hoch gelegenen Gegenden ihre Villen, ihre Top-Restaurants mit der entsprechenden Weinkarte und den Golfplätzen, wo die unterirdisch verlegte Bewässerung das *Green* saftig machte. Waren diese Menschen nur dumm, oder waren sie bösartig? Johanna hielt das Letztere für wahrscheinlicher, anders konnte sie sich den langsamen Atomausstieg und den halbherzigen Ausbau von erneuerbaren Energien nicht erklären. Oder trieb sie die Geldgier? Waren sie nur überfordert?

Wahrscheinlich war von allem etwas dabei, und das war eine gefährliche Mischung. Das ließ ihr die Mitmenschen fremd werden, auch die hinter dem Lenkrad ihrer Autos auf der Fähre. Außer ihr war nicht einer ausgestiegen, um den Morgen und das Übersetzen über den wunderbaren Strom an der frischen Luft zu genießen, mit Blick auf die grünen Weinberge und dem Wind im Gesicht.

Sollten sie sich selbst kaputt machen. Was interessierte sie die Zukunft? Sie wurde bald fünfzig, hatte keine Kinder, um deren Aussichten sie sich hätte sorgen müssen, und gegen die zunehmende Erderwärmung hatte sie eine Klimaanlage im Wagen. Immer häufiger entdeckte sie an sich einen Zug zum Zynismus. Sie geriet in diesen Sog, aus dem sie sich nicht würde befreien können, sie haderte mit ihrer Rolle als Dozentin, manchmal sogar, wenn sie vor den Studenten stand.

Sie predigte gegen Mauern. Ihre jungen Zuhörer nahmen es zwar mehr oder weniger an, aber spätestens im Beruf würden die viel zitierten Sachzwänge sie in ihren Weingütern auf den Boden der Tatsachen zwingen, und die hießen Kosten und Profit. Johannas Zynismus hatte sie sogar schon einmal so weit gebracht, für die Gegenseite zu arbeiten. Dabei war sie kläglich gescheitert und ihre Ehe in die Brüche gegangen. Trotzdem hatte sie sich nicht von Carl scheiden lassen. Die Wunden waren verheilt, das Vertrauen war wieder gewachsen, und ihr stand Carl von allen Menschen am nächsten. Er war schlicht von seinem Wesen her und ohne Arg. Vielleicht war das die Voraussetzung, dass sie sich auf ihn verlassen konnte. Und er tat, was er sagte. Aber da gab es noch Markus. Früher hätte man jemanden wie ihn einen jugendlichen Liebhaber genannt. Er sah gut aus, er war intelligent, er war wirklich ein guter Liebhaber. Aber sie liebte ihn nicht, sie war nicht einmal in ihn verliebt.

Johanna spürte das Vibrieren des Schiffskörpers, dann hörte sie das übliche Schrammen der Ladeklappe über den Beton der Rampe. Die Fähre legte ab, nahm Fahrt auf, und jenseits der Mole schlingerte sie leicht. Trotz der frühen Stunde herrschte viel Verkehr auf dem Rhein, und hier, vor der engen Fahrrinne des Binger Lochs drängten sich die Schlepper und Schubeinheiten zusammen, nachdem sie die breiteste Stelle des Rheins passiert hatten.

»Nur eine Person?«, fragte plötzlich ein Mann hinter ihr, und Johanna wandte sich rasch um. »Das ist doch Ihr Auto, nich?« Der Mann mit der Geldtasche vor dem Bauch zeigte auf den blauen Peugeot. Es war der Kassierer. Als Johanna nickte, verlangte er »dreieurofumzich«.

Ein Osteuropäer, dachte sie und erinnerte sich daran, dass im Rheingau kaum noch eine Traube von Deutschen gelesen wurde. Die Weinlese war, wie das Spargelstechen, fest in polnischer Hand. Alle Arbeiten im Weinberg waren »outgesourct« und wurden seit Jahren von denselben Arbeitern ausgeführt. Bei dem Winzer, den sie zuletzt beraten hatte, waren es zwei Großfamilien aus einem polnischen Dorf, die sich mittlerweile zu Experten für Boden- und Laubarbeiten und die Lese entwickelt hatten. Aber mit der »Harmonisierung« der europäischen Sozialgesetze würde das vorbei sein. Würden dann die Deutschen wiederkommen und die Trauben auf dem Gebirgszug ihr gegenüber lesen?

Vom Fluss aus wirkte er mächtig, mitten drin das Niederwalddenkmal. Sie mochte das Denkmal nicht, die Germania mit Krone und Schwert, genauso wenig wie die anderen, mit denen Siege gefeiert wurden, denn es siegten immer nur wenige. Hundertachtzigtausend Männer waren im Deutsch-Französischen Krieg von 1871 gefallen. Wie sympathisch waren dagegen die Weinstöcke ringsum. Sie wusste von keinem Krieg, der um Weintrauben geführt worden war. Der Hang war zu zwei Dritteln bepflanzt, nur den Kamm bedeckte dichter Wald. Alles war mit Riesling bestockt. Die Terrassen begannen unten am Ufer an der Ruine von Burg Ehrenfels. Sie markierten die Stelle, wo der Fluss nach Norden abbog und das Mittelrheintal begann. Ein Zaun hatte sie bei ihrer letzten Wanderung gehindert, die Burg zu betreten, die jetzt Wanderfalken als Heimstatt diente. Ob man den Zaun abreißen würde, wenn die Falken weiterwanderten?

Der Weinberg darüber war der Schlossberg, mit siebzig Prozent Steigung die steilste Lage im Rheingau, wie sie von einem ihrer Studenten erfahren hatte. Der Boden bestand aus Schiefer und Taunusquarzit. Angeblich fand sich das im Weingeschmack wieder, doch das zu beurteilen, fühlte sie sich außer Stande. An den Wein hatte Carl sie herangeführt, aber bevor sie wieder über ihre Beziehung ins Grübeln geriet, schüttelte sie die Gedanken ab.

An den Schlossberg grenzte der Rottland, groß stand sein Name in weißen Lettern inmitten der Reben, so wie Hollywood über der US-Filmstadt. Darüber lag der Berg Roseneck, nur der Drachenstein reichte noch höher hinauf. Hier wurde das Terrain flacher, der Boden anders, wie ihr der Student erklärt hatte, tiefgründiger, er setzte sich aus Löss und Lehm zusammen, womit er auch mehr Wasser zurückhalten konnte. Die Bodenbeschaffenheit wiederum führte beim Wein zu einem reicheren Körper und ausgeprägten und vielseitigen Aromen. So bewusst, um dieses Urteil zu bestätigen, hatte sie Wein noch nie probiert. Vielleicht sollte sie mit ihren Studenten zusammen an der Vorlesung für Sensorik teilnehmen? Einen Riesling zu jedem Bodentyp probieren und dazu vielleicht noch eine Bodenprobe vor sich liegen haben, die Auskunft über Beschaffenheit, Struktur, Farbe und Körnung gab? Durch ihre Arbeit tauchte sie immer tiefer in das Thema ein, obwohl ihr doch eigentlich die technischen und physikalischen Prozesse wichtig waren. Schaden würde das auf keinen Fall, und ein klares Urteil zum Wein würde ihr Ansehen bei den Winzern sicher steigern. Ihre Arbeit hatte sie bisher weniger unter dem Gesichtspunkt des Genusses und des Gefühls betrachtet. Dabei gab es kaum einen Wirtschaftsbereich wie den Weinbau, der so mit Emotionen verknüpft, ja oft sogar von unerträglichem Getue begleitet war, das sonst nur um Sterne-Köche und TV-Sternchen gemacht wurde.

Bei dem Gedanken an den Weißwein, den sie gestern Abend auf dem winzigen Balkon ihrer Binger Wohnung getrunken hatte, hob sie den Kopf und sah wieder hinauf zum Berg, der sich östlich von Rüdesheim zum Wald hin abflachte. Davor stand die Abtei St. Hildegard, ein mächtiges, graubraunes neo-romanisches Bauwerk, in seiner Schwere und Düsternis wenig anheimelnd, geschweige denn vertrauenerweckend. Obwohl die historische Hildegard von Bingen eine bemerkenswerte Person gewesen sein mochte (nirgends wurde so viel gelogen wie in Biographien und in der Politik), empfand sich Johanna viel zu sehr der Welt zugewandt, um sich auf Religionen einzulassen. Sie war der Wissenschaft verhaftet, und sie glaubte, was sie mit eigenen Augen sah und selbst erlebte.

Bevor sie zu ihrem Wagen zurückging, schaute Johanna noch einmal wehmütig auf das Wasser. Im letzten Herbst war sie bei Sturm mit ihrem Surfboard zwischen Oestrich-Winkel und Walluf über die aufgewühlten Fluten geglitten – weggeweht und hingegeben – und schnell genug, um nicht von der Strömung vor einen Schlepper getrieben zu werden.

Im Sommer vermisste sie dieses mitreißende Vergnügen. Sie sollte wirklich mal eine der Frauen besuchen, die sie vor einigen Jahren am Neusiedler See kennengelernt hatte, und dort wieder surfen. Das war mit schmerzhaften Erinnerungen verbunden, deshalb hatte sie es sich bislang verkniffen. War der Laacher See nicht auch ganz schön und in einer guten Stunde zu erreichen?

Als Johanna den Schriftzug »Asbach« an der Hauswand auch ohne Brille lesen konnte, Kontaktlinsen trug sie nur beim Surfen, wurde es Zeit, sich hinters Lenkrad zu klemmen – der Motor sprang sofort an –, und als Erste verließ sie die Fähre. Sie überquerte die Gleise und befand sich auf der Promenade, die um diese Zeit mehr von gehsteigfegenden Hotelportiers und chinesischen Souvenirverkäufern bevölkert wurde als von Touristen. Die würden nicht vor elf Uhr aus den Bussen tappen, danach war kaum noch ein Durchkommen. Was machte dieses Städtchen bei ihnen so beliebt? Eltville war um vieles schöner und sehenswerter, Oestrich romantischer und gediegener – aber vielleicht suchten die Touristen gerade jene Welt der Postkarten, Schlüsselanhänger und Schoppengläser mit geriffeltem Fuß. Und was trieb die Menschen in die enge Drosselgasse?

Sie kam schnell voran, noch war wenig Verkehr, und am Ortsausgang bog sie links in die Rüdesheimer Straße, die sie direkt zur FH führen würde. Die Brentanostraße, wo man ihr ein winziges Büro in der alten Villa zur Verfügung gestellt hatte, fanden nur Eingeweihte. Sie betrat das alte Gebäude und ging hinauf in den ersten Stock. Als sie die Tür aufschloss, kam die Sekretärin aufgeregt aus dem Nebenzimmer.

»Haben Sie schon von dem Mord gehört?« Der Frau stand eine Mischung von Faszination und Abscheu im Gesicht.

Johanna schüttelte abwehrend den Kopf. Sensationsgeschichten waren ihr zuwider. Sie öffnete die Tür, nahm den bekannten Geruch von Mauerwerk und Papier wahr, der dem Raum anhaftete, sodass sie meistens bei offenem

Fenster arbeitete oder sich unten in der Küche am Automaten einen Kaffee holte, dessen Aroma den Raum wundersam verwandelte. Sie drehte sich noch einmal um, sie wollte nicht unfreundlich wirken.

Die Sekretärin folgte ihr. »Lesen Sie keine Zeitung, Frau Breitenbach? Wir sind alle zutiefst schockiert und entsetzt! Unglaublich, dass bei uns so etwas passieren kann – bei uns! Und Sie haben wirklich nichts davon gehört?«

Johannas Unwissenheit irritierte die Sekretärin genauso wie ihr Desinteresse an einer so abscheulichen Tat, der sie offenbar gleichgültig gegenüberstand.

»Und wer ist ermordet worden?«, fragte sie, Anteilnahme heuchelnd und überzeugt, wieder ein Bild-Zeitungsdrama aufgetischt zu bekommen.

»Alexandra, Alexandra Lehmann, eine unserer Studentinnen. Sie kannten sie wahrscheinlich. Ein bildhübsches Mädchen, nein, eine junge Frau, sie war kaum zu übersehen, eine auffällige Erscheinung, sehr ungewöhnlich für unsere Studenten: Ziemlich groß, eine gute Figur, und sie sah gut aus, ein feines Gesicht. Blond, meist hochgestecktes Haar, sehr gepflegt, auch von der Kleidung her, ein ausgefeilter Geschmack. Sie zeigte überdurchschnittliche Leistungen, sie hätte das Studium mit Bravour gemeistert und ihren Weg gemacht. So einer jungen Frau stand die Welt offen, ohne Zweifel. Aber dann – ein Mord – eine Katastrophe.«

Johanna brauchte einen Moment, bis sie das Gesagte begriff. »Eine unserer Studentinnen wurde ermordet? Richtig so ...?«

»Wie – richtig so? Mord ist Mord, ob Sie es glauben oder nicht, ja, in ihrer Wohnung erschlagen. Am Montag hat man sie gefunden. Ihre Wirtin war's, in ihrem Apartment.« Die Sekretärin war noch immer empört.

»Die Wirtin hat sie ermordet?«

»Ach, Sie sind aber schwer von Begriff. Die Vermieterin hat sie gefunden.«

Johanna glaubte noch immer, sich verhört zu haben. Erschlagen? Hier in diesem friedlichen Städtchen hatte sich ein Mord ereignet? Unmöglich. Die Sekretärin musste etwas durcheinanderbringen.

»Vielleicht haben Sie sie ja auch nicht bemerkt, Sie sind ja nicht so oft hier, Frau Breitenbach.«

Hörte Johanna da einen Unterton von Kritik heraus? Wieso sollte sie öfter herkommen, wenn sie lediglich einen Lehrauftrag hatte, der sie zwei Mal pro Woche hierher führte oder zu den unvermeidlichen Konferenzen?

»Sie haben ja nur mit den angehenden Önologen und den Getränketechnologen zu tun und weniger mit den Internationalen Weinwirtschaftlern.«

»Das stimmt«, sagte Johanna nachdenklich. Ökologie und Umweltschutz oder Energietechnik gehört bei Weinwirtschaftlern weder zu den Pflichtveranstaltungen noch zu den Profil- oder Wahlmodulen, wie die freiwilligen Veranstaltungen inzwischen hießen. Sie versuchte, sich an ihre Studenten zu erinnern, aber das von der Sekretärin beschriebene Gesicht war nicht darunter. Es wäre ihr aufgefallen.

»Aber auffällig war sie doch, kaum zu übersehen. Die Lehmann trat immer mit zwei Freundinnen auf, die studierten zusammen.« Die Sekretärin kicherte verstohlen. »Die Rosa Handtaschen hat man sie genannt.«

»Wie heißen die?« Johanna meinte, sich verhört zu haben.

Ein verlegenes Schulterzucken begleitete die Antwort. »Rosa Handtaschen. Ich habe es nicht erfunden. Es kam von den Studenten. Eine hat mir das mal erzählt, weil sie alle drei am selben Tag mit rosa Handtaschen in die FH gekommen sind.«

Johanna fand es lächerlich. »Weiß man schon ...«

»... wer der Täter ist?«, beendete die Sekretärin die Frage. »Nein. Es gibt keine Spur, soweit ich weiß. Die Kripo hält sich bedeckt, Sie wissen ja, um die Ermittlungen nicht zu gefährden«, flüsterte sie, »aber die taucht bestimmt noch bei uns auf – die Mordkommission.«

War es unfair, dass Johanna der Sekretärin unterstellte, sich bestimmt darüber zu freuen?

»Also wenn Sie mich fragen ...«, die Sekretärin hielt inne, »... einer aus Ihrem Seminar war mit der Lehmann befreundet, ja, er war ihr Freund, der wird bestimmt mehr wissen. Stern heißt er, Manuel Stern, er stammt aus München, ein piekfeiner Junge und ein Pianist.«

»Der studiert Weinbau?«

»Warum soll ein Student nicht Klavier spielen? Der soll ziemlich gut sein, hat man mir gesagt, tritt auch öffentlich auf. Und beim Rheingau Musik Festival wird er in diesem Jahr dabei sein, richtig mit einem Orchester und so, das werde ich mir anhören. So jemanden hatten wir hier noch nie ...«

»Ich muss los, Sie entschuldigen mich, ich muss mich vorbereiten«, sagte Johanna, um die Frau loszuwerden. Sie griff nach ihrem Rechner und der ledernen Handtasche, sah sie befremdet an, aber sie war nicht rosa, sondern beige.

Als die Sekretärin ging, spürte Johanna den missbilligenden Blick im Rücken, während sie zur Kaffeeküche ging, um sich einen Cappuccino zu holen. Die Vorlesung begann um zehn Uhr, sie hatte noch Zeit, ihre Präsentation einmal durchlaufen zu lassen und sich Fragen zu den diversen Themenbereichen in Erinnerung zu rufen. Sie fühlte sich in ihrem Thema so sicher, dass sie kein Konzept benötigte. Um die sechzig bis siebzig Studenten anderthalb Stunden lang unter Kontrolle zu halten, musste sie die jungen Leute einbeziehen, und das geschah am besten anhand der Erfahrungen, die sie während des Praktikums, ihrer Winzerlehre oder im elterlichen Betrieb gemacht hatten.

Vor dem Hörsaal blieb Johanna irritiert stehen. An anderen Tagen hatte sie bereits im Flur ein hoher Geräuschpegel erwartet, die Tür war von debattierenden Studenten umlagert, die sich weniger über die Inhalte der bevorstehenden Veranstaltung unterhielten als über den gestrigen Abend.

Aber heute herrschte Stille. Niemand wartete auf Johanna, um sie mit Fragen zu löchern oder Ratschläge einzuholen. Aus dem Hörsaal drang nur Gemurmel, die Stimmung war gedämpft. Drei Gruppen hatten sich um jeweils eine Person geschart, zwei junge Männer und eine junge Frau, die Johanna als sehr interessierte und aufmerksame Zuhörer kannte. Der größte von ihnen, ein hoch aufgeschossener Mann mit gestutztem Bart und schwarzem Haar hatte sich neulich wegen einer individuellen Beratung »unseres« Weingutes an sie gewandt – sicher war das seiner Eltern gemeint. Sie war sich nicht sicher, ob er besonders motiviert, krankhaft ehrgeizig oder ein eitler Streber war. Seine Fragen jedoch hatten nicht so geklungen, als ob er sich hatte aufspielen wollen. Er war ihr nicht eine Minute lang unaufmerksam vorgekommen, genau wie der schwarzhaarige Lockenkopf und die kleine lebhafte Studentin, die meistens zusammenhockten. Jetzt bildete jeder von ihnen den Mittelpunkt einer Gruppe.

Als man Johanna bemerkte, suchte sich jeder schweigend einen Platz. Sogar oben in der linken Ecke des Hörsaals, wo sich die Winzersöhne versammelten, war es still. Sonst quatschten sie, zuzuhören brauchten sie nicht, sie erbten irgendwann das elterliche Weingut, und damit glaubten sie, ausgesorgt zu haben.

Die außergewöhnliche Ruhe war Johanna recht. Es würde weniger anstrengend werden. Sie schloss ihr Laptop an den Beamer an, probierte beides aus, dann bat sie eine Studentin, den Inhalt der letzten Vorlesung zusammenzufassen. Als die Studentin stockte, forderte sie einen Kommilitonen auf fortzufahren. Sie hatte kein Interesse, irgendwen mit seinem Unwissen vorzuführen. Sie wollte niemanden prüfen, sie wollte lediglich an ihr Thema der letzten Woche anschließen. Aber die gedrückte Stimmung im Raum verunsicherte sie doch, so zahm hatte sie ihre Studenten nie erlebt.

»... also gut, vielen Dank für Ihre Ausführungen.« Damit

beendete Johanna die Wiederholung. »Machen wir uns noch einmal Folgendes klar: Wir gehen von einer Verknappung der Energie aus und damit von steigenden Preisen. Durch Erhöhung unserer Preise können wir die Steigerung nicht auffangen, es würden uns Kunden wegbrechen. Also müssen wir unsere Kosten senken. Und langfristig gedacht müssen wir unsere Energiebilanz verbessern. Energie benötigen wir im Weinbau wofür?«

Merkwürdigerweise gab es heute so viele Meldungen wie sonst nie. »Für die Produktion der Trauben, für die Weinbereitung und die Vermarktung.«

»Richtig. Einen Teil der Energie dafür bekommen wir gratis – von der Sonne, wenn wir die Blätter für die Photosynthese als Kollektoren sehen und den Regen als Ersatz für Bewässerung, die bei fortschreitendem Klimawandel in einigen Regionen durchaus auf uns zukommen könnte.«

Der Konjunktiv, die Möglichkeit, dass es so werden könnte, war den Studenten geschuldet. Sie selbst war überzeugt, dass Wasser zur Überlebensfrage werden würde.

»Aber um die Photosynthese zu verbessern, benötigen wir bereits Energie, und zwar für den Schnitt der Laubwand. Sollten wir das per Hand erledigen, brauchen wir zumindest Kraftstoff für unser Fahrzeug, das uns in den Weinberg bringt. Geschieht der Laubschnitt maschinell, benötigen wir zusätzlichen Dieseltreibstoff und Strom für die Akku-Schere. Wir waren demnach bei der Erstellung und der folgenden Auswertung unserer Energiebilanz, dem folgt die Ermittlung der Energiekosten und die Berechnung der CO_2-Emissionen. Wir haben eine Musterrechnung aufgemacht und ein Familienweingut in der Pfalz von der Größe von sieben Hektar angelegt ...«

Niemand sprach, alle hörten aufmerksam zu. Gemeinsam wurden die Betriebsstunden pro Jahr ermittelt, von der Unterstockpflege bis zum Ausbringen des Tresters nach der Kompostierung. Bei der Festlegung des Energieverbrauchs und der Kosten für die Kellerarbeiten war man sich noch einig, aber dass die Fahrten zu Kunden und Messen mit dem Lieferwagen zwecks Vermarktung der Weine die Hälfte aller Kosten ausmachte, verblüffte die Studenten. Die Bilanz ergab vierzehn Cent Energiekosten pro Liter Wein und zweihundertachtzig Gramm CO_2 für den Transport.

Welche Einsparpotenziale sich in einem bisher konventionell geführten Betrieb ergaben, würden sie in der nächsten Veranstaltung behandeln. Es war allen freigestellt, sich vorab mit dieser Frage zu beschäftigen oder aus den eigenen Betrieben über Umstellungsmaßnahmen zu berichten.

Im Gegensatz zu dem sonst aufbrandenden Lärm packten die Studenten leise ihre Blocks und Kladden ein, nur wenige hatten mitgeschrieben. Die Mehrheit würde warten, bis die Zusammenfassung dieser Vorlesung im Internet abrufbar war. Während Johanna ihren Rechner herunterfuhr, dachte sie darüber nach, wie anders ihr eigenes Studium verlaufen war. Vor fünfundzwanzig Jahren hatten sie wesentlich mehr selbst entwickeln müssen, das Schwergewicht hatte auf Seminararbeit und auf Hausarbeiten gelegen und weniger auf dem Abfragen angelernten Wissens.

Allerdings war der Lehrplan in den Fachbereichen Weinbau und Getränketechnologie derart umfangreich, dass man nach den alten Methoden weit mehr als drei Jahre für den Abschluss als Bachelor benötigt hätte. Chemie, Betriebswirtschaft, Physik und Phytomedizin, Mathematik sowie Statistik waren bereits im ersten Studienjahr erledigt worden. Exkursionen, Projekte im Weinberg wie im Keller sowie Übungen waren dem dritten Studienjahr vorbehalten. Je länger Johanna hier dozierte, desto mehr lernte sie selbst. Es war unglaublich, wie kompliziert und komplex sich die Weinbereitung, die sie früher für einen eher einfachen Prozess gehalten hatte, für sie inzwischen darstellte, wenn sie zusätzlich sogar noch an Marketing, Buchführung, Informationstechnologie und das gesamte Zertifizierungs(un)-

wesen dachte. Die Hälfte ihres Tages (und der Nacht) verbrachten Winzer heute mit Marketing und der Organisation ihrer Büros. Einfache Weinbauern waren das längst nicht mehr.

Sie blickte auf und sah den Studenten mit dem Wochenbart vor sich, der sie wegen der Beratung angesprochen hatte. Seinen Nachnamen, Achenbach, hatte sie sich gemerkt, denn jemand hatte ihre Namen verwechselt und sie gefragt, ob sie, Johanna Breitenbach, seine Mutter sei. Sie hatte gelacht. Aber nein, sie hatte keine Kinder, ein »leider« schwang dabei im Stillen mit, doch es wagte sich nicht so weit in ihr Bewusstsein vor, als dass es ihr hätte wehtun können. Ihr Sohn? Nein, der wäre anders gewesen, jedenfalls nicht so selbstgefällig wie der junge Mann vor ihr. Der andere neben ihm mit den langen dunklen Locken kam längst nicht so selbstbewusst daher. Die Dritte des Trios blieb auf Distanz. Sie wandte sich just in dem Moment einer anderen Studentin zu, als der Bärtige zu sprechen begann. Er stellte sich als Thomas Achenbach vor, seinen Begleiter als Manuel Stern.

»Ich habe mit meinem Vater geredet«, sagte er mit einer überraschend freundlichen Stimme. »Wir würden uns sehr freuen, wenn Sie die Zeit für einen Besuch fänden und uns beraten würden. Wir stellen unser Weingut von konventioneller auf ökologische Produktionsweise um, und da gehört ein modernes Energiemanagement dazu, also genau das, was Sie uns hier beibringen. Wenn Sie uns helfen könnten, den Betrieb auf mögliche Einsparungen hin zu analysieren ...«

»In der Pfalz ist das Weingut, wenn ich mich recht erinnere?«

»Ja, bei Bad Dürkheim. Vierzehn Hektar haben wir im letzten Jahr gekauft, es ist ein hügeliges Gebiet mit verschiedenen Bodentypen. Wir hätten da ein bescheidenes Gästezimmer ...« Thomas Achenbach lachte etwas unsicher, Johanna fand diesen Zug an ihm sympathisch.

»Das ist was für Mönche«, ergänzte Manuel Stern freundlich. »Es ist mehr eine Zelle mit Tisch, Stuhl, Bett und drei Kleiderhaken an der Wand. Ich kenne das Zimmer, man schläft wunderbar – es ist ein Raum für das Wesentliche …«

»… aber wir zahlen natürlich auch das Hotel, wenn Sie lieber in Bad Dürkheim …« Die letzten Worte Thomas Achenbachs kamen kaum noch bei Johanna an. Sie kannte den Namen Stern nur in Bezug auf eine bekannte Dynastie von Diamantenhändlern, und sie blickte Manuel zum ersten Mal sehr bewusst ins Gesicht. Stammte er aus dieser Dynastie? Er schien ein reicher Junge zu sein, freundlich, weiche Gesichtszüge, längst nicht so hager wie sein Freund und mehr ein verträumter Typ als ein Realist, den Johanna im philosophischen Seminar erwartet hätte statt unter diesen bodenständigen Studenten. Dieser Manuel benahm sich wie ein Städter, war gut angezogen, bevorzugte Hemden mit geknöpftem Kragen statt Kapuzenpullover, er trug lederne Slipper und nicht die üblichen Laufschuhe. Er wirkte gepflegt, gut erzogen, verbindlich, aber er war auch ein wenig zaghaft und verschlossen. Jetzt zupfte ihn seine Begleiterin am Ärmel. Johanna bekam mit, wie eine Frage gestellt wurde. Sie verstand nur ein einziges Wort: Mord!

»Geht es um … die Studentin?« Johanna deutete mit dem Kopf in die Richtung, aus der die Worte kamen. »Ich habe erst heute davon erfahren. Wissen Sie mehr darüber?«

Manuel Stern schlug die Augen nieder und stöhnte. Thomas Achenbach antwortete für ihn. »Sie meinen wahrscheinlich Alexandra Lehmann.« Er machte auf Johanna den Eindruck, als würde er das Thema recht sachlich angehen. »Manuel war mit ihr befreundet, auch wir, Regine und ich, wir kannten sie. Alexandra war ab und zu bei uns – in der WG.«

»Oh, das tut mir leid – mein … mein Beileid.« Mehr wusste Johanna nicht zu sagen.

Achenbach drehte sich zu der kleinen Studentin um und

schob sie nach vorn. »Das ist Regine, die Dritte in unserem Wohnchaos.«

Johanna wollte nicht neugierig erscheinen, aber sich gar nicht dafür zu interessieren wäre auch falsch.

»Ich habe erst heute von diesem ... schrecklichen Ereignis erfahren. Wann ist es passiert?«

»Montag hat man sie gefunden. Also wird sie am Sonntag ermordet worden sein. Am Dienstag war die Polizei bei uns und hat uns alle verhört, besonders Manuel haben sie in die Mangel genommen. Wir wissen nichts, nur das, was man sich aufgrund der Fragen der ... Polizisten zusammenreimen kann. Am wichtigsten waren ihnen *unsere* Alibis.«

Er hat Bullen statt Polizisten sagen wollen, dachte Johanna, insgeheim lächelnd. »Und was ... glauben Sie? Wer ...?« Kaum hatte sie die Frage gestellt, bereute sie es auch schon wieder.

»Nichts deutet auf einen Einbruch hin.«

»Dann kannte sie ihren Mörder? Das finde ich erstaunlich.«

»Ja erstaunlich, wie schnell sich das herumspricht«, warf die junge Frau schnippisch ein.

Sie ist ein wenig verbissen, dachte Johanna und wandte sich ihr zu, halb missbilligend, halb neugierig. »Was haben Sie mit der ... Sache zu tun? Sind Sie eine Kommilitonin des ... äh ... der ... Toten?« Des Opfers – hatte sie sagen wollen, aber das wäre ihr dann doch zu theatralisch vorgekommen.

»Im weiteren Sinne bin ich das, im näheren nicht. Sie hatte den Rosa-Handtaschen-Studiengang belegt. Wir hier«, sie sah sich um, »wir sind die Handwerker, die Malocher, die glücklichen Traktoristen.«

Es hatte für Johanna den Anschein, dass diese Regine mit etwas haderte, entweder mit ihrer Rolle oder mit der Ermordeten? Versteckte sich hinter Ablehnung nicht allzu häufig bloßer Neid?

»Und – haben Sie nun alle ein Alibi?« Johanna lachte gekünstelt, sie hatte etwas Lustiges sagen wollen, um sich von dem Thema zu befreien, aber ihre Frage bewirkte das Gegenteil.

Dieses Mal antwortete Manuel, er war urplötzlich wütend. »Thomas war zu Hause auf unserem Weingut. Regine war bei ihren Eltern und musste am Sonntag helfen, sie haben Riesling vom letzten Jahr für einen Kunden abgefüllt. Also hat auch sie ein Alibi. Ich bin der Einzige, der keines hat!« Er sah Johanna geradeheraus an. »Und ihre Nachbarn behaupten, wir hätten uns am späten Nachmittag gestritten – und das stimmt sogar ...«

Johanna wusste nichts zu entgegnen, ihr fiel auch keine Frage ein, um der Peinlichkeit dieser Situation auszuweichen. Sie hatte außerdem das Gefühl, dass die drei jungen Leute vor ihr völlig unterschiedlich mit der schwierigen Situation umgingen, obwohl sie sich in gewissem Sinne einig schienen. Doch worauf die Einigkeit beruhte, war ihr nicht klar.

»Du hattest ja wohl auch Grund dazu«, sagte Thomas und durchbrach das peinliche Schweigen, »Grund für den Streit.«

Manuel senkte den Blick, und Johanna betrachtete seine Hände. Es waren tatsächlich die eines Pianisten – aber konnten es auch die eines Mörders sein? Dann sah sie ihm in die Augen und las darin nur Traurigkeit. Über das, was geschehen war, oder über das, was er angerichtet hatte?

»Wenn ich nach Bad Dürkheim komme, sind Sie dann auch da?« Die Frage war an Manuel gerichtet.

Sofort ging Thomas dazwischen. »Haben Sie damit ein Problem? Sagen Sie es ruhig. Wenn ja, dann verzichten wir auf Ihre Hilfe.«

Ein schwieriges Trio, dachte Johanna und fragte sich, ob es den Konflikt überstehen würde.

3

Die Herren des Morgengrauens kamen zu viert um sechs Uhr früh. Thomas kannte den Mann, der mit einem Zettel vor der Wohnungstür stand, und, als Thomas sie einen Spalt geöffnet hatte, sofort den Fuß dazwischenschob. Das hätte er sich sparen können, Thomas war nicht darauf aus, die Ermittlungen zu behindern.

Kriminalhauptkommissar Sechser leitete die Ermittlungen im Mordfall Alexandra Lehmann. Er hatte die WG bereits am Dienstag verhört. Sein Eindringen in ihre Privatsphäre war mit einer Anmaßung geschehen, die Thomas nur als persönlichen Angriff auffassen konnte. Von diesem Moment an glich das Verhältnis zu dem Polizisten einer Zündschnur. Wann der Funke die Bombe erreichte, war eine Frage der Zeit. Schon deshalb hoffte Thomas, dass die Ermittlungen möglichst rasch zu einem Ergebnis führten.

»Kriminalpolizei, machen Sie die Tür auf!«

»Guten Morgen, Herr Sechser«, sagte Thomas übertrieben freundlich. »Sie brauchen gar nicht so heftig aufzutreten, hier sind alle brennend daran interessiert, dass Sie den Mörder fassen. Ich nehme an, Sie wollen nicht zu mir?«

Sechser stieg sofort auf den Ton ein. »Was Sie annehmen, Herr Achenbach, ist mir völlig gleichgültig. Manuel Stern ist hier gemeldet. Ist er da?«

»Das wissen Sie ja wohl. Er schläft übrigens noch.«

»Zeigen Sie mir sein Zimmer! Das mit dem Wecken übernehmen wir.«

»Dann zeigen Sie mir vorher Ihren Durchsuchungsbefehl. Daraus müsste hervorgehen, zu welchen Räumen wir Ihnen Zutritt gewähren müssen. Wir wohnen hier zu dritt.« Thomas sah die anderen Beamten hereindrängen, die ihn feindlich musterten. »Zusätzliche Verstärkung? Ist das mit dem Personalmangel der Polizei zu vereinbaren? Oder vermuten Sie eine studentische Verschwörung?«

Thomas musste Manuel wirklich sofort wecken, ein wenig sanfter als der Kommandotrupp. Auch Regine sollte auf jeden Fall als Zeugin dabei sein.

»Welches ist Herrn Sterns Zimmer?«, fragte Sechser, schnaubte und hielt Thomas den richterlichen Befehl so dicht vors Gesicht, dass er den Text nicht lesen konnte.

»Soll ich uns nicht erst einmal einen Kaffee machen?«, schlug Thomas vor, nahm Sechser den Zettel ab und wies auf die Küche. Der Kriminalbeamte begriff, dass die freundliche Geste lediglich als Provokation gemeint war. Ihr Verhältnis war damit ein für alle Mal besiegelt.

»Herr Achenbach, Sie verkennen die Situation!« Ungehalten wies Sechser auf alle Zimmertüren. Der Flur ihrer Wohnung war eine Art Wohnzimmer, von hier gingen die drei Räume ab. Sechsers Leute schienen unschlüssig zu sein. Thomas stellte sich mit dem Rücken vor Regines Zimmertür und schüttelte den Kopf.

»Hier wohnt eine junge Frau, hier kommen Sie nur mit einer Beamtin rein! Da drüben«, er zeigte auf die Tür mit dem Foto der Beethovenbüste, »das ist der Raum von Herrn Stern.«

Ohne sich umzudrehen, klopfte Thomas an Regines Tür. Aber dahinter blieb alles ruhig, sie antwortete nicht, obwohl sie sonst bei dem leisesten Geräusch senkrecht im Bett stand. Heute war Freitag – wenn es Sonnabend gewesen wäre, hätte Thomas es verstanden, dann hätte sie zu Hause übernachtet, aber wochentags schlief sie hier. Erst nach langen Kämpfen gegen ihren Vater hatte sie durchgesetzt, die Woche über in Geisenheim bleiben zu dürfen und nicht jeden Abend zurück nach Hochheim fahren zu müssen. Die monatlichen Spritkosten entsprachen der Miete für ihr Zimmer, nur deshalb hatte der Vater zugestimmt. Die Frage nach der Energiebilanz ließ den Vater kalt, er hielt nichts von Regines »Öko-Quatsch« und sperrte sich gegen jede Neuerung. Wo war Regine? Thomas erinnerte sich, dass es neuerdings diesen Thorsten gab – war er der Grund ihrer Abwesenheit?

Sechser schob ihn zur Seite, um die farbige Doppelseite zu sehen, die auf die Tür geklebt war. Sie zeigte fünf zueinander versetzt fahrende Traktoren mit lachenden Fahrern im Ernteeinsatz, jeder mit einer wehenden roten Fahne in der Hand. Thomas hatte das Bild in einer uralten Illustrierten aus den Studententagen seines Vaters entdeckt, »China im Bild«, und es Regine gewidmet, die so gern Schlepper fuhr.

Manuel saß verstört in der Pyjamahose auf der Bettkante. Er hatte wieder bis tief in die Nacht geübt, und die Flasche mit dem Spätburgunder war leer, die Neige im Glas eingetrocknet.

»Was ist das wieder für eine Katastrophe?« Manuel wirkte übernächtigt, er versuchte zu sich zu kommen.

»Die Hausdurchsuchung erstreckt sich auch auf die von Ihnen, Herr Stern, sonst noch genutzten Räume«, meinte Sechser, nachdem er Manuel kurz mit den Umständen vertraut gemacht hatte.

»Bad und Küche«, sagte Thomas. »Habe ich doch gleich gesagt. Um aufs Klo zu gehen und für einen guten Kaffee braucht man bei uns keinen Durchsuchungsbefehl. Folgen Sie mir einfach in die Küche.«

Einer aus Sechsers Trupp lachte, der Mann schien dem Vorschlag nicht abgeneigt – und wurde mit einem Blick zurechtgewiesen. Thomas wollte in die Küche gehen und mit dem Duft von Kaffee den Keil weiter in Sechsers Kommandoeinheit treiben, als Manuel, der hilflos im Zimmer stand, ihn noch einmal ansah. Ihre Blicke trafen sich, Manuel hatte Angst. Thomas hatte ihn noch nie so erlebt, was ihn sehr beunruhigte.

»Bin ich verdächtig?« Manuel zog sich den Bademantel über.

»Sind wir das nicht alle?« Thomas versuchte, der Situation die Schärfe zu nehmen. »Für den Staat sind wir es sowieso, wie mein Vater zu sagen pflegt. Wir brauchen einen Rechtsanwalt.«

»Den nächsten finden Sie in Wiesbaden oder in Bingen«, sagte Sechser, »aber bis der hier ist, sind wir mit Ihnen fertig.«

»Such im Internet«, forderte Thomas Manuel auf.

»Der Rechner wird beschlagnahmt.« Sechser winkte einem seiner Leute.

»Dann setz dich an meinen ...«

Da Manuel es nicht wagte, tat Thomas es für ihn. »Hier geht's doch wohl um Mord und nicht um Wirtschaftskriminalität.«

»Was Sie nicht sagen. Über Beweisstücke entscheide ich und der Staatsanwalt. Und wenn Sie nicht Ihren Mund halten, lasse ich Sie wegen Behinderung der Untersuchung abführen! In Handschellen ... wenn Ihnen das lieber ist!«

Thomas hatte alles ausgereizt, er schickte sich ins Unvermeidliche. Er stand auf, ging in die Küche, wo bereits ein Beamter die Schränke öffnete, die Innenwände abtastete und die Trittleiter vom Balkon holte, um auch auf der Oberseite nachzusehen. Gut, dass wir da selten sauber machen, dachte Thomas, als er sah, wie der Beamte Gummihandschuhe überzog.

Seufzend warf Thomas die Kaffeemaschine an. Vielleicht war es besser, sich kooperativ zu zeigen, es gab nichts zu verbergen. Während die Maschine aufheizte, stellte er sich in die offene Tür von Manuels Zimmer und sah, wie Sechser im Schrank das Unterste zuoberst kehrte und immer zwischen ihm und dem Gegenstand hin und her sah, den er gerade in der Hand hatte, als ob er die Bedeutung des Objekts aus seinem Blick lesen könne. Manuel stand blass und mit hängenden Armen an die Wand gelehnt dabei, so als begreife er die Vorgänge um ihn herum nicht.

Zu dem Umstand, dass ihm jemand die Freundin genommen hatte, musste er jetzt die demütigende Durchsuchung über sich ergehen lassen. Thomas wurde das Gefühl nicht los, dass sich etwas Unangenehmes anbahnte, als wüsste Hauptkommissar Sechser mehr und seine Männer suchten nach etwas ganz Bestimmtem. Wieso hatten sie plötzlich Manuel im Visier? Wusste Sechser etwas von ihm, was er selbst nicht wusste, aber hätte wissen sollen?

Manuel konnte anscheinend Gedanken lesen, er sah Thomas flehend an, wie um Verzeihung bittend. Nein, schien er zu signalisieren, da gibt es nichts …

Sechser setzte sich an den Schreibtisch, nachdem der Kleiderschrank, ein Bücherregal und die Kommode durchsucht waren. Sonst standen in dem spartanisch eingerichteten Zimmer lediglich noch das Klavier und ein an die Wand gelehntes Keyboard. Sechser nahm Alexandras Foto vom Schreibtisch in die Hand und sah es lange an. Sie hatte es bei einem Fotografen machen lassen und posierte in einer Weise, als hätte sie sich bei einer Modellagentur bewerben wollen. »In Liebe – A.« Es war mehr ein Autogramm als der Beweis von Zuneigung. Mit diesem Foto hatte Alexandra sich als Weinkönigin in Franken beworben. Das hatte nicht geklappt. Die Jury hatte eine andere gewählt, Alexandra war nur Dritte geworden, ihrer Ansicht nach »aufgrund von Mauschelei«. »Ein abgekartetes Spiel« sollte es gewesen sein, um der Tochter vom Präsidenten des Weinbauverbandes das Krönchen »zu verpassen«.

Thomas war anderer Meinung, obwohl Manuel seiner Liebsten immer beigepflichtet hatte, wenn das Gespräch darauf gekommen war. Die Bewerberinnen mussten zeigen, was sie in puncto Wein draufhatten, und da hatte Alexandra wohl schlecht ausgesehen, vermutete Thomas. Sie war eines jener glatten und sterilen Wesen, die es eigentlich nur im Werbefernsehen gab.

In dem Rahmen steckte ein zweites Bild, kleiner als das Porträt, es zeigte ein junges Paar im Alfa Cabrio, Manuel lächelnd, Alexandra absolut selbstbewusst winkend mit gelöstem Haar – ganz nach dem Motto: Seht her, ich hab's geschafft.

Der Hauptkommissar betrachtete das Foto, dann sah er Manuel nachdenklich an. Nachdenklich? Nein. Sein Blick signalisierte Verachtung – oder Neid? Ja, dachte Thomas, Letzteres war es, noch dazu war Sechser klein und hässlich, die Unzufriedenheit war ihm ins Gesicht geschrieben. Sechser blickte ihn an und fühlte sich ertappt, stellte das Bild weg. Sie würden es mit Sechser noch schwer haben.

Akribisch nahm er sich Manuels Schreibtisch vor, er fand einige Postkarten und Briefe, zwei darunter von Alexandra, alles andere waren Unterlagen aus dem Studium, Expertisen, Skripte und Abhandlungen über die unterschiedlichsten Bereiche des Weinbaus. Was ihm wichtig erschien, warf er in einen Karton.

»Befassen Sie sich mit Forschung?«, fragte er Manuel und nahm ein Dokument in die Hand, als würde er es wiegen. »Ich meine, arbeiten Sie an der Forschungsanstalt mit Professoren zusammen an irgendwelchen Projekten – zum Beispiel im Pflanzenschutz?«

»Nein.« Manuel wartete auf die nächste Frage.

»Hat Ihre Freundin das getan?«

»Ja. Aber es gehörte nicht zu ihrem Studienprogramm. Ihre Ausbildung ist teils naturwissenschaftlich, sie erstreckt sich auch auf Wirtschaftswissenschaft. Es geht um Handel, um Im- und Export, um spezielles Marketing und Unternehmensführung ...«

»Das sind die, die hoch hinauswollen«, ergänzte Thomas.

»Sie hat niemand gefragt, junger Mann. Wenn ich hier fertig bin, dann sind Sie vielleicht dran, Herr Achenbach.« Die Drohung war kaum zu überhören.

Der Hauptkommissar warf einen Blick auf das nächste Schriftstück, Thomas konnte den Titel nicht lesen, und legte es in den Karton. Mit einem zweiten und dritten Dokument verfuhr er genauso.

»Was packen Sie ein?«, fragte Manuel.

»Sie werden ja wohl den Inhalt Ihrer Schreibtischschubladen kennen, Herr Stern. Außerdem kriegen Sie eine Quittung.«

Manuel schüttelte nur den Kopf.

Auf dem Weg in die Küche rannte Thomas beinahe einen der Beamten um, der eine grüne Schlegelflasche vor sich hertrug, die sogenannte Rheingauer Flöte. Thomas musterte die unbekannte Flasche und sah dem Beamten nach, der mit Sechser flüsterte.

Thomas füllte Kaffee in den Siebhalter, stellte eine Tasse darunter und kehrte in Manuels Zimmer zurück. Er durfte sich nichts entgehen lassen.

»Ist das ein Wein, den Sie hier normalerweise trinken?«, wurde Manuel gefragt. Manuel griff nach der Flasche.

»Nicht anfassen«, sagte Sechser, der die Flasche lediglich mit je zwei Fingern am Flaschenboden und am Drehverschluss festhielt.

»Nein, den Wein kenne ich nicht.«

»Und Sie, haben Sie etwas mit diesem Wein zu tun?« Jetzt wandte sich Sechser an Thomas.

»Darf ich das Etikett bitte sehen?«

Die Flasche war ungewöhnlich. Das, was er von ihrem Weingut aus der Pfalz und Regine von ihrem Weingut mitbrachten, sah anders aus. Altensteineck, Riesling 2007, Spätlese, las er. Die Qualitätsbezeichnung Erstes Gewächs galt seit 1999 im Rheingau nur für Riesling und Spätburgunder aus klassifizierten Lagen, immerhin ein Drittel der gesamten

Fläche durfte sich mit diesem Prädikat schmücken, Thomas hielt es durchaus für berechtigt.

»Nie gesehen, den Wein habe ich nie probiert, und wie die Flasche in unsere Küche kommt, kann ich nicht sagen. Ich dachte, als ich sie im Kühlschrank sah, dass Regine sie mitgebracht hat ... wir müssten sie fragen.«

Um acht Uhr begann die Vorlesung in Weinchemie, sie behandelten gegenwärtig den biologischen Säureabbau, kurz BSA, und ob es sinnvoll war, ihn frühzeitig einzuleiten, ihn nachträglich durchzuführen oder spontan entstehen zu lassen oder gleichzeitig mit der alkoholischen Gärung. Das war auch für Regine wichtig und eine Pflichtveranstaltung. Thomas sah auf die Uhr. Es war jetzt sieben. Sie wird wach sein, sagte er sich, denn von Hofheim bis hierher fährt sie eine halbe Stunde.

»Ich werde mit ihr sprechen«, schlug er vor. »Sie kann es uns gleich sagen, dann wissen wir, woher die Flasche kommt.« Er wunderte sich, dass Sechser zustimmte.

Regine reagierte verschlafen und verärgert auf den Anruf, nein, eine Schlegelflasche hätte sie nicht angeschleppt, den Winzer kenne sie vom Hörensagen, aber seine Weine nicht, die Flasche müsse von Manuel stammen. Bevor sie das Gespräch beendete, murmelte sie noch etwas, woraus Thomas schloss, dass sie nicht allein war.

»Sie kennt die Flasche nicht, und sie stammt auch nicht von ihr«, erklärte Thomas. Ihre Vermutung verschwieg er vorsichtshalber. »Weshalb ist die Flasche wichtig?«

Sechser blieb die Antwort schuldig. »Ihre Fingerabdrücke haben wir, Herr Stern«, sagte er zu Manuel, »aber die der anderen nicht. Waren Sie mal in der Wohnung des Opfers?« Damit meinte er Thomas.

»Ich hatte nicht die geringste Veranlassung dazu, und eingeladen hat sie mich auch nicht. Da hätte sie sich lieber ...«

Manuels Blick ließ Thomas verstummen, Sechser hatte es registriert.

»Sie war ab und zu bei uns zum Essen. Das habe ich Ihnen bereits beim ersten Verhör gesagt.«

»Und wenn ich Sie noch dreimal frage, werden Sie mir auch dreimal antworten«, meinte Sechser kalt. »Sie wissen, wo sie wohnte?«

»Klar – wir haben uns in der Mensa gesehen und auch zusammen gegessen.«

»Freiwillig?« Jetzt grinste Sechser Manuel herablassend an.

»Mehr auf seine Veranlassung hin«, antwortete Thomas. »Wenn man Vorlesungen zusammen besucht, geht man anschließend auch zusammen essen. Wer später kommt, setzt sich dazu oder bleibt bei seiner Clique. Das wird in der Polizeikantine genauso sein.«

»Woher wissen Sie, was in Polizeikantinen passiert?«

»Aus dem Fernsehen.« Thomas grinste. Mit der Antwort hatte Sechser nicht gerechnet. Nein, so schnell ließ Thomas. sich von dem Kriminalhauptkommissar nicht einfangen. Man musste es sich auf der Zunge zergehen lassen: Kriminal-Haupt-Kommissar. Und doch würde er ihm helfen, den Mörder zu stellen.

»Es heißt, Alexandra sei erschlagen worden. Weiß man, womit?« Thomas' Blick galt Manuel.

»Sie hatten ein gespanntes Verhältnis zu Frau Lehmann. Warum?« Sechser hatte sich wieder gesetzt.

»Warum? Was weiß ich?« Was er dachte, behielt Thomas besser für sich. »Die Chemie stimmte nicht, Herr Sechser. Aber ist es nicht so, dass man nach den Gründen für einen Mord fragen muss, nach dem Motiv, um auf den Täter zu kommen?«

»Ja. Also – warum?«

»Liegt das Motiv nicht auch in der Person des Opfers?«

Sechser stutzte, seine Frage klang böse: »Was wollen Sie damit andeuten?«

»Eigentlich nichts«, sagte Thomas, »es war nur ein Gedanke.« Daraufhin forderte Sechser ihn auf, im Nebenzimmer auf ihn zu warten. Er hatte bemerkt, dass Thomas sich mit den Antworten zierte, wenn Manuel im Raum war. Nach fünf Minuten folgte ihm der Kommissar, er blieb in der Tür stehen, Thomas wippte auf seinem Bürostuhl.

»Ich fand Alexandra uninteressiert und gleichgültig. Dann begriff ich, dass beides nicht stimmte. Sie war sehr interessiert – nämlich an Geld und am sozialen Aufstieg. Der war ihr ungeheuer wichtig. Sie spielte Manuel was vor, was er für Liebe hielt. Davon hat er bislang wenig abgekriegt: Seine Eltern sind seit ewigen Zeiten geschieden, dann war er jahrelang im Internat, das kann einen krank machen. Stark ist Manuel nur am Piano und im Weinberg. Da ist er grandios …«

»Sie stammen auch nicht gerade aus einer intakten Familie«, warf Sechser ein.

»Schon meine Akte studiert, Herr Sechser?« Thomas sprach den Kommissar bewusst nicht mit seinem Titel an, um auf gleicher Ebene zu bleiben, und es machte ihm Spaß, ihn zu ärgern. »Der Unterschied ist folgender: Wenn mir jemand ein Haar krümmt, dann schlägt mein Vater zu, und nicht nur mit der flachen Seite des Spatens. Manuel hingegen hat immer noch eins draufgekriegt.«

Der Kriminalbeamte verstand den Vergleich mit dem Spaten nicht, Thomas hingegen hatte ein Bild vor Augen. Und er sah Alexandra vor sich, wie sie kokettierte.

»Sie bekam Geschenke, denn sie gab Manuel das Gefühl, ihn zu – na sagen wir mal – zu lieben. Sie hat ihn sich bewusst ausgeguckt. Solche Frauen laufen an allen Unis herum, auch in Köln hatten wir solche Typen. Die machten sich immer an die BWLer und die Juristen ran. Ich fand diese Typen immer glatt und leblos.«

»Sie haben keine Freundin?«

»Ist das Teil Ihrer Ermittlungen? Ich studiere, mein Vater und ich bauen ein Weingut auf, und Manuel ackert mit, jedes zweite Wochenende ist er dabei, er ist Teilhaber, und wir machen sozusagen ein begleitendes Praktikum über Betriebsgründungen.«

»Wird Herr Stern an diesem Wochenende mitfahren?«

»Soll er hier rumsitzen und sich grämen? Nein, er ist heilfroh, dass er uns hat. Und ich kann mich auf ihn verlassen. Allein mit meinem Vater ist es auf Dauer langweilig. Was glauben Sie, was in Bad Dürkheim, in Mutterstadt oder Kaiserslautern los ist? Wer aus Köln kommt, wie ich, ist verwöhnt, und Manuel stammt aus München, da ist sowieso jeden Abend Party angesagt.«

»Wie haben sich Ihr Freund und Frau Lehmann kennengelernt?«

»Sie wollen mich über meinen Freund ausfragen. Ich werde Ihnen einiges sagen, aber nicht alles.«

Der Kommissar zog die Augenbrauen hoch. »Wenn Sie etwas verschweigen, machen Sie sich strafbar«, sagte er ziemlich rüde. »Wussten Sie, dass es am Abend des Mordes einen Streit zwischen Frau Lehmann und Herrn Stern gab?«

»Davon hat er mir erzählt, ja.« Thomas sah Sechser an, dass er mehr hören wollte, aber er sollte die Fragen stellen.

»Was hat er Ihnen von dem Streit erzählt?«

»Nichts. Er ist extra das Wochenende hiergeblieben, und sie hat ihn mal wieder zappeln lassen.«

»Und was haben Sie dazu gesagt?«

»Dass es müßig sei, mit Alexandra zu streiten. Und dass ich keinen Bock hätte, immer über denselben Mist zu reden.«

»Frauen verderben Männerfreundschaften?«

»Quatsch, nur wenn die sich das gefallen lassen.«

»Wissen Sie, weshalb Frau Lehmann abgesagt hat?«

»Ich nehme an, dass sie anderweitig verabredet war ...«

»Und dann ist er ausgerastet und hat zugeschlagen ...?«

»Sie wollen mich ins Messer laufen lassen, Herr Sechser. Den Gefallen tue ich Ihnen nicht.« Thomas verlor die Geduld und fuhr den Kommissar wütend an: »Für wie bescheuert halten Sie mich? Ihre Theorien müssen Sie sich selbst zusammenbasteln.«

»Sagt Ihnen Paragraph 70 Absatz 2 der Strafprozessordnung etwas?«

»Sollte es das?«

»Allerdings. Beugehaft bis zu sechs Monaten kann bei unberechtigter Aussageverweigerung verhängt werden.«

»Probieren Sie es lieber mit Nachdenken statt mit Drohungen, Herr Kriminalhauptkommissar ...«

»Sie werden unverschämt, Herr Achenbach, wenn ...«

»Was ist denn hier los?« Regine trat atemlos zu Sechser, was ihn aus dem Konzept brachte.

»Sie kennen sich bereits«, sagte Thomas und stand auf. »Frau Regine Kirchner ist die Dritte in unserer Kommune der freien Liebe und des Alkoholismus, Sie kennen das ja. Wenn Sie mit ihr sprechen wollen, dann bitte rasch, wir müssen um acht Uhr in der FH zum BSA erscheinen.«

Der Kommissar gab sich nicht die Blöße, nach der Bedeutung der Kürzel zu fragen.

Das Wetter war schön, sie ließen Geisenheim hinter sich, was in diesem Moment für Thomas und Manuel ungeheuer befreiend und entlastend war, obwohl sie sich in einer Schlange durch Rüdesheim in Richtung Fähre quälten. Der Wochenendverkehr hatte eingesetzt. Manuel hatte das Verdeck des Cabrios zurückfahren lassen, um den Kopf frei zu bekommen. Er wirkte angespannt, er starrte geradeaus und klammerte sich ans Lenkrad.

»Soll ich fahren?«, fragte Thomas. »Dir geht's nicht so gut?«

Manuel bremste hart, hielt am Straßenrand, stieg aus und bedeutete Thomas, auf den Fahrersitz zu rutschen. »Jetzt fahre ich also auch noch beschissen, oder was?«

»Reg dich ab.«

»Das willst du doch sagen, Thomas, dass ich schlecht fahre. Es wird dir alles zu viel mit mir, und Regine auch.«

»Lass verdammt noch mal die Mitleidsnummer sein und bring deinen Arsch ins Auto. Ich bin froh, dass du mitkommst. Es ist auch dein Laden.«

Bis zur Fähre schwieg Manuel. Erst als sie ausgestiegen waren und an die Reling traten, fand er seine Sprache wieder.

»Meinst du, dass der Kommissar mich fertigmachen will?«

Thomas schaute in die Strudel neben der Fähre. Der Rhein war normalerweise die Grenze zwischen ihm, seinem neuen Leben auf dem Weingut und dem Studium. Letzteres ließ er normalerweise am rechten Ufer zurück, heute nahm er zum ersten Mal Geisenheim mit auf die andere Seite.

»Er braucht Erfolg. Sechs Tage sind seit dem Mord vergangen, sie haben keine Spur, keinen Hinweis und keine Mordwaffe ...«

»Doch, die haben sie. Ich habe sie ihnen geliefert.«

»Was hast du?« Entsetzt sah Thomas den Freund an. Er glaubte, den Boden unter den Füßen zu verlieren. »Du hast was ...?«

»Nein, nein!« Manuel beschwichtigte ihn. »Nicht, was du denkst. Ich habe sie nur darauf gebracht. Wir sind zusammen in die Wohnung gefahren, und Sechser hat mich gefragt, ob in dem Apartment irgendetwas anders sei als vorher, ob es Veränderungen gegeben habe. Und mir ist aufgefallen, dass die Statue fehlt.«

»Welche Statue?«

»Na, die – die Replik vom Oscar.«

»Der für Filme und Drehbücher verliehen wird? So etwas hatte sie in ihrer Wohnung?« Thomas merkte, dass es Manuel peinlich war. »Was wollte sie damit?« Um dem Freund die Antwort zu ersparen, fand er selbst eine Erklärung. »Sie hätte zu gern einen gehabt, nicht wahr, wo sie es nicht einmal bis zur Weinkönigin geschafft hat? Und du hattest diese Figur?«

»Nein, natürlich nicht, aber ich weiß genau, wie groß sie

ist, sie stand neben einer Lampe, und laut Polizei kommt sie als Mordwaffe infrage.«

»Du hättest besser den Mund gehalten.«

»Wieso das?«

»Weil sie dir alles negativ auslegen, egal, was du sagst. Sechser braucht einen Täter, Geisenheim will einen, alle wollen einen, niemand will mit der Möglichkeit leben, dass ein Mörder frei herumläuft.«

»Glaubst du, dass die Leute wirklich Angst haben?«

»Die achtzig Millionen Versicherten um uns herum fürchten um ihre Nachtruhe, weniger um das Wohl ihrer Mitmenschen.«

Thomas kratzte sich am Hals; häufig hatte er mit dem Gedanken gespielt, den Bart abzurasieren, statt ihn nur kurz zu halten.

»Du hast erzählt, dass ihr, dein Vater und du, in Frankreich in einen Mordfall verwickelt wart.«

Daran erinnerte sich Thomas nur ungern. »Hautnah, ja. Wir waren mittendrin im Geschehen.«

»Sind wir das jetzt nicht?«

Thomas nahm die Angst seines Freundes immer deutlicher wahr. »Du bist es, Manuel, aber ich nicht. Was hatte ich mit Alexandra zu tun?«

»Bei mir siehst du das anders?«

»Nur dann, wenn es was gibt, das ich nicht weiß.«

»Es gibt nichts«, wiederholte Manuel mit Bestimmtheit, und Thomas glaubte ihm. Er wäre gar nicht auf die Idee gekommen, an ihm zu zweifeln.

»Wenn wir auf der Autobahn sind, werde ich dir erzählen, was wir am letzten Wochenende geschafft haben, Philipp und ich. Lass uns zumindest in Gegenwart meines Vaters über andere Dinge reden – wenn es geht.«

»Ich werd's versuchen«, sagte Manuel, und Thomas hoffte, dass es ihm gelingen würde.

»Darf ich dir was sagen?«

Wenn Manuel diese Frage auf so vorsichtige Weise stellte, konnte anschließend nur Kritik kommen. Thomas ahnte, worum es gehen würde, er wusste immer ziemlich schnell, wenn er etwas falsch gemacht hatte.

»Ich kann mir nicht erklären, wieso du mit Frau Breitenbach so ruppig umgehst.«

»So. Tue ich das?«

»Das wirst du ja wohl wissen. Reg dich doch nicht immer so auf, sei vorsichtiger, du verscherzt dir ihre Sympathie.«

Im letzten Moment verbiss Thomas sich eine ziemlich dumme Bemerkung. Mit seinem Vater konnte er frotzeln, Regine war robust, sie nahm es nicht krumm, wenn man sie auf den Arm nahm, die Kommilitonen konnte er auch mal hart angehen und blöde Sprüche machen, auch ruppige, aber Manuel nahm zur Zeit alles schwer. Dünnhäutig war genau das richtige Wort.

»Ich habe mich geärgert, dass Frau Breitenbach auf die Sache mit Alexandra genauso abgefahren ist wie alle anderen.« Thomas wollte keine schlechte Stimmung aufkommen lassen, gleichzeitig hatte er das Gefühl, sich rauszureden. »Es interessiert alle nur, wer der Mörder ist.«

»Das finde ich verständlich, mir geht's nicht anders. Ich fand, dass Frau Breitenbach ehrlich entsetzt war. Na ja, wir sehen die Dinge im Moment wohl unterschiedlich. Ich bin dir momentan keine Hilfe, und du bist überfordert, hast zu viel um die Ohren.«

Da kam bei Manuel wieder der Jammerton durch, auch das anklingende Selbstmitleid verabscheute Thomas zutiefst. Er fand, dass sein Freund sich unnötig klein machte, und er reagierte unwirsch.

»So, überfordert bin ich. Das meinst ausgerechnet du! Ich bin überfordert?«

»Ja, ich habe das mit der Breitenbach noch mal geradegebogen, sonst würde sie morgen nicht kommen. Du weißt, dass wir sie brauchen. Ich glaube, sie kann uns in puncto

Energie am besten beraten, ihre Kontakte sind wichtig, sie kennt sich mit Technik aus, hat Erfahrung mit Lieferanten, sie ist zuverlässig und gründlich.«

»Apropos gründlich – was hat der Kommissar noch gewollt? Wie war das Verhör? Es hat verdammt lange gedauert, du kamst spät in die Vorlesung ...«

Manuel ließ sich Zeit mit der Antwort. »Manchmal, in einigen Momenten des Verhörs habe ich gedacht, dass er mich reinlegen oder mich in eine bestimmte Richtung drängen will. Er schiebt einen mit Worten. Ich habe das Gefühl, dass er etwas in der Hinterhand hat, das er bestätigt sehen will.«

Thomas hielt es für unklug, Manuels Verdacht zu bestätigen, obgleich sein Eindruck ähnlich war. »Welche seiner Fragen schien dir am wichtigsten zu sein?«

»Die nach dem Alibi, ganz eindeutig: Wo waren Sie zur Tatzeit? Was haben Sie zur Tatzeit gemacht? Wer hat Sie gesehen?« Manuel ahmte die tiefe Stimme des Kommissars sehr gut nach. »Als wenn ich wüsste, wann die Tat geschehen ist. Der Grund unseres Streits hat ihn interessiert.«

»Und was war der Grund?«

»Du, vielmehr ihr, dein Vater und du. Sie meinte, ihr würdet mich ausnutzen und wäret hinter meinem Geld her ...«

»Diese Schlange!«

»Und später ist sie damit rausgerückt, dass sie am Sonntag keine Zeit hätte, und hat mich rausgeworfen. Es war die reine Retourkutsche.«

»Und wieso hatte sie keine Zeit?«

»Sie hatte eine Verabredung, wie sie sagte, aber mit wem, das wollte sie nicht sagen.«

Mit ihrem Mörder, dachte Thomas finster, aber er fragte etwas anderes: »Was hat unser Kriminalhauptoberkommissar dazu gesagt?«

»Nichts. Er ist zur nächsten Frage übergegangen und

wollte wissen, wer mich auf dem Nachhauseweg und am Abend gesehen hat. Dass mein Wagen die ganze Zeit vor unserem Haus stand, haben irgendwelche Nachbarn bestätigt. Aber wer soll mich sehen, wenn ich mit Kopfhörern am Klavier sitze? Das ist mein Pech, das ist zwar scheiße, aber so ist es nun mal, was soll ich tun? Einen Zeugen erfinden? Das Klavier hört man nicht, wenn es stumm geschaltet ist. Dann wollte er wissen, wie wir zueinander stehen.«

»Was meinte er damit? Ob wir schwul sind oder bi? Und wenn schon. Das geht ihn einen Dreck an.«

»Reg dich nicht immer gleich so auf, Thomas. Sechser macht seinen Job. Er hat dann noch gefragt, weshalb ich zu euch fahre, was wir an den Wochenenden arbeiten, wo wir sonst noch hinfahren – und ob Alexandra jemals mitgekommen ist. Er fragte nach deinem Vater, was er früher gemacht hat, über meine Eltern wollte er auch alles wissen und ob du loyal seist ...«

»Weshalb stellt er so eine Frage?«, unterbrach ihn Thomas. »Was denkt er sich dabei? Fragt er sich, ob wir den Mord zusammen begangen haben oder ob ich dich decken würde? Der Typ ist echt krass. Der soll uns in Ruhe lassen und den Mörder finden!«

Sie fuhren bei dichtem Verkehr durch eine Baustelle, die Fahrbahnen der Autobahn waren verengt, und der Fahrer vor ihnen traute sich nicht, den breiten Lastwagen zu überholen. Es gab Thomas Gelegenheit, genau zu überlegen, was er als Nächstes sagen würde.

»Würde, sollte, könnte und hätte nicht ... das sind Formulierungen, mit denen man bei den Bullen wahnsinnig vorsichtig sein muss. Am besten ist es, wenn du dich im Verhör an das hältst, was du weißt, und niemals auf ihre Mutmaßungen eingehst, auf das, was sie dir in den Mund legen und sich als möglichen Tathergang zurechtbasteln. Meide jeden Konjunktiv, er bringt dich in Teufels Küche.«

»Bin ich da nicht längst?«

Ganz gegen seine sonstige Gewohnheit beim Autofahren nahm Thomas den Blick kurz von der Straße und sah den Freund an. »Quatsch. Man ist da, wo man sich hinein-redet.«

Weshalb Manuel jetzt schwieg, konnte Thomas nicht deuten. Er glaubte selbst nicht an das, was er eben gesagt hatte. Die Polizei schoss sich auf Manuel ein, und der schien ihm orientierungslos zu sein, er war aus dem Gleichgewicht geraten und voller Fragen, von denen sich einige nicht oder noch nicht beantworten ließen.

»... deine Erfahrungen hat keiner, und dass dir die Poli-zisten auf den Geist gehen, wundert mich nicht, nach dem, was du von der Champagne erzählt hast.«

»Hat Sechser nichts weiter über die Ermittlungen preis-gegeben?«

»Nur dass Alexandras Wohnung voll von meinen Finger-abdrücken sei – was für ein Wunder – und dass die Nach-barn unseren Streit gehört hätten, zumindest aufgeregte Stimmen von einer Frau und einem Mann und Schritte in der Wohnung. Und als sie später wiedergekommen sind, ich war längst nicht mehr da, da hörten sie Klaviermusik. Sie meinten, dass immer wenn ich bei ihr war, Klaviermusik gespielt wurde.«

»Ist das wahr?«

»Nein, nicht immer, aber manchmal habe ich CDs mit-gebracht.«

»Klassisch oder modern?« Es war Thomas neu, dass Ale-xandra auch bei Manuels Abwesenheit Klaviermusik gehört haben könnte. Sie stand mehr auf Popmusik und VIVA. Sie gab Begeisterung für Klassik vor, weil sie sich damit brüsten konnte, dass ihr Freund beim Festival auftreten würde.

»Der Kommissar hat mich gefragt, ob ich wüsste, wo der Oscar sei, mit dem sie erschlagen wurde. Weshalb fragt er mich das? Woher soll ich das wissen? Wenn es die Mord-waffe ist, wird der Täter sie entsorgt haben, habe ich geantwortet. Da hat er mich blöd angeguckt, wie die Lehrer in der Schule, wenn sie meinten, man habe abgeschrieben. Für den Gentest haben sie mir eine Speichelprobe abgenommen, und zuletzt wollte Sechser noch wissen, ob ich Alexandras Freundinnen kenne, die Rosa Handtaschen. Sogar den Spitznamen kennt er, der hat sich überall umgehört.«

»Das ist sein Job«, sagte Thomas so gleichgültig wie möglich, um seine Besorgnis nicht zu zeigen.

Eine Viertelstunde später fuhr Thomas durch den Torbogen seines Weingutes und lächelte erleichtert. Er war Teilhaber, Mitbesitzer, wenn auch nur mit einem kleinen Anteil. Aber er trug für alles hier auch Verantwortung. Er wollte Geisenheim hinter sich lassen. Jetzt war der Wein angesagt, genau genommen waren es an diesem Wochenende die Bodenproben, und morgen käme die Breitenbach, der müsste er alles zeigen.

Sein Vater kam ihnen entgegen; er sah gut aus, braun gebrannt, er war bester Laune, und die umgebundene Schürze zeigte, dass er direkt aus der Küche kam. Freitag war ihr einziger freier Abend; es wurde gegessen, getrunken, gelacht und gefeiert. Die Arbeit begann erst Samstag früh um sechs Uhr. Aber statt auf ihn zuzugehen, beließ Philipp Achenbach es bei einem freundlichen Kopfnicken für seinen Sohn. An der Beifahrertür blieb er stehen, wartete, bis Manuel ausgestiegen war, und nahm ihn in den Arm, dann wünschte er ihm sein aufrichtiges Beileid.

Beschämt blieb Thomas am Wagen stehen und holte das Gepäck aus dem Kofferraum. Wahrscheinlich tat sein Vater instinktiv das Richtige, genau das, was Manuel jetzt brauchte. Er legte ihm den Arm um die Schultern und ging mit ihm zum Wohnhaus. Sein Vater hatte es leicht, er hatte Alexandra nur flüchtig kennengelernt ... Aber um Alexandra ging es jetzt nicht mehr, es ging um Manuel. Es sah für ihn nicht gut aus.

4

Das Weingut, eingeschlossen von hohen Mauern, lag am Rande des Dorfes. Rechts neben der von einem Bogen überspannten Einfahrt fand Johanna eine Klingel und die Gegensprechanlage, doch sie ignorierte beides und trat unter dem Bogen hindurch in den weiten Hof – und sah sich inmitten einer Baustelle. Die alten, aus Bruchstein bestehenden Wände der Mauern waren nur von innen neu verfugt, den Gebäuden hingegen fehlte noch der Anstrich. Die gesamte rechte Seite war offen und überdacht, dort lagen neben Werkzeugen und einem Betonmischer Klinker und Feldsteine, Zementsäcke und Bauholz. Ein Schlepper und Maschinen für den Rebschnitt standen unter einer Remise, daneben ein vielarmiges Radialgebläse zum Spritzen der Weinstöcke, das Johanna immer an die indische Göttin Kali mit ihren sechs Armen erinnerte.

In die zweigeschossige Wand direkt vor ihr waren zwei Tore und eine Reihe schmaler Fenster eingelassen, daneben arbeiteten zwei Maurer auf einem Gerüst. Die nach Süden und Westen ausgerichteten Dachflächen waren komplett mit Solarzellen bestückt. Hier konnte sie mit offenen Ohren für ihre weitergehenden Vorschläge zum Energiesparen rechnen – auch für damit verbundene Investitionen. Laut Thomas Achenbach waren er, sein Vater und Manuel Stern, dessen Rolle auf diesem Weingut ihr nicht klar war, dabei, das Weingut auf ökologische Traubenproduktion umzustellen. Der Prozess würde drei Jahre in Anspruch nehmen, bis sie das entsprechende Zertifikat erhielten. Wie lange sich Pestizide von der Pilzbekämpfung und Reste vom Mineraldünger im Boden hielten, stand auf einem anderen Blatt. Kupfer baute sich sowieso nicht ab.

Es waren häufig die qualitätsbewussten Winzer, die eine ganzheitliche Vorstellung von ihrer Arbeit und ihrem Wein entwickelten. Der Boden, das Wetter, die Rebe, der Mensch und der Raum, in dem alles zusammenwirkte, bildeten eine Einheit. Wenn es nach Johanna gegangen wäre, hätte man damit bereits vor zwanzig Jahren begonnen. Es ist doch längst zu spät dafür, sagte sie sich. Es wird heißer, trockener und extremer – die beunruhigenden Vorhersagen bewahrheiten sich. Und dann kommen die Katastrophen ...

Johanna wandte sich links von einer Steintreppe dem Hochparterre zu. Die ausgetretenen Stufen waren breit genug, um Platz für üppig sprießendes Löwenmaul, Fuchsien, gelbe Pantoffelblumen, Eisenkraut und Wandelröschen in Tontöpfen zu lassen. Hier zeigte jemand seinen grünen Daumen. Sie erschrak, als plötzlich Thomas Achenbach oben auf dem Treppenabsatz stand. Von unten wirkte er noch größer, als wenn man ihm gegenüberstand. Johanna empfand ihn als extrem eigensinnig, und ob sein Selbstbewusstsein echt war, würde sich herausstellen. Für sein Alter jedoch war er zu gebildet und zu ernst, er hatte etwas von einem Hagestolz; ein moderneres Wort für seine kühle Ablehnung Frauen gegenüber fiel ihr nicht ein. Aber was er sagte und fragte, hatte immer Hand und Fuß. Trotzdem war sie erleichtert, als Manuel Stern hinter ihm erschien und sie fröhlich begrüßte. Er gab ihr weit mehr das Gefühl, willkommen zu sein. Sie war erleichtert, dass er nach dem Tod seiner Freundin mal ein spontanes Lächeln zeigte. Ein so harter Schlag hinterließ tiefe Spuren. Doch auch Thomas Achenbach kam die Treppe herab und streckte ihr gut gelaunt die Hand entgegen.

»Schön, dass Sie uns gefunden haben, dann können wir frühstücken. Kaffee? Tee? Milch? Bio-Eier? Von allem etwas?«

»Er meint das zweite Frühstück«, ergänzte Manuel Stern. »Den ersten Kaffee hatten wir um sechs, dabei haben wir uns erst um halb zwei hingelegt.«

Johanna war verblüfft. Von der kurzen Nacht war ihm nichts anzusehen, er wirkte entspannt, er war offen und nach außen gewandt, ganz anders als der verschlossene, in sich gekehrte Student, der im Hörsaal ohne einen Mucks ihren Ausführungen gefolgt war. Und sein charmanter bayerischer Akzent brach durch. Es war spannend, wie sehr der Raum den Menschen veränderte. Er musste sich hier sehr wohl fühlen. War ihr negativer Eindruck von Thomas Achenbach demnach auch falsch?

Als sei er zu Hause führte Manuel Stern Johanna ins Haus, zeigte ihr, wo sie sich frisch machen konnte, und winkte sie dann in einen großen hohen Raum mit dem Charakter eines Loft. Eine Wand war herausgebrochen und durch zwei Pfeiler und einen Träger ersetzt worden, die Bruchkanten waren als Stilelemente belassen und weiß überstrichen. Das hier glich mehr dem Planungsbüro von Architekten als dem Kontor eines Pfälzer Winzers. Vier Schreibtische, bis auf einen von Papier überquellend, standen als Block in der Mitte. Die Fenster an den Längsseiten führten nach draußen, respektive auf den Hof, an den Stirnseiten hingen Bauzeichnungen, Listen und ein Netzplan.

»Wie viele Personen arbeiten hier?«, fragte Johanna und wandte sich an Thomas. »Haben Sie und Ihr Vater zwei Mitarbeiter?«

»Wir sind zu viert«, antwortete er, »wir drei und eine Teilzeitkraft für Bestellungen und Buchhaltung. Der Kellermeister hat sein Kabuff unten.«

Johanna verstand es noch immer nicht. »Und der Dritte?«

Jetzt meldete sich Manuel. »Das ist meiner«, sagte er wie selbstverständlich. Da Johanna noch immer nichts begriff, fügte er hinzu: »Ich arbeite hier – beinahe jedes Wochenende, an allen Feiertagen, in den Semesterferien, wann immer es geht.«

»Manuel ist einer unserer Teilhaber«, ergänzte Thomas, »und beileibe kein stiller. Er hat sich eingekauft. Drei Chefs – ich sag es Ihnen – es ist eine Katastrophe. Wir sind sozusagen die Landkommune, das Großstadtkollektiv, zwei Kölner und ein Bazi, und niemand versteht richtig was von Wein ...«

»... aber wir kriegen das hin, garantiert«, sagte jemand in ihrem Rücken. Erstaunt drehte sie sich um und sah ... Thomas Achenbach? Nein, der Mann dort war dreißig Jahre älter, etwas kleiner und natürlich runder: das Haar grau, ein Gesicht ohne Bart, die Augen, von Lachfalten eingekreist, glichen denen von Thomas, auch die Hände. Der Mann war bester Laune. Das war also der Vater, Philipp – endlich mal ein richtig interessanter Mann ...

Seine Entschuldigung für das Chaos im Raum war nicht ernst gemeint, und er ging zu einem Schreibtisch, auf dem ein Bilderrahmen stand. Johanna hatte ihn vorher bereits bemerkt, er zeigte das Foto einer Frau, die lachend auf ein Gemälde wies. Johanna ließ sich den Seufzer nicht anmerken. Das war also die Ehefrau und Mutter. Wieso waren alle tauglichen Männer vergeben?

»Lassen Sie uns frühstücken, wir haben viel vor, außerdem müssen wir schnell sein, bei der Höhe Ihres Honorars ...« Der Ton nahm der Bemerkung die Schärfe, aber Philipp Achenbach hätte es kaum erwähnt, wenn es ihn kaltgelassen hätte. Er war jemand, der rechnen konnte und es auch können musste.

Nach dem Frühstück ließ Philipp Achenbach es sich nicht nehmen, Johanna das Weingut persönlich zu zeigen. Dabei erfuhr sie, dass er früher für einen Kölner Weinimporteur als Einkäufer französischer Weine gearbeitet hatte. Eines Tages hatte Thomas das BWL-Studium hingeschmissen und eine Lehre als Winzer begonnen. Das war für ihn der Anlass, sich den jahrelang gehegten Wunsch nach dem eigenen Weingut zu erfüllen, selbst Reben anzubauen, den Wein zu keltern und ihn letztlich unter seinem Namen zu verkaufen.

Quereinsteiger machten mittlerweile die Hälfte aller Geisenheimer Studenten im Bereich Weinbau und Önologie aus. Es waren die Ehrgeizigen, sie wollten wissen, lernen, sie hörten zu. Die Studenten mit einem Weinbaubetrieb in der Familie schleppten immer ihre Vergangenheit mit sich rum, mal war es ein Päckchen, mal ein unendlich schwerer Sack. Das Bewusstsein um den sicheren Arbeitsplatz machte sie träge, die unfruchtbaren Debatten mit autoritären Vätern ließen sie gleichgültig werden, und dass sie vieles auf lange Zeit nicht würden ändern können, ließ sie dem Lehrplan gegenüber gleichgültig werden. Philipp Achenbach jedoch musste lernen, er hatte sich für dieses Weingut anscheinend bis an sein Lebensende verschuldet.

»Können Sie bei all dem, was auf Sie zukommt, überhaupt noch ruhig schlafen?«, fragte Johanna. »Ihr Sohn sagte, dass Sie auf Ökobetrieb umstellen, gleichzeitig wird das Weingut renoviert, wie man unschwer erkennt. Jetzt kommt noch meine Arbeit hinzu.«

»Oh, das ist längst nicht alles. Der Vertrieb muss umstrukturiert werden, wir müssen die unterschiedlichsten Maschinen kennen und warten lernen. Wir machen alles in einem Abwasch, wir sind jetzt zu dritt, und meine beiden Juniorpartner, wie ich sie Dritten gegenüber nenne, sind mehr als eine große Hilfe.«

»Aber sie studieren beide noch.«

»Das ist ja das Gute«, entgegnete Philipp Achenbach. »Wenn wir samstags keine Termine haben, veranstalten wir hier«, er machte eine ausholende Bewegung, »so etwas wie ein Repetitorium. Was in der Woche in Geisenheim gelernt wurde, wird hier in Kurzform wiederholt und daraufhin geprüft, wie es unsere Arbeit verbessert, auch in Hinblick auf die Zukunft. Aber, Frau Breitenbach«, der Neuwinzer nahm sie am Arm, »wir verquatschen uns. Dabei sollten wir längst im Weinberg sein. Doch ohne ein zweites Frühstück sollte man nichts anfangen!«

Eine Stunde dauerte die Tour durch die Weinberge, Johanna gewann zumindest einen Überblick. Sie lagen zum Teil zu weit auseinander, um sie ihrer Ansicht nach wirtschaftlich zu bearbeiten. Auch die Anfahrten waren zeitraubend.

»Ich würde Ihnen raten, die Flächen zusammenzulegen, um Zeit, Treibstoff, Geld und CO_2 zu sparen.« Sie waren am Rand des Dorfes stehen geblieben und schauten zurück ins offene Hügelland. Für Johanna war die Natur längst in Kultur verwandelt worden, gleichförmig, monoton, die Vielfalt fehlte. Auch das Weinland war eine Produktionsmaschine, weniger ein Raum zum Leben.

Philipp Achenbach stimmte ihr zu, doch er sah Hindernisse. »Die hiesigen Winzer hängen an ihren Weinbergen, sie sind seit Generationen in Familienbesitz, und wie wollen Sie die Böden richtig oder gerecht bewerten? Wir wollen niemanden übervorteilen, aber auch selbst nicht betrogen werden. Wie vergleichen wir einen Schieferboden mit dreißig Jahre alten Weißweinreben, dazu noch in westlicher Ausrichtung, mit einem Kalkmergel, auf dem junge Dornfelderreben in Nord-Süd-Richtung wachsen?«

»Man muss die Vorteile für den jeweiligen Bewirtschafter herausarbeiten und einen Vermittler einschalten.«

»Das sagt sich leicht. Wir haben es mit Bauern zu tun. Und denken Sie daran, dass vor Kurzem bei dem entsetzlichen Hagelsturm entlang der Weinstraße nur die mit auseinanderliegenden Flächen glimpflich weggekommen sind. Wo die Flächen eng zusammenliegen, gibt es böse Verluste.«

»Nichts ist ohne Risiko. So nah kriegen Sie Ihre Flächen sowieso nicht zusammen. Man kommt nicht umhin, jede einzelne Fläche zu bewerten, und als Maßstab dienen der Marktpreis und Ihr voraussichtliches Einsparpotenzial.

Schaffen Sie eine Tauschbörse im Ort, da kriegen Sie die Leute zusammen, schon aus Neugier. Jeder will wissen, was der andere macht, und dann kommt der Neid hinzu, wer was kriegt und so weiter. Die Leute reden darüber. Mancher möchte gerne Zeuge sein.«

»Sie setzen auf das Niedere im Menschen?«

»Es ist nicht falsch, damit zu rechnen, Herr Achenbach. Aber sagen Sie es nicht laut, es kommt nicht gut an. Wir nutzen unseren Vorteil – oder das, was wir dafür halten, und überblicken die Folgen nicht.«

»Haben Sie sich in Geisenheim mit Bodenproben beschäftigt? Wir sind überzeugt, dass hier einige Rebsorten nicht auf den richtigen Böden stehen.«

»Ich habe davon gehört, dass Analysen gemacht werden, ja, aber ich weiß es nicht genau. Fragen Sie Ihren … Ihre Juniorpartner«, korrigierte sich Johanna schnell. »Dafür müssten die Bodenkundler zuständig sein. Ich bin sozusagen nur Quereinsteigerin wie Sie und nur in der Umwelttechnik zu Hause. Ich kann Ihnen sagen, ob Ihre Photovoltaikanlage richtig arbeitet. Ich kann Ihnen was über Einsparpotenziale durch elektrischen Rebschnitt erzählen, vom Rapsöl für Ihren Schlepper und über die Drehzahl von Ventilatoren zur Kellerbelüftung. Aber vom Boden und vom Wein verstehe ich nichts.«

»Das glaube ich kaum. Sie trinken ihn doch, oder?«

Johanna nickte und zeigte ein verständnisvolles Lächeln. Philipp Achenbach wollte ihr sicher seine Weine vorstellen.

»Ich dachte, wir nehmen gegen Mittag einen kleinen Imbiss zu uns und besprechen am Nachmittag eine ganz andere Frage. Ich vermute, dass wir wegen der zunehmenden Hitze zukünftig untypische Rebsorten anpflanzen müssen. Weniger Grauburgunder, weniger Silvaner und Müller-Thurgau, schon gar keinen Riesling. Dem wird es bald zu heiß bei uns, dafür bleibt er dem Rheingau und der Mosel vorbehalten. Wir liefern dann die südlichen Rebsorten wie Merlot, Cabernet Sauvignon und vielleicht sogar einen deutschen Tempranillo. Es gibt einen Winzer in Friedelsheim, ganz in der Nähe, Wagner-Goutorbe, der macht das bereits, seine Weine sind richtig gut. Sonst kaufen wir nur unsere Reben bei ihm.«

Johanna wies auf eine Art Turm inmitten der Rebanlage, es war ein hüfthohes Fundament aus Feldsteinen, und an den Ecken ragten Sparren in die Höhe. »Was ist das?«

»Das haben die Juniorpartner aus Geisenheim mitgebracht.« Philipp Achenbach zuckte mit den Achseln. »Ob es funktioniert? Keine Ahnung. Es ist ein Öko-Turm. Manuel hat ihn gebaut. Weinberge sind im Grunde genommen Monokulturen, ziemlich leblos, voller Chemie mit verdichteten Böden. Wenn man jetzt anfängt, so wie wir, die Böden zwischen den Weinstöcken zu begrünen, kommt das Leben zurück, aber nur, wenn man ihm eine Wohnung gibt. Die Türme sind für Vögel, für Insekten und für Eidechsen, der Turm ist als Brutplatz und Zufluchtsort gedacht.«

»Was für eine nette Idee«, sagte Johanna; tatsächlich empfand sie diesen Turm als lächerlich – mit Pfadfindermethoden die Welt retten – rührend geradezu.

Philipp Achenbach sah ihr die Gedanken an. »Fragen Sie mich nicht, wie viele Insektenarten jährlich aussterben. Die fehlen uns zur Bestäubung. Aber John Deere wird sicherlich eine Landmaschine erfinden, die das übernehmen kann, und die Deutsche Bank leiht uns das Geld, um sie zu kaufen.« Bei den letzten Worten war seine Stimme schneidend geworden. »Deshalb hat Manuel, wie früher jeder Bauer, direkt hinter dem Haus unseren Nutzgarten angelegt; er wird sich um die Selbstversorgung kümmern und hat bei Neumond im März die ersten Obstbäume gepflanzt.«

Johanna verkniff sich weitere Bemerkungen. Im Grunde genommen empfand sie es als gut und richtig, aber war es nicht verlorene Liebesmüh? Und gleichzeitig zweifelte sie, ob sie das Recht hatte, sich über Menschen zu stellen, die hier mit Schwung und voller Freude etwas Neues aufbauten.

Eine halbe Stunde später erreichten sie das Weingut. Thomas Achenbach saß über Listen gebeugt am Schreibtisch, sein Vater erledigte einige Telefonate. Johanna betrachtete das Foto der Frau auf seinem Schreibtisch.

»Was sagt Ihre Frau zu dem Mord in Geisenheim? Der Gedanke, dass da ein Mörder herumläuft, ist für eine Mutter bestimmt beängstigend.«

Philipp Achenbach brauchte einen Moment, bis er darauf kam, was Johanna auf den Gedanken gebracht hatte. »Sie meinen die Frau auf dem Foto? Nein, das ist meine Freundin. Sie kommt zu uns, wenn sie ihre Galerie zugemacht hat. Und was Thomas' Mutter angeht . . .«

»Die ist weit weg.« Thomas hatte zugehört. »Es interessiert sie nicht mehr, was wir so treiben – oder ob sich hier irgendwo ein Mörder herumtreibt.«

Johanna fühlte sich von Philipp Achenbach aufgefordert, ihm nach draußen zu folgen. Es machte ihr deutlich, dass er vor seinem Sohn nicht über dieses Thema reden wollte. »Holen wir Ihr Gepäck aus dem Auto. Ich zeige Ihnen dann Ihr Zimmer. Sie werden nach dem Essen und einigen Gläsern kaum zurückfahren wollen?«

»Ich habe mich darauf eingestellt.« Johanna war sich jedoch nicht mehr sicher, ob sie die Einladung annehmen sollte. In letzter Zeit war sie zu oft allein, um es zu ertragen, wenn ihr heiles Familienleben vorgespielt wurde. Es konfrontierte sie viel zu sehr mit sich, mit ihrer Einsamkeit, und sie sah sehr deutlich, was sie vermisste, seit sie von Carl mehr oder weniger getrennt lebte. Aber diese Landkommune, bestehend aus Vater, Sohn, Freund und Freundin empfand sie als amüsant, und sie sagte zu. »Wo Manuel mich derart charmant eingeladen hat, kann ich schlecht Nein sagen . . .«

»Das freut mich.« Philipp Achenbach ging zu Johannas Wagen und wartete am Kofferraum. »Das mit dem Mord ist für das Opfer wie für Manuel eine Katastrophe. Bei seinem

Hintergrund kann ihn das aus der Bahn werfen. Seit er bei uns ist, hat er sich stabilisiert. Ich bin sehr froh, dass die beiden Jungs sich so gut verstehen.«

»Was meinen Sie mit seinem Hintergrund? Wenn man die jungen Leute nur ein- oder zweimal in der Woche sieht und unten im Hörsaal vor ihnen steht, weiß man so gut wie nichts über sie. Sie kommen höchstens mal vorbei, wenn sie eine Terminverlängerung für ihre Arbeit brauchen oder eine Klausur zum zweiten Mal schreiben müssen.«

»Bei Manuel wird das kaum der Fall sein«, sagte Philipp Achenbach und forderte Johanna auf, ihm in den Keller zu folgen. »Sie sollten sich mal die Lüftungsanlage ansehen. Da sind wir ungestört. Manuel muss nicht merken, wenn über ihn geredet wird. Wir haben sowieso die halbe Nacht Theorien gewälzt ...«

»... wer die junge Frau umgebracht haben könnte? Bei den vielen Studenten habe ich nur eine vage Vorstellung von ihr. Dann kommt noch das Personal der Hochschule, obwohl ich mit den Fachbereichen Landschaftsgestaltung und Gartenbau nichts zu tun habe. An der FH Bingen im Studiengang Umweltschutz ist das anders, da unterrichte ich täglich. Aber Sie hatten Manuels Hintergrund angesprochen. Was meinen Sie damit?«

»Scheidungskinder sind heute die Regel und nicht die Ausnahme, alleinerziehende Mütter und Väter wie mich gibt's häufiger. Mit Thomas' Mutter war ich nie verheiratet. Bis zur Einschulung lebte er bei ihr, dann wollte er zu mir, und sie hat es zugelassen. Wir haben ihm immer den nötigen Rückhalt gegeben, was er brauchte, bekam er, nur einen Bruder nicht, da ich nicht wieder geheiratet habe. Ich habe versucht, ihm alles zu sein, Vater und Bruder – wenn nicht auch noch die Mutter. Meine Beziehungen zu Frauen waren nie besonders konstant. Ich war zu viel unterwegs, in jedem Sinne.«

So wie der Mann vor ihr aussah, konnte Johanna das durchaus verstehen.

»Und was hat das mit Manuel zu tun?«

»Das alles hat er nie bekommen, und als es kam, konnte er nicht damit umgehen.«

Sie waren im Gärkeller angekommen, und Johanna sah sich um. Hier stand ein Sammelsurium von Tanks aus diversen Epochen und Materialien: Edelstahl, Kunststoff, Stück- und Halbstückfässer aus Holz, die Böden besonders alter Fässer waren mit Schnitzereien verziert so wie etliche Geisenheimer Studienjahrgänge ihre Fässer mit den jeweils aktuellen Motiven hinterlassen hatten, darunter die Mondlandung und eine Reblaus als eigentlicher König des Weinbergs.

»Wir brauchen Zeit – und Geld, um das alles auf den neuesten Stand der Technik zu bringen«, entschuldigte sich Philipp Achenbach. »Und wir brauchen Zeit, um herauszufinden, was für den Wein gut ist. Hier ist alles ziemlich auf den Hund gekommen, aber ein voll funktionsfähiges Weingut hätten wir uns nie leisten können. Schlecht sind die Weine nicht. Ich kann das beurteilen, mein Sohn kann es auch, und Manuel bringen wir es bei.«

»Hier findet die Gärung statt?«, fragte Johanna übergangslos.

Philipp Achenbach, bei dem sie nicht wusste, ob sie einen Winzer oder Manager vor sich hatte, nickte eilfertig.

»Ich brauche die Abmessungen des Raums. Ich muss den Rauminhalt kennen, um den Ventilator-Typ und den Durchmesser des Lüftungskanals und seine Länge festzulegen. Aber erzählen Sie weiter. Ich schaue mich um und höre zu.« Sie begann, mit einem Maßband den Raum auszumessen.

Philipp Achenbach brauchte einen Moment, um sich zu besinnen. »Wir sprachen von Manuel, ja – die Eltern sind seit ewigen Zeiten geschieden, sie haben ihn in ein Nobelinternat gesteckt und sich nie um ihn gekümmert. Der Vater machte Karriere in der Chemiebranche, er ist ein hohes Tier bei einem Konzern, im Topmanagement. Die Mutter hat in ihrer neuen Ehe viele Verpflichtungen, gesellschaftlicher Art. Sie muss für ihre Männer da sein. Es ist zurzeit der Dritte oder der Vierte, einer reicher als der andere. Ich weiß nicht, wie solche Frauen das anstellen, was ihren Reiz ausmacht. Und egal, was der Junge brauchte, sie haben es ihm gekauft. Als er sagte, er wolle sich hier einkaufen, brauchte er nicht einmal zu fragen. Er hat eigenes Geld.«

»Und wie viel hat er? Hoffentlich keine Sperrminorität.«

»Wofür halten Sie uns? Vier von vierundvierzig Anteilen, und ich selbst bin nur so was wie der Vorsitzende dieser kleinen Gesellschaft.«

»Und wie viele Anteile hält Ihr Sohn?«

»Da fragen Sie ihn besser selbst.«

Johanna erinnerte sich wieder an die Ferien am Neusiedler See vor einigen Jahren, wo Carl sich in eine Winzerin verliebt hatte, die umgebracht wurde. Was sie jetzt dazu trieb, sich für den Mord an der Studentin zu interessieren, hätte Johanna nicht sagen können, schon gar nicht, weshalb ihr die folgende Frage in den Sinn kam. »Könnte Manuels Familie damit etwas zu tun haben?«

Philipp Achenbach verharrte stocksteif. »Darauf sind wir noch gar nicht gekommen. Was veranlasst Sie zu dem Gedanken?«

»Es wäre möglich, dass man diese Alexandra nicht in der Familie haben will, weil sie es auf einen reichen Erben abgesehen hat.«

Philipp Achenbach rümpfte die Nase. »So wie Manuel mir seine Verwandtschaft geschildert hat, wäre das eher ein Grund, sie mit offenen Armen aufzunehmen. Und Thomas hat es bestätigt.«

»Wie soll ich das verstehen?«

»Wissen Sie – es gibt Menschen, die meinen, dass ihnen etwas von Natur aus zusteht. Woher sie diese Überzeugung nehmen, ist mir ein Rätsel. Wir haben diese junge Frau einmal erlebt. Manuel hat ihr das Weingut voller Stolz gezeigt; es ist ein Zuhause für ihn geworden, wir sind seine Familie, Thomas so etwas wie ein Bruder. ›Das ist ja nur 'ne Baustelle‹, lautete Alexandras Kommentar, ›das ist ja gar kein richtiges Weingut.‹«

»Das ist auch mein Eindruck.«

Philipp Achenbach zog die Augenbrauen hoch. »Es kommt darauf an, wie man es sagt. Das bleibt es wohl auch noch auf Jahre hinaus. Das ganze Leben ist eine Baustelle, wenn es interessant bleiben soll. Nichts ist fertig, kein Keller, kein Weinberg. Und das ist das Schöne. Aber diese junge Frau Lehmann hat es anders gemeint als Sie, Frau Breitenbach. Es mochte ihre Meinung sein, gut, aber meinem Eindruck nach ging es ihr darum, Manuel zu verletzen, sicher weil sie wusste, wie viel ihm dieser Ort bedeutet. Ein anderer Satz war, vielmehr eine Frage, wo man in dieser Bauerngegend abends essen gehen sollte. Wenn man mit ansehen muss, wie ein Ort schlechtgemacht wird, an dem jemand, der einem ans Herz gewachsen ist, glücklich ist, und das ist Manuel hier, dann ist das …« Philipp Achenbach atmete tief durch und suchte nach dem richtigen Wort. »… dann ist das niederträchtig. Darin sehe ich auch einen Grund für den Mord.«

Johanna sah Philipp Achenbach mit großen Augen an. »Sie meinen doch nicht etwa, dass Manuel …«

»Um Himmels willen! Das habe ich nicht sagen wollen. Ich glaube, es liegt in unserem Charakter, mit wem wir Umgang pflegen. Ich weiß nicht, mit wem diese Alexandra Umgang hatte. Ich halte mich raus, es ist Sache der Polizei, den Fall zu klären, die hat das entsprechende Personal, obwohl mein Sohn mir sagte, dass er sich mit dem Leiter der Mordkommission nicht verträgt. Wahrscheinlich hat er es am Respekt fehlen lassen, aber das liegt in der Familie. Meine Aufgabe ist es, Manuel aufzufangen. Er ist intelligent, er ist fleißig, er lernt schnell, er gibt sein Bestes, und er liebt die Natur. Darin stimmen wir überein. Ich weiß nicht, ob Manuel diese Alexandra geliebt hat. Ob es so war – wer will das beurteilen? In dem Alter verdrehen Weib und Wein jedem jungen Kerl den Kopf.«

»Nur den Jungen, nicht den Alten?«

Philipp Achenbach nahm lachend zwei Gläser, füllte sie mit Wein aus einem Stückfass und reichte eines an Johanna weiter. »Mein Sohn hat zurzeit keine Freundin. Er meint, dass er zu viel um die Ohren habe, der Aufbau, sein Studium ... Aber wenn die Richtige kommt, findet man immer Zeit. Wir waren in Karlsruhe in einem Museum. Er interessiert sich für Bilder, so wie ich. Dann kam ein bildschönes Mädchen vorbei, er sah sie, doch dann betrachtete er lieber den Picasso.«

»Vielleicht weil beide so kühl sind?«

»Das ist Ihre Ansicht«, entgegnete Philipp Achenbach.

Oh, da zeigt sich der Vater, der nichts auf den Sohn kommen lässt, dachte Johanna. Über die Kinder anderer Leute sagt man besser nichts, außer man lobt sie.

»Ich möchte Ihnen noch die anderen Räume zeigen, bevor wir uns um den Rauminhalt des Gärkellers kümmern.« Philipp Achenbach war vom freundschaftlichen Ton zum verbindlichen übergegangen und ging voraus auf den Hof, wo er eine der beiden großen Flügeltüren öffnete. Auch hier, in der Halle mit einer in Folie verhüllten Abfüllanlage, wurde gebaut, die Deckenbalken wurden wie im Büro durch Metallträger ersetzt.

»Wozu dient diese Maßnahme?«, fragte Johanna. »Die Balken sehen brauchbar aus.«

»Mit der Statik haben wir kein Problem, aber mit Trichloranisol. Sie kennen diesen dumpf-muffigen Geruch, den man landläufig Korkton nennt?«

Johanna stimmte ihm zu. »Jeder Weintrinker kennt ihn, nur muss es nicht immer Kork sein.«

»Das ist richtig. Man ist in den letzten Jahren zu Kunststoffstopfen und Schraubverschlüssen übergegangen, um Korkschmecker zu vermeiden. Trotzdem tauchte auch in derartig verschlossenen Flaschen dieser Geruch auf. Thomas hat kürzlich eine Geisenheimer Untersuchung in die Hände bekommen, wonach chemische Altlasten in Verbindung mit Mängeln am Bau ebenfalls die Ursache für den Fehlton sein können. Da hat man Pentachlorphenol als Quelle für die Entstehung von Trichloranisol ausgemacht. Und als wir hier alte Kanister mit dem Holzschutzmittel Xylamon fanden, das diesen Stoff enthält, haben wir die Raumluft untersuchen lassen – leider mit positivem Ergebnis. Aus der Raumluft nehmen sogar Kunststoffverschlüsse diese Chemikalien an, die stecken auch in Paletten, und geben sie an den Wein weiter. Das heißt, dass der Spaß uns an die zwanzigtausend Euro kostet.«

»Die waren vorher sicher nicht in Ihrer Kalkulation?«

»Ich bitte Sie, wer denkt denn an so was ...«

Am Abend traf Philipp Achenbachs Freundin ein, eine sympathische Frau in Johannas Alter, die in Bad Dürkheim eine kleine Galerie und ein Geschäft für lokales Kunstgewerbe betrieb. Man traf sich im Kaminzimmer, einem großen Raum mit einem Esstisch, acht Stühlen und einem Klavier. Es roch ein wenig nach Farbe, obwohl die Fenster offen standen.

»Ah, die Öko-Verstärkung ist da«, meinte Verena Baederle zur Begrüßung. »Mit der geballten Wein-Wissenschaft an Bord kann nichts mehr schiefgehen. Da sind wir von der musischen Fraktion in der Minderheit.« Sie wandte sich an Manuel, die beiden schienen sich gut zu verstehen.

»Was hast du gekocht, was gibt es zu essen? Ich habe entsetzlichen Hunger.«

»Wir beginnen wie üblich mit einem Salat und einer Orangenvinaigrette, gnädige Frau, als Vorspeise bieten wir Ihnen unseren beliebten Auberginen-Auflauf, und anschließend serviert unsere international anerkannte Küche ein italienisches Gericht, ein Saltimbocca, das springt von ganz allein in den Mund, wie der Name schon sagt.« Manuel verbeugte sich. »Kalbsschnitzel mit Salbei und Schinken, dazu ein Riesling-Risotto. Herr Achenbach pflegte ihn mit Champagner zuzubereiten, aber im Rahmen der Sparmaßnahmen wurde er gegen Riesling-Sekt ausgetauscht.«

Johanna staunte wieder, wie Manuel in dieser Umgebung aufging und dass er für das Essen zuständig war. »Ich wusste gar nicht, dass Sie so kochen können, Herr Stern.«

»Woher auch? Sie waren ja nie bei uns. Aber Professoren und Studentenschaft sollten sich nicht verbrüdern, höchstens außerhalb des Studienortes. Es könnte der Eindruck von Vetternwirtschaft entstehen, wo man heutzutage bereits Doktortitel und sogar Klausuren günstig kaufen kann. Außerdem ... irgendwo muss man ja mit seiner Liebe hin ...« Bei den letzten Worten, mehr vor sich hin gemurmelt, klang seine Verzweiflung durch.

Das ist sein zweites Ich, dachte Johanna. Er schwankt, er steht nicht sicher, er wahrt mit Mühe die Form. Sie sah sich um und hatte den Eindruck, dass alle am Tisch das Gleiche dachten wie sie.

»Lass uns den Wein dazu aussuchen«, sagte Thomas und zog den Freund am Arm aus dem Raum. Dass er so feinfühlig war, die momentane Stimmung wahrzunehmen, hätte Johanna ihm nicht zugetraut.

Verena Baederle legte Johanna die Hand auf den Arm. »Wissen Sie mehr über dieses Drama in Geisenheim, Frau Breitenbach? Philipp hat mir am Telefon davon erzählt. Sie sind näher dran, und was er weiß, das hat er von Thomas und Manuel.« Sie sah den Hausherrn besorgt an. »Eine furchtbare Geschichte, nicht wahr Philipp? Wer ist dieses Mädchen, vielmehr ... wer war sie?«

»Was in Geisenheim passiert, vielmehr an der Fachhochschule, das geht an mir vorbei.« Johanna erklärte ihr, dass sie nur einen Lehrauftrag hatte. »Und weil ich so selten da bin, habe ich erst vorgestern davon erfahren.«

»Für Manuel ist das eine Katastrophe ...«

Johanna wunderte sich, wie hier alle um Manuel besorgt waren und dass sich niemand außer ihm für die Ermordete und das abscheuliche Verbrechen zu interessieren schien. Denn das war es, ein abscheuliches Verbrechen, egal, wie man zu Alexandra stand. Etwas Schlimmeres, als ein Leben zu vernichten, die einzige Chance, in der Ewigkeit ein wenig vom Universum zu erhaschen, gab es nicht. Und wenn Alexandra auch den Beschreibungen der hier Anwesenden entsprochen haben mochte, so hatte sie doch die Chance verdient, zu begreifen, zu lernen, zu erkennen. Aber alles war mit dem Mord vernichtet, jede Zukunft war genommen. Stellte sich nicht jedem sofort die Frage: Wer war der Mörder? Aber darüber sprach hier keiner. Würden Manuels Probleme nicht erst gelöst sein, wenn der Mörder überführt wäre?

Der Hausherr schlug vor, das Thema am Abend auszuklammern. »Wir sollten uns das Essen nicht verderben, zumal Manuel gekocht hat, und ein wenig Anerkennung und Ablenkung schadet ihm nicht. Es macht ihm immer noch zu schaffen, dass seine ... seine Freundin allgemein so wenig Anklang fand. Dass wir bei ihr keinen Anklang fanden, war uns egal. Sie hat sich ausgeschlossen und nicht umgekehrt. Sie tat so, als lebe sie in der Gegenwart, sie gab nichts von sich preis, dabei habe ich selten einen Menschen getroffen, der so mit seiner Vergangenheit verhaftet war, dass er sie ständig verdrängen musste. Meinem Eindruck nach wollte sie Manuel unter Kontrolle halten. Aber das hier ist sein Reich, deshalb fühlt er sich hier so wohl, und genau deshalb hat sie versucht, ihn von uns zu entfremden.« Philipp Achenbach nahm seine Brille ab und rieb sich das Gesicht. »Jetzt habe ich genau das getan, was ich nicht wollte – mich eingemischt.«

Hat Manuel deshalb zugeschlagen, um sich von der Kontrolle zu befreien?, schoss es Johanna durch den Kopf, doch sofort tat sie den Gedanken ab. Nein, Manuel kam als Täter nicht in Betracht. Doch je mehr sie hörte, desto hartnäckiger hielt sich der Verdacht, gerade so wie ein Splitter im Finger: Je mehr man daran herumdrückte, desto tiefer trieb man ihn in die Haut. Aber als dann Manuel mit dem Salat auf einem Tablett den Raum betrat, zufrieden, Teil dieser Gemeinschaft zu sein, und froh, für andere etwas tun zu dürfen, war der Splitter draußen, ganz von allein. So jemand schlug auch im Affekt nicht zu, der zog sich zurück und richtete die Gewalt gegen sich selbst. Wenn sie mit sich im Reinen war, konnte Johanna sich auf ihr Gefühl verlassen. Aber – war sie das? Dieser verflixte Splitter ...

Der Riesling zum Salat mit der Orangenvinaigrette war eine gute Wahl. Johanna kostete den Wein wieder und sah sich auf dem Tisch um. Vor jedem Teller standen drei Gläser, also würde es zu jedem Gang einen anderen Wein geben. »Aus den alten und neuen Beständen«, wie Thomas erklärte.

»Ich habe Manuel und Thomas gebeten, die guten Rheingauwinzer abzuklappern«, erklärte Philipp Achenbach. »Sie sollen probieren und sich einen Überblick verschaffen. Sie müssen wissen, was es gibt und was möglich ist.«

»Grau, teurer Freund, ist alle Theorie, und grün des Lebens goldener Baum«, meinte Thomas gelangweilt.

»Goethe, Johann Wolfgang von, Faust 1«, steuerte Manuel bei. »Obersekunda ...«

»Der war auch im Rheingau unterwegs«, sekundierte sein Freund. »Wer hat auf Schloss Johannisberg keine Spuren hinterlassen? Ein Nassauer wird er gewesen sein, was sonst? Das kam in einem Brief an den Großherzog Carl August von Weimar zum Ausdruck. Dem schrieb er bei der Übergabe des Schlosses an Österreich von einem ›heiteren Mittagsmahl‹. Überall wird der Kerl sich bei den Fürsten eingeschmeichelt und durchgefressen haben und hat dafür schöne Sprüche hinterlassen: ›Der Johannisberg herrscht über alles.‹«

»Die Herrscher hatten es Goethe angetan«, pflichtete sein Vater bei. »Er war ihnen sehr – zugetan.«

Johanna musste lächeln. Den beiden war nichts heilig. »Und was ist mit Heinrich Heine? Der soll auch im Rheingau umhergewandert sein.«

»Der ist mir lieber«, sagte Manuel, »unten im Gewölbe vom Johannisberg habe ich ein Fass gesehen mit einem Spruch von ihm im Fassboden, der gefällt mir besser: ›Wenn ich doch so viel Glauben in mir hätte, dass ich Berge versetzen könnte, der Johannisberg wäre just derjenige Berg, den ich mir überall nachkommen ließe.‹«

»Und was würden Sie sich überall hin nachkommen lassen?«

»Einen Flügel«, sagte Manuel, »dazu braucht es statt des Glaubens nur eine Spedition.«

»Die Begeisterung für Rheingau Riesling hat sich seit damals nicht geändert.« Philipp Achenbach knüpfte an das Gesagte wieder an. »Den Rheingau sehe ich als Versuchslabor für diese Rebsorte, mit der wir kaum konkurrieren können. Ihre Ausprägungen sind dort so vielseitig wie sonst nirgends. Ich kenne keine andere Rebsorte, die so sehr den Boden im Geschmack ausdrückt, das Terroir, wie Riesling, und doch behält er seine Eigenheit. Wenn man bei Lorch anfängt und sich rheinauf bewegt, reichen diese unterschiedlichen Böden vom Schiefer dort bis zum Quarzit auf dem Johannisberg, es folgt kalkhaltiger Löss in Hattenheim weiter oberhalb, und schließlich sind es sandige Böden, mit Mergeln versetzter Lösslehm in Hochheim.«

»Du hast Kiedrich vergessen, Papa, Phyllitböden. Da liegt das Weingut Robert Weil. Das steht auch auf unserer Besuchsliste.«

»Und was sagen Sie zu diesem?«, fragte Johanna. Sie nahm die Flasche in die Hand und betrachtete das Etikett. Der Name Gunter Künstler sagte ihr wenig, der Wein jedoch gefiel ihr ausnehmend gut. Und dann passierte genau das, was sie befürchtet hatte.

»Mich interessiert viel mehr, was Sie, Frau Breitenbach,

dazu sagen. Wie gefällt Ihnen dieser Wein?«, fragte Philipp Achenbach.

Es musste ja so kommen, und Johanna schalt sich im Stillen für ihre Naivität. In diesen Kreisen musste sie sich dieser Frage stellen. Nun gut. Sie empfand ihn als stark und saftig, als einen typischen Riesling, wenn sie sich als Laie dieses Urteil erlauben durfte. Sie meinte, Apfel und Zitrone zu riechen. Die kräftige Säure, die sie beim Riesling oft störte, empfand sie hier als sehr angenehm. Doch wie immer war sie sich nicht sicher. Ihr fehlten die Worte, um zu sagen, was sie empfand.

»Sehr schön«, war alles, was sie herausbrachte. Hoffentlich verlangt niemand nach einer Analyse der Säurewerte und fragt, wie viel Gramm Restzucker enthalten sind und ob die Trauben für diesen Wein auf Schwemmboden oder Taunusquarzit gewachsen sind. Barrique hätte sie sofort wahrgenommen, das Vanillearoma war ihr im Weißwein zuwider.

»Ich finde, dass man dem Wein anmerkt, wie Künstler sich in der Erntemenge beschränkt«, sagte Thomas, der den Wein von seinem Besuch in Hattenheim mitgebracht hatte, »so eine Dichte findet man sonst kaum.« Hochheim Kirchenstück Erstes Gewächs, las Johanna auf dem Etikett, und Thomas erzählte, dass sowohl Gunter Künstler wie auch sein Verwalter in Geisenheim studiert hatten. Da alle ehemaligen Geisenheimer, wie sie sich nannten, weltweit etwas verband, war die Bereitschaft groß, die zukünftigen Ehemaligen an ihrem Wissen teilhaben zu lassen. »Fünftausend Kilo erntet er pro Hektar ...«

»In diese Richtung müssen wir uns auch bewegen«, meinte sein Vater, »wenn wir Erfolg haben wollen. Große Erntemengen verwässern den Extrakt. Wenn wir auf ökologischen Weinbau umstellen, ernten wir sowieso weniger, die Trauben werden kleiner – dafür aber intensiver im Aroma. Wir haben mehr Beerenhaut, sie ist der Farb- und

Geschmacksträger. Bisher wurden auf unseren Flächen die Weinstöcke über Gebühr belastet.«

Von Manuel erfuhr Johanna, dass er und Thomas in ihrem Versuchsweinberg verschiedene Rebsorten ausprobieren wollten, ähnlich wie in Geisenheim praktiziert. Es war ein Vorgriff, denn Praktika waren erst fürs dritte Studienjahr vorgesehen. Sie schienen geradezu vom Wein und von ihrer Arbeit besessen. Johanna hörte ihnen wohlwollend zu, während sie mit glühenden Augen erzählten, was sie alles in diesem Sommer geplant hatten. Neben dem Wein gab es sonst für Manuel nach Alexandras Tod nur sein Klavier, und Thomas praktizierte Karate und Tai-Chi. Alles andere war unwichtig. Ach nein, er sei gerade dabei, neue Etiketten zu entwerfen, damit beschäftigten sie sich auch in Geisenheim, ob er ihr die Entwürfe zeigen dürfe?

»Morgen«, sagte Philipp Achenbach, »heute hören wir Kompositionen von Friedrich Gulda, gespielt von Manuel Stern auf einem völlig verstimmten Klavier.« Als der Tisch dann abgeräumt, die Küche aufgeräumt und die Sitzgelegenheiten hergerichtet waren, begann Manuel mit Guldas Variationen zum Doors-Klassiker »Light my fire«.

Spät in der Nacht zeigte Thomas Johanna ihr Zimmer. Es war tatsächlich eine Zelle. Ein weiß bezogenes Bett in einem weiß gestrichenen Raum, ein Stuhl, ein Tischchen neben Kleiderhaken.

Johanna öffnete das Fenster und blickte in die Nacht, noch immer Manuels Klavierspiel im Ohr. Die Nähe zu so vielen Menschen verwirrte sie, nach den intensiven Gesprächen wünschte sie sich Ruhe. Da klopfte Thomas, er stand mit einer Vase und einem Feldblumenstrauß vor der Tür.

»Für Sie.« Er nickte verlegen und wünschte eine gute Nacht.

Johanna lächelte dankbar und begann den Jungen zu mögen.

5

Der Mann, der zwischen den am Straßenrand geparkten Wagen plötzlich auftauchte, war kein Unbekannter – trotzdem erschrak Thomas, als er Kriminalhauptkommissar Sechser auf sich zukommen sah. Manuel war damit beschäftigt, seine Reisetasche aus dem Kofferraum zu nehmen. Als er den Weinkarton unter den einen Arm klemmte und mit der anderen Hand die Reisetasche ergriff, den Kopf noch immer unter der Klappe des Kofferraums, kam er nicht mehr an die Schlüssel, um den Wagen abzuschließen, und musste entweder den Karton oder die Tasche abstellen. Unschlüssig sah er sich um, erst jetzt bemerkte er den Polizisten – und erstarrte, sein Gesicht gefror, die Reisetasche fiel ihm aus der Hand, der Weinkarton glitt nach unten.

»Sie wollen mich holen«, sagte er leise.

Erst jetzt bemerkte Thomas den zweiten Polizeiwagen. Es war klar, dass dieses Aufgebot Manuel galt, und er blickte ihn voller Besorgnis an, wie er sich verzweifelt mit beiden Händen durchs Haar fuhr. Der Schweiß brach ihm aus. Als hätte Thomas eine Antwort auf die Frage, die in Manuels verzweifeltem Blick lag und die einfach nur WARUM? lautete, erwiderte er den Blick. Das Entsetzen in den dunklen Augen fuhr Thomas durch Mark und Bein. Wie viel Schmerz kann ein Mensch aushalten?, dachte er. Manuel hatte Todesangst – und gleichzeitig war der Blick ein lautloser Schrei um Hilfe, es war die flehende Bitte eines Menschen, der sich nicht zu helfen wusste.

Aber dieser Blick verwandelte ihn auch, er begriff: Er machte ihn stark, denn er besiegelte seinen Entschluss, alles, was in seiner Macht stand, für Manuel zu tun. Er hatte das Gefühl, wenn er ihn jetzt aufgäbe, wenn er ihm auch nur für den Bruchteil einer Sekunde misstrauen würde, dass er sich selbst aufgeben würde.

Jetzt kam Sechser näher, und auch seine Beamten schlossen auf. War es ihm hoch anzurechnen, dass er Manuel nicht in der Hochschule verhaftet hatte, um ihm die Peinlichkeit einer solchen Situation zu ersparen? Nein. Für mitfühlend hielt Thomas den Kommissar nicht; er hatte wahrscheinlich gehofft, Manuel vor seiner Haustür sang- und klanglos einzusacken, wenn möglich ohne Zeugen. Dass er, Thomas, dabei war, hatte er nicht bedacht.

Mechanisch bückte sich Manuel nach dem Karton und der Tasche und ging langsam weiter. Genau in dem Moment, als sie vor der Haustür standen, trat Sechser vor, vertrat Manuel den Weg und steckte die rechte Hand aus, als wolle er Thomas abwehren.

»Herr Manuel Stern?«

Manuel nickte ergeben. »Was soll die Frage?«

»Ich nehme Sie wegen des dringenden Verdachts fest, Alexandra Lehmann getötet zu haben ...«

»Was für ein Unsinn«, entfuhr es Thomas. »Das ist voll idiotisch.«

Sechser reagierte laut. »Sie halten den Mund! Das hier geht Sie überhaupt nichts an.«

»Das ist Ihr zweiter großer Irrtum, Herr Oberkriminalhauptkommissar.« Thomas fühlte einen unbändigen Zorn und zog die Kampflinie. Er merkte, dass er Sechser verunsichert hatte, und der konnte sich nicht dazu durchringen ihn zu fragen, was Thomas für seinen ersten Irrtum hielt.

Thomas beantwortete die unausgesprochene Frage. »Ich sag's Ihnen, Herr Sechser.«

Der Kommissar biss sich auf die Lippe, er ärgerte sich, dass Thomas ihn durchschaut hatte.

»Sie ermitteln in die falsche Richtung. Manuel Stern hat Alexandra nicht erschlagen. Sie verhaften ihn nur, weil Sie einen Erfolg brauchen und keinen anderen Täter vorweisen können.«

»Ich bin sicher nicht der Erste, der Ihnen sagt, dass Sie ein arroganter Klugscheißer sind.«

»Doch Herr Sechser, das ist originell, vor Ihnen ist niemand darauf gekommen.«

»Sollten Sie unsere Ermittlungen in irgendeiner Weise behindern«, die letzten Worte waren eindeutig als Drohung gemeint und auch an Sechsers Begleiter gerichtet, um sie auf ein mögliches Eingreifen vorzubereiten, »dann werde ich nicht zögern, Sie festnehmen zu lassen. Das habe ich Ihnen angekündigt, und ich mache es wahr. Jetzt gehen Sie zur Seite!«

»Stehe ich Ihnen im Weg, Herr Sechser?« Thomas sah neben sich auf den Boden. Nein, einschüchtern ließ er sich von dem Würstchen nicht.

Der Kommissar ignorierte ihn, griff in die Innentasche seines Sakkos und zog einen Umschlag heraus, dem er ein Papier entnahm. Er hielt es Manuel hin. »Der Haftbefehl! Es besteht Flucht- und Verdunkelungsgefahr.«

Thomas blickte Manuel an, er hoffte inständig, dass es nicht zu einer Kurzschlusshandlung kam. Wie eine schwere große Stahltür, die langsam zufiel, verschlossen sich Manuels Augen. Ein unsichtbarer Panzer legte sich um ihn.

»Darf ich meine Zahnbürste mitnehmen?« Er reichte den Haftbefehl an Thomas weiter.

»Wir kommen mit rein. Packen Sie zusammen, was Sie brauchen, Wäsche und so ...« Sechser konnte also auch verbindlich sein. Oder war es Unsicherheit?

Manuels Verhaftung blieb nicht unbemerkt. Nachbarn traten in ihre Vorgärten, starrten herüber, tuschelten vor Garageneinfahrten, und an den Fenstern bewegten sich die Gardinen. Jetzt haben sie ihren Mörder, dachte Thomas, aber den wirklichen Mörder haben sie nicht – ein Gedanke, der ihn mit Schadenfreude erfüllte.

»Ich wohne auch hier.« Thomas knurrte einen Polizeibeamten an, der ihn zurückhalten wollte, als sich die Gruppe in Bewegung setzte. Er folgte den Beamten mit Manuel an der Spitze, der wie in Trance die Haustür aufschloss, dann die Wohnungstür und in der Mitte seines Zimmers unschlüssig stehen blieb.

»Bitte gieß meine Blumen«, sagte er und wies auf den kleinen Balkon. »Vergiss meine Rebstöcke nicht. Besonders der Spätburgunder liegt mir am Herzen. Hier ...«, er griff in eine Schreibtischschublade und entnahm ihr eine Mappe, »das ist mein Beobachtungsprotokoll. Führe es weiter, bitte.«

»Sie können dich nicht drin behalten, ihre Anschuldigungen sind haltlos.«

»Du irrst dich gewaltig, mein Freund. Sie brauchen mich. Zum ersten Mal werde ich wirklich gebraucht – als Mörder.«

»Quatsch keinen Blödsinn! Wir brauchen dich, Manuel, mein Vater und ich, Verena, Regine ... wir alle brauchen dich, hier genauso wie auf dem Weingut. Du gehörst dazu, Manuel!«

Doch Manuel antwortete tonlos: »Da können sie ihren ganzen Hass auf andere abladen und ihre Vorurteile gegen die Kinder reicher Leute bestätigen, außerdem bin ich ein Bayer. Du wirst es erleben, Thomas. Dabei habe ich nie darum gebeten, in die Familie Stern geboren zu werden. Das ist nicht meine Schuld.« Er ging zum Schrank, nahm ein paar Unterhosen, zwei T-Shirts, einen Pulli ... »Ist es kalt im Knast?«

»Wir leben nicht im Mittelalter«, sagte der Kommissar und trat von einem Bein aufs andere.

Hier empfindet sich jeder als überflüssig, dachte Thomas, und allen ist die Prozedur peinlich – und unerträglich. Er sah Sechser an, als könne er in ihn hineinsehen, was dem Kommissar sichtlich unangenehm war, sein Kinn wurde hart.

Manuel ging zum Schreibtisch. »Ich schreibe für Herrn Achenbach die Telefonnummer meines Vaters auf. Der soll sich um einen Anwalt kümmern.« Er zögerte. »Nein, er soll ihn bezahlen, sonst nichts, aber du suchst den Anwalt aus, du! Mit den Leuten, mit denen sich mein Vater umgibt, will ich nichts zu tun haben. Die richten bloß Schaden an. Ich gebe dir noch eine Generalvollmacht – du kannst in meinem Namen alles erledigen.«

»Dafür ist jetzt keine Zeit«, unterbrach ihn Sechser, dem daran gelegen war, Manuel endlich abzuführen. »Die Vollmacht können Sie auch im Präsidium in Wiesbaden oder im Untersuchungsgefängnis aufsetzen. Da haben Sie noch genügend Zeit.«

»Mit meiner Mutter zu reden ist überflüssig, aber ich schreibe ihre Nummer dazu.« Manuel beugte sich über den Schreibtisch. Dann griff er in eine Schublade und holte einen Packen Geldscheine hervor. Alle starrten auf das Bündel Fünfzigernoten, das Manuel an Thomas weitergab wie den letzten Besitz eines Verurteilten vor der Hinrichtung. »Für Auslagen und so ... Benzin, wenn du mich im Knast besuchst.«

»Ich lasse dich nicht im Stich, Manuel. Behalte dein Geld. Wir können alles auslegen, du kannst es uns später zurückgeben.« Waren Manuels finanzielle Möglichkeiten der Grund für den Haftbefehl? Er hätte sonst wohin verduften können.

»Dann heb das Geld für mich auf ... aber den Wagen nimmst du, hier sind die Papiere«, er gab Thomas den Fahrzeugschein, »du kannst deine Schleuder schonen, die macht's nicht mehr lange. Grüße alle von mir ...« Manuel richtete sich auf. »Wir können gehen, Herr Kommissar. Wollen Sie mir keine Handschellen anlegen? Thomas könnte ein Foto machen, zur Erinnerung …« Die Verzweiflung in seiner Stimme übertönte den Zynismus seiner Worte.

Die Freunde umarmten sich. »Ich hole dich raus, verlass dich darauf.«

Der Kommissar rümpfte verächtlich die Nase. »Wenn Sie mir den wahren Mörder bringen.«

»Den wirklichen, meinen Sie, den, der Alexandra Lehmann tatsächlich ermordet hat?« Thomas bemerkte am Hauptkommissar etwas wie Unsicherheit.

Sie verzichteten auf Handschellen, als Manuel abgeführt wurde, nicht aber auf den festen Griff um den Oberarm. Und dann kam der Akt, ihm beim Einsteigen in den Fond des Wagens den Kopf herunterzudrücken. Es ging Sechser offenbar nicht darum zu verhindern, dass Manuel sich verletzte, es ging ihm ausschließlich um Erniedrigung, sich bei dem beschissenen Job wenigstens einen Moment lang über einen anderen zu stellen. Dabei war Manuel viel zu oft gedemütigt worden. Damit würde es im Gefängnis weitergehen, wenn sich die Türen hinter ihm schlossen, wenn sie ihn gefesselt zum Untersuchungsrichter und zu sonstigen Verhören führen würden – Thomas durfte sich das nicht ausmalen, er hätte keine ruhige Minute mehr. Er musste sich beeilen, diesen verfluchten Mörder zu finden, denn lange würde Manuel den Knast nicht ertragen. Er musste nur durchhalten, bis er ihn da herausgeholt haben würde. Er würde das schaffen, das schwor er sich – und ihm – in dieser Sekunde. Er hoffte inständig, dass Manuel nicht vorher aufgab. Sie durften das Werk, das seine Eltern begonnen hatten, nicht zu Ende führen, sie durften ihn nicht brechen. Er wäre dann das zweite Opfer.

Der Kommissar blieb kurz an der Beifahrertür stehen. »Sie sollen die Bodenproben nicht vergessen – hat Ihr Freund gesagt«, rief er Thomas zu und schien sich zu wundern, woran ein Mensch im Moment seiner Verhaftung denken konnte.

Dann saß Thomas allein in Manuels Zimmer auf dem Klavierhocker und kämpfte mit den Tränen. Die Wohnung war still und leer und wirkte wie tot, bis auf das Brummen des Kühlschranks. Wie würde sein Freund das Gefängnis aushalten, allein in einer stinkenden Zelle, ohne Licht, ohne Klavier, ohne seine Weinstöcke, die er liebevoll pflegte? Gerade jetzt, wo sie mit dem Austrieb begonnen hatten, wo sich die Gescheine bildeten, die Blüten und späteren Trauben, wo es jede Menge Arbeit im Weinberg gab, genau in dem Moment hatten sie ihn weggeholt. Wie sollten sie ohne ihn die Arbeit schaffen, wie ohne ihn mit dem Einflechten der Triebe fertig werden? Wie sollte er den Stoff des Studiums, der immer umfassender und komplizierter wurde, allein bewältigen? Was durfte Manuel im Knast tun, wer durfte ihn besuchen, was war ihm erlaubt? Durfte er lesen, Bücher empfangen, Musik hören?

Thomas klimperte ein wenig auf den Tasten des Klaviers. Es hörte sich schrecklich an. Er zog die Hand schnell weg, als ihm in den Sinn kam, dass es das Piano merken könnte, dass er und nicht Manuel daran saß. Der Freund würde hinter den Mauern ohne sein Instrument verrückt werden. Das alles hatte ihm Alexandra eingebrockt, und endlich hatte er ein Opfer für seine Wut. Sogar über den Tod hinaus stellte sie sich zwischen ihn und Manuel. Was sollte er tun, mit wem konnte er darüber sprechen? Es gab nur einen Menschen, mit dem er offen darüber reden konnte – das war sein Vater.

Thomas stand auf, ging zum Balkon und sah hinaus. Die Nachbarn standen noch immer vor ihren Häusern, es war Montagabend, Feierabend, und es war klar, worüber sie sprachen. Die Nachricht von Manuels Verhaftung würde heute noch in Geisenheim die Runde machen. Im Radio würde es heißen, dass ein der Tat dringend Verdächtiger verhaftet worden sei. Dann kamen die Hyänen von der Boulevardpresse. Würde es morgen an der Hochschule ein Spießrutenlauf werden? Scheiße, alle würden es wissen, und er fürchtete ihre Blicke, als wäre er selbst angeklagt. Ja, sie würden ihn anklagen, weil er Manuels Freund war ... und wo blieb Regine? Verdammt, wo blieb Regine? Bei der Vorlesung hatten sie kaum ein Wort gewechselt. Wieso musste sie sich gerade jetzt mit ihrem Lover treffen?

Was war das überhaupt für ein Typ? Thomas setzte sich auf Manuels Bett, dann sprang er wieder auf und ging in die Küche und trank Wasser. Soweit er es herausgehört hatte, war er Jungwinzer aus dem Rheingau, unbekannt, Mittelmaß, zum VDP, dem Verband der Prädikatsweingüter, gehörte er jedenfalls nicht. Wie würde er auf diese Schreckensmeldung reagieren, dass seine neue Freundin in einer WG mit einem Mörder lebte, einem vermeintlichen?

Mühsam zwang Thomas sich zur Ruhe, setzte sich wieder auf den Klavierhocker und starrte aufs Regal. Schön ordentlich standen die Aktenordner nebeneinander: Botanik, Verfahrenstechnik, Mathematik, Physik, Chemie und Phytomedizin. Er stand auf, nahm den Ordner in die Hand und blätterte ihn durch. Pflanzenkrankheiten war sein schlechtestes Fach, damit hatte er sich bisher am wenigsten beschäftigt, aus der tief sitzenden Abneigung gegen alle Krankheiten. Diese neue Plage genannt Esca, die jetzt nicht mehr nur die Weinstöcke Südeuropas befiel, erforderte genaues Hinsehen. Die Rinde des Weinstocks zerfaserte, die braune Färbung der Blätter erinnerte an Tigerstreifen, und die Beeren bekamen schwarze Punkte. Die hatten Rieslingtrauben sowieso, doch Manuel konnte das unterscheiden. Er sah einer Pflanze an, ob und worunter sie litt, ob es Wasserstress war oder ob der Stock vom Roten Brenner befallen war. Hing das mit seiner Person zusammen, mit seinem Charakter, damit, woran es ihm gemangelt hatte?

Thomas stellte den Ordner zurück und sah sich um. Irgendetwas störte ihn. Nein, ihm war etwas aufgefallen, gerade in dem Moment, bevor Manuel das Bündel mit dem Geld hervorgeholt hatte. Wieso hatte er überhaupt so viel

Kohle im Schreibtisch herumliegen und nicht auf der Bank? Was hatte er damit vorgehabt? Thomas zählte die Scheine. Es waren viertausenddreihundert Euro. So viel Bargeld hatte er nie zuvor gesehen. Wieso war es bei der Hausdurchsuchung nicht gefunden worden?

Verdammt, lass dich nicht von dem Gedanken an Manuels Schuld anstecken. Sicher geht es allen ähnlich, und Thomas dachte an die Leute auf der Straße. Was war ihm vorhin nur aufgefallen? Das Geld hatte ihn abgelenkt.

Thomas stellte sich vor den Schreibtisch und versuchte sich vorzustellen, wie Manuel am Schreibtisch gestanden hatte. Als er ihm die Wagenpapiere übergeben hatte, was war da gewesen? Thomas zog die Schublade auf. Genau. Der Schlüsselbund. Er hatte ihm irgendetwas damit signalisieren wollen. Was war mit den Schlüsseln? Thomas nahm den Bund und sah sich jeden einzelnen an. Haustür, Wohnungstür, Briefkasten, Fahrradschloss und Keller, die Schlüssel ihres Weingutes, Thomas kannte sie alle. Die Bärte waren sehr typisch, und als er zweifelte, verglich er sie mit seinen. Da waren zwei Schlüssel, die er keiner Tür zuordnen konnte. Woher stammten sie? Gab es Türen, von denen Thomas nichts wusste?

Er musste mit seinem Vater darüber sprechen.

»Hallo, Papa?« Es war eine Anrede, die er nur in der Not gebrauchte, und sein Vater wusste das. Aufatmend vernahm er die Stimme seines Vaters. Selten war er so froh gewesen, sie zu hören.

»Was ist los? Irgendetwas ist passiert, wenn du ›Papa‹ sagst. Soll ich raten?«

»Besser nicht, aber passiert ist schon was, etwas ziemlich Schreckliches. Manuel wurde verhaftet. Sie haben ihn eben abgeholt. – Hallo, bist du noch da?«

»Ja, ich bin da, ich bin … nur … etwas sprachlos. Wegen dieser … Alexandra?«

Das Word Mord wollte er lieber nicht aussprechen. »Weshalb sonst?«

»Die bringt ihm sogar nach ihrem Tod nur Unglück.«

»Du sagst es. Aber das ist mir jetzt scheißegal. Es geht um Manuel.« Thomas überschüttete seinen Vater fast mit seiner Angst. »Sie bringen ihn nach Wiesbaden ins Präsidium, da wird er vernommen, und wenn sie Untersuchungshaft anordnen, kommt er wahrscheinlich nach Weiterstadt ins UG. Im Knast geht er kaputt, er steht das nicht durch, sie machen ihn fertig, sie bearbeiten ihn so lange, bis er Verbrechen gesteht, die er nie begangen hat.«

»Hier wird nicht gefoltert.«

»Eingesperrt sein ist für ihn wie Folter.«

»Wo liegt Weiterstadt?«, fragte sein Vater.

»Kurz vor Darmstadt.«

»Dann ist das der Knast, in dem die Rote Armee Fraktion 1993 fünf Bomben hat hochgehen lassen. Das ist nicht so weit, da kannst du ihn besuchen.«

»Die hätten alle Knäste sprengen sollen ...«

»Es würde dir kaum gefallen, alle Verbrecher frei rumlaufen zu lassen, denk mal an ...«

»Das interessiert mich nicht. Ich will wissen, was ich tun soll.«

»Hoffentlich hält Manuel der Polizei gegenüber den Mund, bis sein Anwalt kommt. Hat er einen?«

Thomas gab weiter, was Manuel ihm aufgetragen hatte.

»Das ist in diesem Fall unwesentlich. Wende dich auf jeden Fall an den Vater, damit der Junge einen Anwalt bekommt. Und dann rufst du die Staatsanwaltschaft in Köln an.«

»Du meinst Dr. Anlahr?«

»Hast du einen besseren Vorschlag? Er hat uns in der Champagne sehr geholfen und uns in Köln vor groben Fehlern bewahrt. Ich weiß nicht, wo wir ohne ihn gelandet wären.« Philipp Achenbach zögerte. »Vielleicht ist es besser, ich rufe ihn an ...«

Thomas lachte. »Wir wären in einem französischen Gefängnis gelandet. Glaubst du, dass die Bullen Nachforschungen anstellen?«

»Ganz bestimmt, wenn du ihnen auf die Füße trittst. Und wie ich dich kenne, hast du das vor. Übernimm dich nicht, sei vorsichtig, wir sind in Deutschland, pass auf und hüte deine Zunge.«

»Der wollte mich schon verhaften.«

»Der Kommissar? Der von der Mordkommission? Das wundert mich nicht. Wenn du Manuel wirklich helfen willst, dann bleib cool, so cool wie du noch nie in deinem Leben gewesen bist. Ihr mögt dieses Wort, also halte dich daran. Cool sein ist alles! Und mach dir klar, dass sich das Studium nicht von allein erledigt. Denk daran, dass wir hier etwas aufbauen, was deinen ganzen Einsatz erfordert. Auch ich brauche dich, mein Junge, gerade jetzt.«

»Und Manuel – wen hat der außer mir? Wer kümmert sich um seine Angelegenheiten?« Thomas wusste, was er zu tun hatte: Es war einfach, er würde sich dreiteilen. Weingut, Studium und Manuel, nur in welcher Reihenfolge?

Er musste den wahren Täter finden. Dabei würde ihm Pascal Bellier helfen können, der französische Kriminalbeamte, mit dem er damals in der Champagne Freundschaft geschlossen hatte. Zu ihm hatte er weit mehr Vertrauen als zu Dr. Anlahr. Aber der war im deutschen Rechtssystem besser bewandert. Vielleicht hatte sein Vater doch recht?

»Bist du noch da? Wir werden sehen, mein Junge, wir werden sehen, was wir tun können ... dann ruf jetzt Manuels Vater an!«

»Bitte verbinden Sie mich mit Herrn Stern«, sagte Thomas zu der Dame und versuchte, seiner Stimme einen seriösen Klang zu geben. »Es ist ungemein dringend.« Er stellte sich vor.

»In welcher Angelegenheit bitte?«

»Es ist rein privat.« Wozu sollte er dieser fremden Frau auf die Nase binden, dass der Sohn ihres Chefs unter Mordverdacht verhaftet worden war? »Es ist absolut vertraulich und rein persönlich«, fügte er hinzu.

»Herr Stern möchte nicht gestört werden, er ist in einer Besprechung. In welcher Beziehung stehen Sie zu ihm?«

»Ich bin der Freund seines Sohns, ein Studienkollege, wir wohnen zusammen.« Vielleicht kam das bei dem Vorzimmerbesen besser an. »Sein Sohn – äh – hat mich beauftragt, mit seinem Vater Kontakt aufzunehmen, sofort.«

»Wieso wendet der sich nicht selbst an ihn? Wenn es sein Sohn ist, verfügt er sicher über eine Durchwahl.«

Es war offensichtlich, dass ihn die Sekretärin nicht ernst nahm, oder sie hatte Order, jeden Unbekannten abzuwimmeln. Thomas wusste gar nicht, in welcher Funktion Herr Stern tätig war, Manuel hatte nie darüber gesprochen, jedenfalls schien er ziemlich weit oben zu sein. Im Vorstand? Das fängt total bescheuert an, dachte Thomas und versuchte es wieder.

»Manuel hat mir diese Nummer gegeben und mir aufgetragen, anzurufen. Oder geben Sie mir die E-Mail-Adresse seines Vaters, dann wird er sein blaues Wunder erleben, wenn er den Grund erfährt. Und Sie auch.«

Das war ein Fehler. Bleib cool …

»Sie vergreifen sich im Ton, junger Mann …«

»Sein Sohn Manuel ist verhaftet worden. Kapiert? Manuel ist mein bester Freund – und da soll ich ruhig bleiben? So – jetzt geben Sie mir endlich seinen Vater!«

»Sind Sie von der Polizei?«

»Es ist wohl besser, ich rufe bei Herrn Stern an, als dass es die Polizei tut.«

»Oh – einen Moment bitte, ich frage nach, ob er mit Ihnen sprechen will.«

Wie war der Vater, wenn seine Sekretärin sich bereits wie ein Kettenhund aufführte?

Nach zwanzig Sekunden meldete sich eine unfreundliche Stimme mit »Stern!?«.

Sie signalisierte dem Anrufer, dass er keinesfalls willkommen war, bei einer wichtigen Arbeit störte und sich verdammt noch mal kurz fassen sollte. Kalt und hart war die Stimme, distanziert und darauf angelegt, andere einzuschüchtern oder abzuschrecken.

Thomas atmete tief durch. Bleib cool, Mann, sagte er sich, bleib cool ... Er musste die ganze Wahrheit in einen einzigen Satz legen, damit dieser Herr ihn nicht unterbrechen konnte.

»Ihr Sohn hat mich gebeten, Sie darüber zu verständigen, dass er soeben wegen Mordes an seiner Freundin verhaftet wurde. Aber er ist unschuldig.« Puh, das war geschafft, Auftrag ausgeführt. »Sie möchten sich bitte um einen Anwalt kümmern.«

»Wer sind Sie?«, kam es ungerührt zurück. »Es könnte jeder anrufen.«

Thomas erklärte es ihm.

»Ach – Sie sind das von – diesem Öko-Weingut in der Pfalz.« Die Betonung von »Öko« zeigte, dass Manuels Vater nichts davon hielt. »Scheint mir bei derartigen Folgen kaum der geeignete Umgang für meinen Sohn zu sein. Was soll das mit der Verhaftung, wo hat Manuel sich hineinmanövriert?«

»Er hat sich nirgends hineinmanövriert«, entgegnete Thomas, wütend darüber, dass Stern, ohne die geringste Kenntnis des Hintergrunds, gleich Manuel die Schuld gab. Es würde alles andere als ein Vergnügen sein, mit dem Mann zu kooperieren, doch was blieb ihm übrig? »Manuel hat sich in die falsche Frau verliebt, und die wurde umgebracht.«

»Wieso wurde er verhaftet, wenn er unschuldig ist?«

»Er hat sie angeblich als Letzter lebend gesehen. Er hat kein Alibi, er war zur Tatzeit ...«

»Wie, wann und wo ist es passiert?«, unterbrach ihn Manuels Vater barsch, »geben Sie mir einen Bericht, mit dem ich was anfangen kann!«

Thomas fühlte sich wie zum Rapport bestellt. Unter diesen Umständen musste er Stern deutlich machen, dass er nicht einer seiner Angestellten bei der CWML war. Für die Angestellten der Chemischen Werke Mannheim-Ludwigshafen mochte Befehl und Gehorsam gelten, aber nicht für ihn. Über die Funktion seines Vaters in dem Laden hatte Manuel nie reden wollen. »Ganz oben ...«, war alles, was er dazu gesagt hatte.

»Sie werden sich das so anhören, wie ich es für richtig halte. Ich kann mir kaum vorstellen, dass Sie aus der Presse erfahren wollen, was Ihrem Sohn zugestoßen ist!« Stern schwieg in der folgenden Pause, also hatte er begriffen. »Das Mordopfer ist eine Kommilitonin aus dem Studiengang Internationale Weinwirtschaft, sie kannten sich seit ...«

Während Thomas, jetzt wieder verbindlich, das weitergab, was er für wichtig hielt, achtete er peinlich darauf, von seinen Spannungen mit Alexandra nichts durchschimmern zu lassen. Stern könnte ihn da womöglich mit hineinziehen, um den Sohn zu entlasten.

»Und was soll ich tun? Was erwartet mein Sohn von mir? Soll ich meine Beziehungen, auf die er sonst einen Dreck gibt, für ihn spielen lassen und ihn da rausholen?«

Was ist das für ein Mensch da am anderen Ende der Leitung?, fragte sich Thomas. Nicht ein Wort des Bedauerns, nicht einmal der Ausdruck von Bestürzung kommt über seine Lippen, einen Apparatschik würde Philipp ihn nennen, Thomas dachte daran, aufzulegen. Wozu soll ich den Alten bitten, einen Rechtsanwalt zu bezahlen, wo hier viertausend Euro rumliegen? Aber Thomas zweifelte, dass der Betrag ausreichte. Er kannte die Preise der Verteidiger nicht.

»Manuel hat mir lediglich aufgetragen, Sie zu bitten, einen Rechtsanwalt zu besorgen. Wenn Sie nicht wollen, dann werde ich mich selbstverständlich darum kümmern.«

»Ist Anklage erhoben?«

»Das weiß ich nicht. Er wurde erst vor Kurzem abgeholt.«

»Von wem? Welche Dienststelle? Welches Kommissariat? Welcher Beamte?«

Ein Wort wie »bitte« existierte anscheinend in der Welt des Herrn Stern nicht. In welchen Sphären lebte der Mann? Kannte er nur Sitzungssäle und die First Class Lounge auf dem Frankfurter Flughafen? Umgeben von Lakaien, belauert von Leuten, die auf seinen Posten geil waren? Reiß dich zusammen, sagte er sich, bleib cool, du sprichst mit dem Vater, um dem Sohn zu helfen.

»Man bringt ihn nach Wiesbaden ins Präsidium, da führt man ihn dem Haftrichter vor, der entscheidet dann ...«

»Wie heißt der?«

»Der Hauptkommissar heißt Sechser, der ermittelt ...«

»Wie heißt der Staatsanwalt?«

»Das weiß ich nicht, noch nicht ...«

Stern schnitt ihm das Wort ab. »Um alles Weitere kümmere ich mich. Betrachten Sie Ihre Bemühungen um meinen Sohn damit als beendet. Wenn Sie Auslagen hatten, wenden Sie sich an mein Büro.« Ohne ein weiteres Wort wurde die Verbindung unterbrochen.

Thomas kam sich vor wie ein Idiot. Er rief noch einmal bei der Zentrale von CWML an und erfuhr, dass der Vorstandsvorsitzende des Konzerns ein gewisser Stern sei. Auf der Spitze eines Berges wird es verdammt kalt und einsam sein, dachte Thomas.

Regine kam spät nach Hause. Sie war entsetzt, als Thomas ihr von den jüngsten Ereignissen berichtete. Er erzählte ihr alles haarklein. Nur das mit dem Schlüsselbund verschwieg er. Weshalb? Der Grund dafür war ihm nicht klar, aber er hielt es für besser. Dann zeigte er ihr das Geld, ohne von seinem Verdacht, für den er sich fast schämte, zu sprechen. Wozu Regine auf dumme Gedanken bringen?

Ohne jeden Übergang heulte Regine los. Thomas war fassungslos, denn er hatte nie zuvor bei ihr eine Träne gesehen. Damit konnte er überhaupt nicht umgehen, und mit hängenden Armen stand er vor ihr. Für alles hatte sie eine Lösung, jedes Problem musste nur analysiert und dann angepackt werden. »Man muss das praktisch sehen«, war ihr Standardsatz, gefolgt von einem Achselzucken. Die harte Schale hatte sie sich zugelegt, um mit ihrem Vater umgehen zu können und sich von der Mutter, einer notorischen Ja-Sagerin abzusetzen. So erklärte Thomas sich ihre Art. Und jetzt plötzlich Tränen?

»Ich stelle mir nur vor, wie er da heute Abend in der Zelle sitzt, eine Pritsche, hoffentlich eine Decke, mehr geben sie ihm nicht. Und allein«, brachte sie schluchzend hervor. »Was kriegen die da eigentlich zu essen?«

»Keine Ahnung«, sagte Thomas, und als er ihr tröstend mit der Hand über das zu einem Pferdeschwanz gebundene Haar streichen wollte, schüttelte sie ihn heftig ab. Das war dann doch der Sentimentalität zu viel. Sie ging ins Bad, wusch sich das Gesicht, zog nicht einmal den Lidstrich nach, alles andere war ihr sowieso verhasst – das Schminken, die Maskerade, wie sie es nannte. Als sie zurückkam, war ihr anzusehen, dass ihr der sentimentale Ausrutscher peinlich war. Thomas wartete auf eine Erklärung. Hatte ihre Verwirrung mit dem neuen Lover zu tun?

Sie setzte sich an den kleinen Tisch in der Küche, stand auf, ging zum Kühlschrank, nahm Butter heraus und setzte sich, dann stand sie wieder auf und nahm den Rest vom Sonnenblumenkernbrot aus dem Brotkasten, und als sie sich wieder auf den Stuhl setzte, merkte sie, dass sie weder ein Messer aus der Besteckschublade noch den Käse aus dem Kühlschrank genommen hatte und auch keinen Teller. Sie lachte selbst über ihr konfuses Benehmen, noch immer mit Tränen in den Augen.

»Du bist doch nicht nur Manuels wegen so durcheinander«, bemerkte Thomas.

Regine reagierte spitz. »Studierst du Önologie oder Psy-

chologie? Aber heute sind wir irgendwie alle im falschen Film.«
Sie setzte sich wieder, stand auf, steckte zwei Scheiben Brot in
den Toaster und sah zu, wie die dünnen Drähte zu glühen begannen. »Er findet es nicht gut, dass ich mit zwei Männern
zusammenwohne, ›mit zwei Jungs‹. Kaum lernt man jemanden kennen und lässt sich auf ihn ein, fängt er an, einen ändern zu wollen. Ist das immer so? Wieso mischt er sich ein?«

Sie konnte nur Thorsten meinen. »Ist er eifersüchtig?«

»Woher soll ich das wissen? Er ist kein alter Knacker. Aber
mit achtundzwanzig wohnt er noch bei seinen Eltern, und
Mama macht die Wäsche. Wieso nicht, sagt er, wenn man
sich mit seinen Eltern gut versteht? Er tut alles, was sein
Papa sagt, und findet alles toll. In einer Wohngemeinschaft
gäbe man seine Individualität auf, meint er, seine Privatheit,
und vielleicht klaut einer – einer von euch. So ein Idiot!« Sie
ballte die Fäuste

»Bring ihn doch mal mit.«

»*Dead or alive?*«

Es dauerte vier Sekunden, bis Thomas verstand. »Dann
besser nicht, besonders wo einer von deinen Jungs als Mörder verdächtigt wird. Hast du davon erzählt?«

»Quatsch. Thorsten würde in Ohnmacht fallen. Ich bin
sowieso gespannt, was morgen an der FH abgeht, wie sie
reagieren, wenn sie davon hören.«

»Sollen wir besser das Radio einschalten, ob sie schon was
bringen? Da werden einige sich zu profilieren verstehen.«

»Du hast bestimmt jemanden im Visier, Thomas.«

»Klar, die Rosa Handtaschen, Alexandras dämliche
Freundinnen. Sie werden alles brühwarm zum Besten geben.
Die lassen sich die Gelegenheit nicht entgehen. Jetzt kom-
men sie groß raus, wie neulich schon.«

»›Die besten Freundinnen des Opfers‹«, habe ich am
Wochenende im Rheingau Echo gelesen«, sagte Regine.
»Dabei haben sie Alexandra nicht mal das Schwarze unter
den Nägeln gegönnt.«

»Da war nichts schwarz«, knurrte Thomas, »von denen hat nie eine im Leben einen Weinstock angefasst.«

»Stimmt. Die haben Alexandra nur beneidet, am schärfsten waren sie auf Manuels Auto.«

Der Toast war fertig, Regine aß, Thomas lehnte am Herd, sah ihr zu und wippte nervös mit den Beinen. In der Küche herrschte Dämmerlicht, es traf ihre Stimmung. Etwas war kaputt, das Gefüge stimmte nicht mehr, sie waren beide aus dem Gleichgewicht. Thomas hatte sich vollständig auf Manuel eingelassen, als wäre er der Bruder, den er sich immer gewünscht und von dem er eine Art Idealbild entworfen hatte. Er hatte sich auf Regine und das Zusammenleben eingestellt, und jetzt waren sie nur noch zu zweit, ihre Dreiheit war zerstört, sie mussten ein neues Gleichgewicht finden.

»Diese Chemischen Werke, von denen du gesprochen hast«, sagte Regine plötzlich in die Dämmerung hinein, »die CWML, was produzieren die? Pflanzenschutzmittel?«

»Agrogifte – würde ich das nennen, chemische Keulen, Unkrautkiller, Glufosinate, aber was ist Unkraut? Wir begrünen, damit wieder Leben in unsere neuen Weinberge kommt. Nichts von dem, was sie herstellen, steht auf der Liste, die wir als Bio-Winzer verwenden dürfen.«

»Ist Manuels Vater Chemiker?«

»Keine Ahnung. Hat er uns das nie gesagt? Ich glaube, er ist Finanzfachmann, der produziert Geld, egal womit.«

Regine starrte vor sich hin, sprunghaft wechselte sie von einem zum anderen Gedanken, Thomas hatte noch immer nicht begriffen, wie sie dachte.

»Was haben sie eigentlich für Beweise gegen Manuel?«

»Von Beweisen hat der Kommissar nicht gesprochen. Sie haben sein Zimmer auf den Kopf gestellt, alle Aktenordner durchgeblättert, alle Bücher aus dem Regal geräumt und dahinter nachgeschaut, als wenn Manuel den Oscar da versteckt hätte.«

»Den Oscar?«

»Ja, sie hatte so eine Figur in ihrem Apartment, eine Replik. Er hat das der Polizei gesagt, als sie ihn gefragt haben, ob etwas fehlt. Übrigens habe ich erfahren, dass er zum Apartment was zugezahlt hat, damit sie es sich leisten kann, kostet beinahe dreimal so viel wie unsere Zimmer hier. Na ja, sie war auch was Besseres.«

»Wozu den Oscar? Was wollte sie damit?«

»Ihn gewinnen, sie war immerhin ein Star, wusstest du das nicht?« Regine war ihr aus dem Weg gegangen und wusste vieles nicht.

»Weißt du, was genau sie mitgenommen haben?«

Thomas blickte auf die weiße Kühlschranktür. »Dokumente von seinem Schreibtisch, irgendwelche Forschungsunterlagen, die Manuel nicht kannte. Dann dieser Riesling. Frag mich nicht, weshalb.«

»Glaubst du nicht, dass irgendwas an der Sache dran ist, wenn sie Manuel mitgenommen haben? Grundlos verhaften sie wohl kaum jemanden ...«

Thomas schnappte nach Luft, dann zog er den Kopf zwischen die Schultern, als wolle er auf Regine losgehen. Sie erschrak und machte sich klein.

»Sag das nie wieder, Regine, bitte«, sagte Thomas. »Verstehst du? Nie wieder ...«

»Ist ja gut, reg dich nicht immer gleich auf. Man wird ja noch denken dürfen. Sei nicht so empfindlich. Wie geht es jetzt mit seinem Studium weiter?« Regine war bemüht, schleunigst von dem brisanten Thema wegzukommen.

»Keine Ahnung. In dem Zusammenhang fällt mir ein, dass Manuel und ich mit einem hiesigen Winzer verabredet sind.«

»Mit wem?«

»Es ist fast ein Nachbar von euch in Hochheim, ein Künstler ...«

»Du wirst es kaum glauben, da war ich noch nie, aber ich komme gerne mit ...«

6

Die Nachricht von Manuel Sterns Verhaftung hatte an der Hochschule längst die Runde gemacht. Hatte man zuerst besorgt über den Mord gesprochen, so war jetzt ein gewisses Aufatmen über die Festnahme des Täters zu spüren und gleichzeitig Entsetzen, dass er aus den eigenen Reihen stammte. Es war das bestimmende Thema am Kaffeeautomaten vor der Mensa wie in den Vorlesungspausen und in den Büros der Dozenten sowie in den Labors.

Fassungslosigkeit herrschte darüber, dass Manuel Stern der Täter sein sollte. Das hatte niemand erwartet, obwohl ihn kaum jemand näher kannte, dazu war er zu unauffällig und zu still. Die Begegnungen waren flüchtig gewesen, und die Studierenden desselben Jahrgangs hatten wenig über den zurückhaltenden Kommilitonen zu berichten. Lediglich sein Wagen war ihnen aufgefallen, und die bescheidene Gegenwart an der Seite seiner auffälligen Freundin Alexandra. Den Professoren und Dozenten war Manuel Stern, wie Johanna erfuhr, durch Leistungen im Gedächtnis, die weit über dem Durchschnitt lagen. Bereitwillig hatte er anspruchsvolle Aufgaben übernommen, was im Widerspruch zu seiner Zurückhaltung bei Debatten stand. Jedoch zeigten seine Fragen großes Interesse an allem, was im Entferntesten mit Weinbau in Zusammenhang gebracht werden konnte.

So wie Johanna ihn am Wochenende erlebt hatte, war es für sie ausgeschlossen, dass er sich zu einer Gewalttat hatte hinreißen lassen. Er war für sie als Täter undenkbar – und doch war ihr nicht wohl bei dem Gedanken, eine Nacht mit ihm unter demselben Dach verbracht zu haben. Gleichzeitig war sie schockiert, dass überall ohne Widerspruch akzeptiert wurde, er sei der Mörder seiner Freundin – als wäre es bewiesen. Galt nicht jeder, solange er nicht verurteilt war, als unschuldig? Es war erschreckend, wie schnell die Unschuldsvermutung aufgegeben worden war.

»Da wird sicher was dran sein, unsere Kriminalpolizei weiß, was sie tut. Das ist ja kein Spaß.« Die Gewissheit, mit der die Sekretärin, die sie über alle Neuigkeiten auf dem Laufenden hielt, das sagte, stimmte Johanna nachdenklich.

»Fünfundneunzig Prozent aller Morde werden bei uns in Deutschland aufgeklärt«, fügte sie stolz hinzu.

»Kennen Sie Herrn Stern eigentlich?« Johanna stellte die Frage, um ihr vorsichtig vor Augen zu führen, dass sie möglicherweise Vorurteilen aufsaß.

Die Antwort reduzierte sich auf ein »Nein, aber ...«, gefolgt von dem mit Abscheu vorgetragenen Bericht, dass vor einigen Jahren in Geisenheim ein junger Arbeitsloser den Lebensgefährten seiner Großmutter erschlagen hatte, als er ihn in seiner Wohnung beim Diebstahl überraschte, »für nichts und wieder nichts«, so die Sekretärin. »So sind sie heute.«

Was das *so* bedeutete und wer *sie* waren, führte die Sekretärin nicht weiter aus.

Das alles brachte Johanna sehr drastisch die Ereignisse vom Neusiedler See zurück, in die sie und Carl vor einigen Jahren hineingeraten waren. Die Gespenster der Vergangenheit hatten sich nicht weit entfernt. Auch damals war eine junge Frau ermordet worden.

Weshalb musste sie auf Thomas Achenbach und Manuel Stern treffen? Weshalb lernte sie die beiden gerade in dieser heiklen Situation kennen? Bekam man im Leben immer wieder das vor die Nase gesetzt, was man noch nicht bewältigt hatte? An dieser Stelle unterbrach sie ihre Gedanken. Sie spürte das Herannahen eines Gewitters.

Seit sie das Weingut der Achenbachs verlassen hatte, war sie unruhig. Sie fühlte sich beklommen und gefordert – nur wozu? Und von wem? Damals, in Österreich, hatte sie von Anfang an auf der falschen Seite gestanden. Das durfte ihr kein zweites Mal passieren. Gleichzeitig war sie froh, am Nachmittag wieder auf ihre Rheinseite zurückzukehren, auch wenn die Rheingauer sie für die schlechtere von beiden hielten. In Bingen war der Mord an Alexandra Lehmann kein Thema.

Sie schaute auf ihre kleine goldene Uhr. Es war noch nicht an der Zeit, hinüber in den Hörsaal zu gehen. Sie legte ihre Notizen vom Besuch auf dem Weingut der Achenbachs neben das Laptop und begann mit der Ausarbeitung ihres Konzepts für ein nachhaltiges Energiemanagement. Das Erste, was sie strich, war der Begriff »nachhaltig«. Man sollte ihn zum Unwort des Jahres erklären. Jeder nutzte die Worthülse in der Politik, in der Wirtschaft und im Umweltbereich und sogar bei den Banken. Der Begriff war Johanna zuerst in der Waldwirtschaft begegnet, wo es darum ging, nur reife Stämme zu fällen, die nachwachsen konnten, um den Wald als Ganzes zu erhalten und Erosion zu verhindern.

Ich werde mein Konzept ganz einfach einen »Vorschlag zur Energieeinsparung auf Weingütern« nennen, sagte sie sich. Das ist klar und einfach, und mit solchen Menschen, denen das etwas bedeutet, will ich zusammenarbeiten. Der Rest soll sich zum Teufel scheren, und das möglichst nachhaltig. So ist es immer. Johanna starrte vor sich hin. Wieso muss ich mich immer erst schwarz ärgern, bevor ich auf eine Idee komme?

Sie dachte an den Abend, an dem Manuel Stern für sie Klavier gespielt hatte. Es war schön gewesen, harmonisch und friedlich, das Kaminzimmer hatte eine gute Akustik, vielleicht weil der helle Raum so hoch und leer war und sich dort nur Menschen aufgehalten hatten, zwischen denen

Klarheit herrschte. Nein. Manuel war kein Mörder, niemals. Aber was wusste sie von ihm, von Alexandra und von dem Verhältnis der beiden? Hatte möglicherweise der Mord erst für Klarheit zwischen ihnen gesorgt? O je, so ein Gedanke durfte nicht einmal im Dunkeln in den eigenen vier Wänden gedacht werden. War er vielleicht doch ...?

Ich werde mich nicht einmischen, ich habe damit nichts zu tun, es geht mich nichts an, sagte sie sich, klappte missmutig den Deckel ihres Laptops herunter, räumte den Schreibtisch auf und verließ das stille alte Gebäude. Um in die Hochschule zu kommen, musste sie ein Stück neben dem Bahndamm herlaufen, dann kam die Unterführung mit dem Geisenheimgraffiti – einem Glatzkopf, den der übersteigerte Weingenuss zu einem glupschäugigen Trinker gemacht hatte. Nur was sollte der Rheingau-Dom hinter ihm? Sangen dort bereits die Engel, oder würde man den Glatzkopf dort eines Tages aufbahren?

Jedes Mal, wenn Johanna durch die Unterführung ging, spürte sie ein unwillkürliches Lächeln. Doch heute erschrak sie fürchterlich, als ein Zug über sie hinwegdonnerte, und sie beeilte sich, die Stufen wieder hinaufzukommen. Erleichtert erreichte sie linker Hand den Park und blieb stehen. Wenn sie hier oder auch im Park um die Villa Monrepos die Zeit zwischen den Vorlesungen vertrödelte, überkam auch sie Ruhe. Der Gründer der Forschungsanstalt, Eduard von Lade, hatte 1861 seinem Ruhesitz diesen Namen gegeben. Zehn Jahre darauf wurde auf sein Bemühen hin die Königlich Preußische Lehranstalt für Obst- und Weinbau gegründet, der Vorläufer der FH.

Lag es an den Rosen, den blühenden Büschen oder dem Mammutbaum, dass Johanna die Schultern sinken ließ? Nach dem Mittagessen würde sie hinübergehen und sich in eine überwucherte Ecke zurückziehen, wo sie Ruhe fand. Aber auch der Campus war weder laut noch hektisch, die annähernd tausend Studenten traten sich nicht auf die

Füße. Und noch eine andere Beobachtung hatte sie gemacht, und nicht nur hier. Der Umgang mit dem Wein veränderte die Menschen. Je näher am Boden, je näher am Regen, an der Sonne, dem Wind, desto ausgeglichener schienen sie ihr, eingebunden in den Zyklus des Jahres. Je weiter weg vom Boden und je näher an Macht und Geld, desto schneller drehte sich das Hamsterrad, die Umschlagsgeschwindigkeit der Weine in der Lagerhalle. Darüber hatte sie auch mit Thomas' Vater gesprochen. Ein Jahr bedeutete weit mehr als eine Jahresbilanz. Die Jahreszeiten hatten einen Sinn. Wer mit dem Wein arbeitete, konnte etwas schaffen, weit mehr als nur Geld. Den Reibach machten die Händler und weniger die Produzenten.

Sie schreckte aus ihren Gedanken auf, sie trödelte, dabei musste sie sich beeilen, um rechtzeitig zu ihrer Vorlesung zu kommen. Heute standen Ökologie und Umweltschutz auf dem Plan.

Anders als sonst herrschte Stille im Hörsaal Nummer zwanzig. Das würde ihre Kräfte schonen. Während der Begrüßung suchte sie nach Thomas Achenbach, aber sie sah nur eine amorphe Masse junger Leute vor sich. Die junge Studentin, mit der er zusammenwohnte und von der sie den Nachnamen vergessen hatte, war auch nicht zu entdecken. Johanna musste sich auf ihren Vortrag konzentrieren und den Faden aufnehmen.

Kaum hatte sie begonnen, bemerkte sie eine allgemeine Bewegung unter den Anwesenden. Die bisher ihr zugewandten Blicke wanderten nach rechts der Tür zu, und so war auch sie gezwungen, den Blick zu wenden. Wer dort die Aufmerksamkeit auf sich zog, war Thomas Achenbach. Für einen Moment wogte ein Gemurmel auf, was dann sofort in sich zusammenfiel wie ein verbranntes Blatt Papier.

Ungerührt von den achtzig oder mehr teils scheuen, teils fragenden Blicken steuerte der junge Mann nach einem kurzen Nicken auf einen Platz in der Mitte der ansteigenden Reihen zu, wo Johanna erst jetzt seine Mitbewohnerin entdeckte. Sein Gang wirkte hölzern, seine Körperhaltung angespannt, sein Gesicht versteinert. Er trotzte der Welle von Emotionen, die ihm aus dem Hörsaal entgegenkamen und über ihm zusammenschlugen. Es gefiel Johanna, dass er trotzdem den Kopf oben behielt. Wenn auch der Vater so gestrickt ist, dachte Johanna, dann hat es keine Frau mit ihnen leicht. Aber das war das Problem dieser Galeristin und nicht ihres.

Die Vorlesung nahm kein Ende, und nach anderthalb Stunden fühlte Johanna sich völlig ausgelaugt, die letzte halbe Stunde war anstrengender gewesen als jede andere Vorlesung zuvor. Sie war extrem konzentriert geblieben, sie hatte es geschafft, die Aufmerksamkeit mit ihrer bewährten Methode auf ihren Stoff zu ziehen und dort zu halten. Erschöpft sank sie auf den Stuhl neben der Tafel und sah den Studenten zu, die tuschelnd ihre Papiere zusammenräumten und sich merklich von Manuel Sterns Mitbewohnern fernhielten. Wie mochte es dem jungen Mann im Gefängnis ergehen?

Leise grüßend verließen die Studenten den Raum, Johanna beließ es bei einem freundlichen Kopfnicken und wartete auf Thomas. Sie war gespannt, wie sich das Drama aus dem Mund der Beteiligten anhörte.

»Manuel ist unschuldig«, sagte Thomas. Seine Empörung über die Verhaftung war mit Händen zu greifen. »Man muss was tun.«

»Woher wissen Sie, dass er unschuldig ist? Sie waren zur fraglichen Zeit weit weg.«

»Ich weiß es eben.« War Thomas Achenbachs Haltung nun Überzeugung oder Trotz? »Manuel greift nicht zu Gewalt. Der frisst alles in sich rein.«

»Solche Menschen rasten bei Überforderung schon mal aus ...«

Thomas ließ sich nicht beeindrucken. »Er hat bei uns Pheromon-Fallen eingeführt. Es ist eine Verwirrmethode, die die Fortpflanzung der Schädlinge stört, statt sie umzubringen.«

Johanna bekannte, dass sie nicht wusste, wovon die Rede war.

»Ampullen mit Sexuallockstoff werden in den Rebzeilen aufgehängt, um die männlichen Traubenwickler zu verwirren, sie finden die Weibchen nicht mehr.«

Dieser Gedanke amüsierte Johanna. Vielleicht hatte der Hagestolz auch daran geschnuppert.

»Sie glauben tatsächlich«, fuhr sie ernst fort, »dass man davon auf einen Menschen schließen kann?«

»Alles im Leben ist eine Frage der Haltung.« So wie Thomas es sagte, klang es für sie zumindest glaubwürdig.

»Und Sie meinen, das würde einen Untersuchungsrichter überzeugen oder gar die Mordkommission?«

»Die hat ihre Arbeit beendet. Sie hat einen Täter, ich nenne es ein Opfer. Wozu dann weiter ermitteln? Das kostet Geld, und wie Sie wissen, ist der Mensch von Natur aus träge. Lesen Sie mal die Bild-Zeitung von heute, für die ist längst alles klar«, er schaute seine Nachbarin an, die gefasst und Zustimmung signalisierend neben ihm stand.

»Das spielt alles keine Rolle, lieber Herr Achenbach«, sagte Johanna ernst. »Ihren Glauben in Ehren …«

»Sie haben Manuel erlebt, ein ganzes Wochenende. Sie müssten gemerkt haben, dass er keiner Fliege …«

»… nichts muss ich«, entgegnete Johanna strenger als beabsichtigt, obwohl sie der gleichen Meinung war. Sie durfte es jedoch nicht zeigen, wenn sie Thomas' Wut in Tatkraft verwandeln wollte. »Sie blicken in niemandes Herz oder Hirn. Und wenn er schuldig wäre, würden Sie ihn …?«

»Zum Glück muss ich mir diese Frage nicht stellen.«

Seine Überzeugtheit ließ Johanna lächeln. Mit einer derartigen Gewissheit war sie als junge Frau auch auf ihr Leben und die Welt losgegangen. Was war davon geblieben?

»Ich wüsste, wie Sie Ihren Freund möglichst schnell aus dem Gefängnis holen können«, sagte sie und freute sich, dass von der erloschen geglaubten Flamme noch ein wenig Glut übrig war.

Verblüffung, Skepsis und Neugier spiegelte sich in den Gesichtern vor ihr.

»Finden Sie den wahren Mörder, Thomas. Das ist die Lösung!«

Es trat eine Pause ein, und Johanna konnte sehen, wie es in den Gehirnen der beiden arbeitete, wie sie sich fragten, ob Johanna ihren Vorschlag als Binsenweisheit gemeint hatte oder ob mehr dahintersteckte. Wurden sie auf den Arm genommen, oder trat soeben die große Erleuchtung ein?

Regine fasste sich zuerst. »Helfen Sie uns dabei?«

»Ja, das ist eine gute Frage. Sie könnten sich unter den Dozenten umhören«, fügte Thomas hinzu.

Johanna fühlte sich geradezu belauert. Bei Leuten, die ähnlich dachten wie sie, verlor sie zu schnell die Distanz, das war ihr Problem mit den Studenten.

»Es scheint mir, als hätte ich Sie überzeugt?« Johanna sah auf die Uhr. »Wir besprechen das beim Mittagessen, in der Mensa, eine stille Ecke werden wir sicher finden.«

»Geht leider nicht«, meinte Thomas. »Wir müssen nach Wiesbaden zum Haftrichter.« Er schaute in seinen Terminkalender. »In einer Stunde müssen wir da sein.«

Der Junge ist gut organisiert, bemerkte Johanna. Es war auch besser, in der Mensa nicht zusammen gesehen zu werden. Sie sollte es in Zukunft sowieso vermeiden, mit ihm in Verbindung gebracht zu werden. Es wäre nicht gut für ihr Ansehen innerhalb der Dozentenschaft, und ihre Parteilichkeit konnte ihr schaden, besonders dann, wenn sie auf Regines Vorschlag einging.

»Setzen Sie sich zu uns.« Der Dozent für Chemie stand auf, deutete eine Verbeugung an und wies auf einen freien Stuhl am Tisch, als Johanna mit dem Tablett von der Essensausgabe kam. Der Kollege war ihr vorgestellt worden, sie hatte mit ihm in einer Konferenz gesessen, doch jetzt fiel ihr der Name wieder nicht ein.

Sie trat an den Tisch, beugte sich vor, um das Tablett mit dem Broccoli-Auflauf und dem Salat abzustellen, in dem Moment glitt der Riemen von der Tasche des Laptops von der Schulter. Professor Dr. Marquardt, Fachmann für Pflanzenschutz, griff so schnell zu, dass Johanna erschrak, aber er hatte ihr Laptop gerettet.

»Ich nehme an, dass jemand wie Sie regelmäßig die Daten sichert«, sagte der Chemiker, während der Professor mit Blick auf ihr Tablett fragte: »Sie sind Vegetarierin? Diät kann es nicht sein, so sportlich, wie Sie sind.« Sein bewundernder Blick glitt über ihre Figur.

»An manchen Tagen ist mir Fleisch zuwider und zu schwer, besonders, wenn ich nachmittags weitere Veranstaltungen bestreiten muss.«

»Also auch ganz privates Energiemanagement? Dann sind Sie sicher für den Einsatz erneuerbarer Energien und gegen Kernkraftwerke?«

»Selbstverständlich, lieber Herr Kollege: Nur Energietechnik haben Sie vergessen«, sagte Johanna mit ihrem charmantesten Lächeln, das sie für Männer reserviert hatte, die meinten, sie belehren zu müssen. Er hatte Kern- statt Atomenergie gesagt, also war er dafür. »Daher bin ich der festen Überzeugung, dass die schrottreifen Meiler aus dem Verkehr gezogen werden müssen, und wer bei allem, was wir über die Gefahren wissen, dem widerspricht, kann eigentlich nur dumm oder von der Energiewirtschaft bestochen worden sein. Aber die Wissenschaft, so wie wir sie hier betreiben, ist selbstverständlich über jeden Verdacht erhaben, nicht wahr?« Sie hasste es, um den heißen Brei herumzureden. Sie wollte sich in Ruhe dem Auflauf widmen. Leider war er zu heiß, die Küchenfee hatte ihn gerade aus dem Ofen genommen.

Sie sah sich in dem Saal um und überlegte, an einen Tisch draußen auf der Terrasse vor der Mensa zu wechseln, aber jetzt zu gehen wäre als Flucht oder Beleidigung aufgefasst worden. Außerdem schadete ein wenig Geplauder mit den Kollegen nichts. Und Professor Dr. Marquardt war ein ziemlich gut aussehender Mann.

Sein Kollege, Fachmann für Weinchemie, glich hingegen mehr einem Einzeller, aber das war, wie sie sich zu erinnern meinte, der Spitzname einiger Studenten für den Botaniker, bei dem die angehenden Önologen etwas über das Wesen der Reben und ihre Genetik lernten.

Marquardt mochte die Fünfzig knapp überschritten haben, sein Gesicht war markant, Falten spielten um die freundlichen braunen Augen, sein Haar war voll, er trug es länger, und an den Schläfen war es ergraut. Er war gebräunt, gerade so, als brächte er die meiste Zeit im Weinberg zu. Vielleicht war dem auch so, wenn er sich um Pflanzenschutz kümmerte. Er hatte kräftige, gepflegte Hände, die sicher gut zupacken konnten.

»Früher nannten mich die Studenten die chemische Keule«, sagte er und aß sein Rumpsteak mit Genuss. »Sie haben davon gehört? Heute sind Spitznamen aus der Mode gekommen, leider. Wir hatten ja noch nicht das Vergnügen, Frau Doktor.«

»Danke für die Lorbeeren«, sagte Johanna und blickte nicht auf. »Aber mehr als ein Diplom kann ich nicht vorweisen.«

»Wieso *nur*? Wenn Ihre Qualifikation nicht überdurchschnittlich wäre, hätte unser Dekan Sie nie für einen Lehrauftrag herangezogen. Haben Sie sich eingelebt?«

»Das dauert eine Weile«, sagte Johanna, die eigentlich in Ruhe essen wollte, »ich bin nur zweimal wöchentlich hier, da braucht es Zeit, bis sich ein familiäres Gefühl einstellt. Es gefällt mir sehr gut. Die Menschen, die mit Wein zu tun haben, sind freundlich, umgänglich, sie genießen gern, sowohl den Wein wie das Essen.« Damit war Marquardt gemeint, er zeigte wirklich guten Appetit.

»Wie nett Sie das sagen. Aber leider ist dort, wo die Sonne scheint, auch meistens Schatten.«

»Was meinen Sie damit?« Johanna sah die beiden Kollegen mit großen Augen an. Es war besser, die anderen kommen zu lassen, als sich mit Vermutungen vorzuwagen. Die Dumme zu spielen fiel ihr nie schwer. Ein dunkles Kapitel in ihrer Laufbahn war die Arbeit für eine Consultingfirma, für die sie ökologisch fragwürdige Projekte umgeschrieben hatte, damit sie genehmigt wurden. Die Kunst der Verstellung, die sie dort gelernt hatte, war ihr heute von Nutzen.

»Ich meine dieses schreckliche Ereignis um zwei unserer Studenten.« Der Chemiker, dessen Name Johanna noch immer nicht einfiel, machte ein besorgtes Gesicht. Es wirkte aufgesetzt, als wenn der Mord ihn kaltließe. Er wirkte trocken, unscheinbar, durch und durch Naturwissenschaftler mit dem Innenleben eines Rechners. Dieser Eindruck wurde dadurch verstärkt, dass sein Gegenüber ein Beispiel für Lebenskraft bot und zugleich Engagement für die Sache ausstrahlte.

»Es ist traurig, so eine Geschichte, maßlos traurig. Da steht man den jungen Leuten jahrelang gegenüber – und was weiß man von ihnen? So gut wie nichts. Wenn sie wegen einer Klausur jammern, diese oder jene Gründe anführen, weshalb sie die Sache verpatzt haben, dann treten sie für eine Viertelstunde aus der Masse, sie haben eine Stimme, sie haben Gedanken, ein Gesicht, da steht ein junger Mensch mit seinen Hoffnungen, na ja, auch mit seinen Defekten. Dafür sind die jungen Leute, anders als wir, kaum verantwortlich zu machen. Was mag in dem Jungen vorgegangen sein? Welches Drama hat sich zuvor abgespielt? So etwas baut sich auf. Eine so gut aussehende junge Frau wie diese Alexandra Lehmann, die möglicherweise eine grandiose Zukunft vor sich gehabt hatte, allein schon wegen ihres Aussehens«, er verdrehte die Augen.

Wo ist die Grenze, fragte sich Johanna in diesem Moment, wo endet die allgemeine Beileidskundgebung, und wo begann die persönliche Betroffenheit? Dabei empfand sie dieses Wort so abgenutzt wie die schäbige Aktentasche des Chemikers.

»Kannten Sie den Verdächtigen, Herr Professor Marquardt? Hatten Sie näher mit ihm zu tun?«

Der Professor runzelte die Stirn. »Ein wenig besser als mein Kollege kannte ich ihn schon. Es war ein schwieriger junger Mann. Ich glaube, genau weiß ich das natürlich nicht, dass er persönliche Probleme hatte. Er war still, er lebte zurückgezogen, er hat einem Kommilitonen in einem Weingut geholfen, ich glaube, weil er Familienanschluss und Geborgenheit suchte. Problematisches Elternhaus, sehr wohlhabend, er fuhr einen großen Wagen, zu groß für sein Alter, unpassend für Geisenheim und wohl auch für seinen Status im zweiten Studienjahr. Solche Menschen haben es schwer, ihren Standort im Leben zu finden.«

»Hier, schauen Sie, das war das Mordopfer.« Der Chemiker griff zum leeren Stuhl neben sich, wo eine Bild-Zeitung lag. Das Blatt war zerlesen, die entsprechende Seite aufgeschlagen. Darunter lag eine Zeitschrift der sogenannten »Liberalen«.

Johanna erinnerte sich an die Tote, aber nicht mehr daran, wo sie ihr zuerst begegnet war – es war nicht auf dem Campus gewesen. Auf dem Foto saß Alexandra auf dem Beifahrersitz von Manuels Cabrio und lachte in die Kamera. Er hingegen starrte geradeaus, als würde er sich auf die Strecke konzentrieren. Alexandras Haar hing gelockt herunter, demnach war es kein Schnappschuss im Vorbeifahren. Im Hintergrund waren fast entlaubte Rebstöcke zu sehen, also war das Bild im letzten Herbst entstanden, kurz nachdem die beiden zusammengekommen waren. Wo hatte die Zeitung das Foto her? Die Überschrift lautete: Auf der Fahrt ins Blaue – mit dem Mörder?

»So macht man Politik«, meinte Marquardt. »Manuel

Stern ist nicht einmal verurteilt, und schon erklärt ihn die Presse zum Mörder. Wie soll es ein faires Verfahren geben?«

Der Chemiker verbat sich jeden Zweifel am deutschen Rechtssystem. »Wenn Zeitungsberichte die Gerichte beeinflussen würden, könnte kein Prozess mehr durchgeführt oder die Presse müsste zensiert werden. Unsere Richter können damit umgehen.«

Diese Meinung empörte Johanna, sie hatte nach vielen Prozessen über Genehmigungsverfahren und auch bei Strafverfahren gegen Umweltaktivisten eine gänzlich andere Sicht. »Sie glauben, dass die Richter unabhängig sind? Das einzige Gericht, auf das ich noch hoffe, ist der Bundesgerichtshof. Aber was er sich mit dem Urteil zum Ankauf der Steuersünderdateien geleistet hat, ist eindeutig Rechtsbruch zugunsten des Staates. Und wenn die Polizei eine Weisung aus der Politik bekommt, hält sie still.«

»Aber doch nicht in so einem Fall«, sagte Marquardt mit einer beschwichtigenden Geste. Für ihn war damit das Thema beendet.

Stattdessen kam der Chemiker richtig in Fahrt: »Ein Junge, ein junger Mann, lernt ein Mädchen, eine junge Frau, kennen. Er, das wissen wir nun«, ein kurzer Seitenblick auf die Zeitung machte die Quelle seiner Informationen deutlich, »kommt aus einem zerrütteten Elternhaus. Er kennt keine Liebe, kennt keine Zuneigung, wird herumgestoßen, verliebt sich in diese wunderschöne, intelligente junge Frau, seine erste Liebe, wie es heißt.« Wieder half ihm ein Blick in die Zeitung. »Sie verdreht ihm den Kopf, und sie sieht das Geld. Er hält es für Liebe, auch andere bewundern sie, er kann sie nicht an sich binden, die Eifersucht überkommt ihn – und die Katastrophe ist da.«

»Jemand mit so einem psychologischen Profil kommt da natürlich nicht mit«, ergänzte der Professor. »Sie war eine Nummer zu groß für den Jungen, denn das war er, ein Junge, wenn Sie ihn kannten. Das hat er nicht verkraftet.«

Johanna hätte ob der einfachen Lösung laut auflachen können, Marquardt sah es ihr an.

»Die Comédie Humaine ist leider nicht sehr komisch, und wenn es sich so verhält, lieber Kollege, dann sollten wir uns zumindest um das lebende Opfer kümmern.«

Der Kollege säbelte wieder an seinem riesigen Hamburger herum, und aus der Seite quoll der rote Ketchup.

Er erinnerte Johanna an Blut, dickes Blut. Du bist, was du isst, das hatte Carl immer gesagt. Sein Spruch passte. Für ihr Gegenüber schien alles einfach zu sein. Was er nicht verstand, las er ab, und ansonsten schien es nur das Offensichtliche zu geben, das Messbare.

»Wie könnte so eine Hilfe aussehen, Herr Professor Marquardt?«

Marquardt lächelte Johanna an, dankbar, dass man zum Praktischen überging. »Zuerst lassen Sie bitte den Titel weg, er ... er macht mich so ... alt.«

Selbstironisches Eingeständnis von Eitelkeit kann immer auf Zustimmung hoffen, dachte Johanna, und er hat die Lacher auf seiner Seite.

»Ich werde mit dem Dekan besprechen, was wir von Seiten der Hochschule unternehmen können. Wir müssen wissen, was man Herrn Stern genau vorwirft, welche Beweise vorliegen, und um einen guten Anwalt könnte ich mich kümmern.«

»Den wird er dringend brauchen«, sagte der Chemiker mit vollem Mund und betrachtete das Foto in der Bild-Zeitung, er schien es mit der gleichen Inbrunst wie seinen Hamburger zu verschlingen.

»Ich kannte sie nicht, diese Alexandra Lehmann«, sagte Johanna, die sich an den Chemiker heranpirschen wollte, dessen Begeisterung für junge, gut aussehende Studentinnen ihr ein wenig zu weit ging. »Hat sie bei einem von Ihnen Kurse oder Übungen belegt oder Praktika gemacht?«

Der Chemiker überließ dem Professor die Antwort.

»Sie studierte Internationale Weinwirtschaft. Da werden Menschen fürs Marketing, für den Im- und Export herangebildet, für international agierende Unternehmen. Wirtschaftswissen, Statistik und Recht sind wichtiger als Weinbau, aber die Grundlagen des Weinbaus bekommen sie beigebracht.« Marquardt wandte sich an den Chemiker. »Sie hat doch auch Ihre Lehrveranstaltungen besucht?«

»Hatten Sie nicht im Frankreich-Projekt mit ihr zu tun?«

Der Lärm in der Mensa war abgeebbt, viele Studenten saßen inzwischen draußen, das Wetter war wunderbar, und dort durfte geraucht werden. Überall standen und saßen Gruppen zusammen, um ein Laptop versammelt, lachend, laut, aber heute schien Johanna alles weniger lebhaft. Noch drei Tage, dachte sie, dann ist das Thema »Manuel und Alexandra« vom Tisch, genauso Geschichte geworden wie die Waldbrände in Russland und die Toten der Loveparade.

»Und in Ihrer Forschungsgruppe war sie auch«, setzte der Chemiker den Gedanken fort, ein Vorwurf, der sofort von Marquardt gekontert wurde, ein wenig von oben herab.

»Dass Sie sich derart äußern, kann ich nachvollziehen, schließlich hatte Stern bei Ihnen Weinchemie belegt, Sie kennen ihn seit dem ersten Semester, da gelangt man zu einem fundierten Urteil.«

»Durchaus – wenn Sie seine Klausuren sehen – er gehörte zu den Besten. Aber leistungsorientierte Menschen sind oft psychisch labil.« Der Chemiker hatte offenbar keine Lust auf weiteres Geplänkel, bei dem die Grenze zwischen Ernst und Spaß verschwamm.

»Die Zeit für den Espresso kann ich mir heute nicht mehr nehmen.« Er stand auf.

»Vergessen Sie unsere Zeitschrift nicht«, Marquardt nickte ihm aufmunternd zu, »sie wird Ihnen gefallen.«

Johanna sah dem Chemiker nach, bis er die die Tür überragende Flasche J&B Whisky erreichte, die den Ausgang markierte. War sie als Werbung für oder als Warnung vor den Gefahren des Alkohols gedacht? Über der Tür hing eine Uhr, es war 13:30 Uhr, also durfte sie noch einige Minuten bleiben.

»Es ist nicht leicht, mit allen gut auszukommen.« Marquardt seufzte. »Sie werden mir zustimmen, Frau Kollegin, Sie sind viel herumgekommen. Aber mit den meisten Kollegen macht es Spaß. Wo waren Sie tätig, bevor Sie zu uns gestoßen sind?«

»Beim World Wide Fund for Nature, davor habe ich für eine Consultingfirma gearbeitet, davor ...«

»Wie interessant. Umweltschutz in der freien Wirtschaft? Dann vermute ich bei Ihnen einen ausgeprägten Sinn für Realismus. Bei welchem Unternehmen denn?«

»Ich glaube kaum, dass Sie die Firma kennen, es war in Stuttgart«, beeilte sie sich zu sagen. »Jetzt bin ich sozusagen in der Lehre gelandet, die Forschung fehlt mir allerdings noch.« Es war ein Versuch ins Blaue hinein. Vielleicht hatte Marquardt etwas zu bieten, Wissen oder Beziehungen, die ihr nutzen konnten.

War das mit der Firma in Stuttgart schon zu viel an Information? Der Abschied war nicht rühmlich gewesen, aber der Rausschmiss hatte sie wieder zurück auf ihren eigenen Weg gebracht. »Sie unterrichten Phytomedizin. Gehört Pflanzenschutz auch zu Ihrem Forschungsbereich? Soweit ich das System hier verstehe, sind die Dozenten zur Arbeit innerhalb der Forschungsanstalt verpflichtet, eine gute Idee. Man bleibt immer vorn, besonders bei den Problemen, die auf uns zukommen ...«

»Und was betrachten Sie als größte Herausforderung, von Ihrer Warte her?«

Er will mich testen, dachte Johanna, na gut – soll er. »Die Anpassung an den Klimawandel. Soweit ich weiß, hat es in den letzten zwanzig Jahren im Rheingau keinen schlechten Jahrgang mehr gegeben. Der Riesling reift aus.«

»Das kann durchaus richtig sein, wenn man nur die steigenden Temperaturen betrachtet, aber ich halte die These vom Klimawandel für einen Irrglauben.«

Jemanden, der eine solche Aussage mit derartiger Selbstsicherheit traf, hatte Johanna lange nicht mehr erlebt. »Sind wir wieder beim Glauben angelangt?«, fragte sie provozierend. »Dann sind wir Umweltschützer lediglich Häretiker?«

»Wir sind bei einem uralten Menschheitsproblem geblieben, und das heißt Selbstüberschätzung. Für wie bedeutend hält sich der Mensch, dass er glaubt, das Klima eines Planeten beeinflussen zu können? Schwankungen hat es immer gegeben, vor Urzeiten war hier ein Meer, vor zehntausend Jahren wurde diese Region durch die Eiszeit verändert. Es war bitter kalt, jetzt schlägt das Pendel zur anderen Seite. Im Rheintal war es zu Zeiten der Römer so warm, dass Tausende am Sumpffieber, an der Malaria starben.«

»Und die Flutkatastrophe in Australien – und Tornados in Nordrhein-Westfalen?«

»Dafür gibt es einfache Erklärungen. Früher wussten wir nichts davon, aber durch moderne Kommunikationsmittel erfahren wir sogar, wenn in China der berühmte Sack Reis umfällt.« Marquardt schüttelte lachend den Kopf. »Und was die chemische Belastung angeht – was hat uns den Wohlstand gebracht, den Hunger verringert und ein längeres Leben beschert? Die Chemie!«

»Nur schlägt inzwischen das Pendel wieder zur anderen Seite aus.« So schnell gab Johanna sich nicht geschlagen. »Heute vernichtet sie andere. Neonicotinoide heißen die Grundchemikalien für viele Schädlingsbekämpfungsmittel. Bei Raps, dessen Anbau ich selbst statt einer Brache als Fruchtfolge und als Öllieferant empfehle, haben diese Stoffe zum Sterben von Zigtausenden von Bienenvölkern geführt, was jetzt mit EU-Geld erforscht wird. In den Futtermitteln ist Dioxin – Ihre Argumente, Herr Professor, habe ich hundert Mal gehört.«

Diese Debatte hing Johanna zum Halse heraus, aber die Chemieindustrie wurde nicht müde, sie mit ihrem Geld wachzuhalten. Würde sie weiter dagegen halten, würde Marquardt ihr eine tendenziöse Argumentation unterstellen. War er auf die zehntausend Dollar scharf, die das American Enterprise Institute Forschern in Aussicht stellte, die den neuesten UN-Klimabericht widerlegten? Glücklicherweise gab es genügend Lehrkräfte an der FH, die anders dachten. Sonst wäre sie kaum hier angenommen worden. Vielfalt hatte ihren Preis, und der hieß Toleranz, auch wenn man Kopfschmerzen davon bekam.

»Der Anteil der Öko-Winzer im Rheingau ist minimal, Frau Kollegin, es sind fünfzehn von vierhundert, absolut unbedeutend. Wichtig ist es, wirtschaftlich zu denken, und nicht überall, wo Öko draufsteht, ist auch Öko drin. Es bedeutet dem Verbraucher nichts, zumindest denen nicht, die auf Qualität setzen.«

»Einige wichtige Winzer wie Hans Lang und Peter Jakob Kühn sind dabei. Und der Anteil an ökologisch produzierten Lebensmitteln wächst täglich ...«

»... der Anteil an Fälschungen auch«, konterte Marquardt. »Riesling hat durch den Temperaturanstieg nur gewonnen. Die Trauben reifen besser. Wir haben Reifeperioden von bis zu hundertzwanzig Tagen. Die viel beschworene Säure war letztlich nur ein Ergebnis des schlechten Wetters und einer zu frühen Lese. Ein guter Riesling muss nicht sauer sein, ich kann das Gerede vom trockenen Wein nicht mehr hören.«

»Aber größere Hitze lässt den Wein schneller reifen«, warf Johanna ein. »Dabei ist die lange Reifeperiode beim Riesling ein entscheidender Faktor.«

»Oh, Sie wissen Bescheid? Respekt. Ihr Einwand ist richtig, da kann die Rebsorte zeigen, was in ihr steckt, an

Aromen, an Frische und an aromatischer Fülle.« Der Professor war blitzschnell umgeschwenkt. »Kaum eine andere Rebsorte kann den Boden, das Terroir in seinem Geschmack derart widerspiegeln wie Riesling. Pinot noir, zu deutsch Spätburgunder, mag die Königin unter den Trauben sein, aber Riesling würde ich den König nennen. Ich spreche natürlich von den besonderen Gewächsen, nicht von Industrieweinen. Wir erreichen heute wieder Gefilde, in denen wir mit unserem Riesling vor hundert Jahren gesegelt sind. Damals waren diese Weine weltweit geschätzt und erzielten exorbitante Preise. Dann kam die katastrophale Mode der künstlichen Süße, ein Wein für kindliche Gemüter, um Geld zu verdienen. Riesling in der blauen Flasche: Kröver Nacktarsch und Liebfrauenmilch. Wem es schmeckt ... Nichts ist dagegen einzuwenden, aber man gewinnt nichts, wenn man einen Wein verwässert und ihm seinen Charakter nimmt. Dann brach die Chardonnay-Welle über uns herein, von überall her, von Argentinien und Australien, Kalifornien und Südafrika. Man wollte weiche, volle, geschmeidige Weine, es kam das schreckliche Wort auf vom ›einfach zu trinkenden Wein‹ – was ist das? Haben Sie mal von einem einfach zu essenden Brot gehört?«

Johanna wusste nicht, ob sie die Frage beantworten sollte, oder ob er sie gestellt hatte, um sie als Einleitung für den nächsten Exkurs zu nutzen. Das alles bestätigte ihren Eindruck, dass gerade der Einsatz von Chemie und Maschinen zu dieser Entwicklung geführt hatte. Sie wusste nicht, was ein einfach zu trinkender Wein war, sie wusste nur, was ihr schmeckte, und inzwischen vielleicht auch ein wenig mehr.

»Wer den Riesling wieder nach vorn gebracht hat, waren nicht die Öko-Winzer, das waren Leute, die sich Qualität zum Ziel gesetzt hatten. Sie wussten, was in dieser Rebsorte steckt, dass eine betonte Säure einen Wein lebendig macht, wie man das Aroma der Trauben bewahrt und dass die Lage des Weinbergs ganz entscheidend ist – und nicht, ob ich

Spritzmittel verwende, ob ich die Unterstockarbeiten mechanisch oder chemisch durchführe. Und unsere Versuche haben gezeigt, dass die Rückstände von Pflanzenschutzmitteln größtenteils unterhalb der Nachweisgrenze liegen ...«

Johanna stand auf und lächelte, ihr Wissen reichte an diesem Punkt nicht weit genug, um Marquardt Paroli zu bieten. »Nur weshalb stellten viele Winzer dann ihre Betriebe um?« Sie erwartete keine Antwort. »Ich werde am besten mal eine Ihrer Vorlesungen besuchen«, sagte sie diplomatisch.

»Ich habe einen anderen Vorschlag. Wie wär's mit einer Weinprobe? Wir treffen uns regelmäßig mit Freunden bei diversen Winzern, um deren Weine kennenzulernen. Hätten Sie Interesse?«

Den Vorschlag sollte Johanna sich überlegen, sie käme ein wenig aus ihrer Isolation heraus und auf andere Gedanken. »Gern, Herr Marquardt. Sagen Sie mir rechtzeitig Bescheid.«

»Übermorgen treffen wir uns in der WineBank beim Weingut Ress in Hattenheim. Ein Freund von mir hat sein Depot dort, ein flüssiges ...« Wenn Marquardt lachte, sah er noch besser aus.

Johanna war dankbar für den Vorschlag, sie konnte ihre Argumente schärfen und freute sich, wieder mehr unter Menschen zu kommen. »Ist unser Tischgenosse von eben auch dabei?«

»Sie meinen Herrn Florian?« Marquardt verzog das Gesicht. »Nicht ganz Ihr Fall, der Herr, nicht wahr? Nein, er ist nicht sehr ... gesellig. Er lebt in Frankfurt, er ... hat andere Interessen.«

Florian hieß er. Er war ihrem Blick während des Essens stets ausgewichen. Den Namen würde Johanna von jetzt an nicht mehr vergessen. Ganz vernarrt hatte er das Foto von Alexandra angestarrt.

7

Das Polizeipräsidium lag in der Nähe des Sportzentrums, wo Thomas seit Beginn seines Studiums ein Mal in der Woche Karate und Tai-Chi trainierte. Die asiatischen Trainer legten Wert auf den Geist, mit dem man kämpfte, die deutschen auf Muskelkraft und Körperkontakt. Beweglichkeit, Schnelligkeit und der Gleichgewichtssinn, dafür brauchte er ein Betätigungsfeld, da er den Tag über in Hörsälen herumsaß und sich höchstens nach einem heruntergefallenen Kugelschreiber bückte. Die Abende verbrachte er über Skripte gebeugt oder starrte Bildschirme an. Seit er die Winzerlehre wegen des Studiums abgebrochen hatte, fehlte ihm der körperliche Ausgleich, die Wochenenden auf dem Weingut reichten ihm bei Weitem nicht.

Im Präsidium hatten Regine und er sich nach Herrn Altmann durchgefragt, dem zuständigen Staatsanwalt für den Mord an Alexandra Lehmann – und damit war er auch für Manuels Untersuchungshaft verantwortlich. Wenn dieser Mann genauso borniert war wie Sechser, dann standen ihnen und Manuel schlimme Zeiten bevor. Es würde nicht leicht sein, den Apparat von seiner Unschuld zu überzeugen. Allein schon an den Richter heranzukommen, um in der Sache gehört zu werden, war schwierig genug gewesen.

Sein Vater hatte ihm am Telefon noch einmal eingeschärft, sich diplomatisch zu verhalten. Er sollte sich weder von seinen überschäumenden Gefühlen noch seinem Gerechtigkeitssinn leiten lassen. Für Thomas war es der Gipfel an Willkür und Dummheit, Manuel einzusperren, weil so der Mörder seine Spuren weiter verwischen konnte. Und wie sollte Manuel im Knast sein Pensum auf dem Klavier absolvieren? Der Termin für seinen Auftritt rückte näher.

Thomas hätte bereits bei den dusseligen Fragen, was sie auf dem Präsidium wollten, explodieren können. Es war ihm egal, ob hier drei oder dreihundert Fälle behandelt wurden, Manuels Fall war der wichtigste. Glücklicherweise war Regine dabei, einerseits um ihrem Auftreten mehr Gewicht zu geben, andererseits um ihn zu besänftigen. Ihr praktischer Sinn und ihre Unbekümmertheit – oder bäuerliche Sturheit, wie er insgeheim wohlwollend dachte – beruhigten ihn, und er ließ ihr den Vortritt.

Altmann war ein Bürokrat, farblos und blass, gleichzeitig war er das Misstrauen in Person, mit Augen, die jeden durchdrangen. Er hatte keine eigene Meinung, und gleichzeitig schien er alles für möglich zu halten. Er mochte vierzig sein oder sechzig, Thomas konnte sich vorstellen, dass er beim Wiesbadener Halbmarathon ganz gut mithalten oder unterwegs zusammenbrechen würde. Wie groß er war, hatte Thomas nicht sehen können, denn er war, als sie sein nach altem Papier riechendes Büro betreten hatten, sitzen geblieben.

»Wo waren *Sie* zur Tatzeit?« Bei seiner ersten Frage beugte er sich mit untergeschlagenen Armen weit über seinen Schreibtisch.

»Wenn wir die Tatzeit kennen würden, könnten wir Ihnen das sagen.« Thomas hoffte, auf diese Art herauszufinden, wann Alexandra umgebracht worden war.

Altmann schrieb etwas auf. »Hauptkommissar Sechser hat mich informiert, dass Sie, Herr Achenbach, sich wenig kooperativ, geradezu feindlich zeigen. Haben Sie ein gestörtes Verhältnis zur Polizei?«

Thomas fühlte sich nicht bemüßigt, diese Frage zu beantworten. Altmanns Lippen wurden schmaler, es war die erste Regung, die er zeigte. »Über Sie«, er wandte sich Regine zu, »hat der Hauptkommissar lediglich gesagt, dass Ihre Antworten selten aus mehr als vier Worten bestehen würden. Ich hoffe trotzdem, dass Sie beide uns die Arbeit leicht machen, ich kann mir denken, dass auch Ihnen daran gelegen ist, dass der Fall geklärt wird.«

»Das ist richtig«, sagte Regine.

Das waren nur drei Worte, dachte Thomas. »Wir hätten gern gewusst, was gegen unseren Freund vorgebracht wird«, ergänzte er etwas zu stürmisch, »es ist uns völlig schleierhaft, wieso Sie ihn verhaftet haben.«

»Wegen dringenden Tatverdachts. Mehr möchte ich nicht sagen, eigentlich wäre ich nicht einmal dazu verpflichtet. Sie stehen zu dem Verdächtigen in keinerlei familiärer Beziehung.«

Thomas sah Regine an, sie zuckte mit den Achseln, aber längst nicht resignierend, dann sagte er: »Wir kooperieren gern, wenn es dazu führt, den wirklichen Täter zu fassen – oder die Täterin – und meinen Partner zu entlasten.«

»Was wollen Sie damit sagen?«

»Wir möchten Sie darauf hinweisen, dass es auch eine Frau gewesen sein kann«, sagte Regine. »Was glauben Sie, wie eine Winzerin, die körperlich arbeitet, zuschlagen kann.« Ihr Nicken unterstrich ihre Worte.

Altmanns Augen huschten von einem zum anderen. Was er von der Antwort hielt, ließ er sich nicht anmerken. »Zurück zu meiner Eingangsfrage – wo waren Sie am Abend des fraglichen Sonntags?«

Zuerst gab Thomas Auskunft, Regine schloss sich an:

»Ich war auch auf einem Weingut, auf dem meiner Eltern in Hochheim. Meine Eltern sind Zeugen, meine Großmutter und ein Freund. Ich bin am Wochenende immer zu Hause, ich komme erst montags zur ersten Vorlesung nach

Geisenheim. Manuel und Thomas sind am Wochenende fast immer zusammen.«

»Gab es einen bestimmten Grund dafür, Herr Achenbach«, Altmann blätterte in Papieren, »dass Ihr Partner, wie Sie ihn nennen, an diesem Wochenende nicht mitgekommen ist?«

»Ja, weil Alexandra gemeckert hat, dass er sie am Wochenende immer allein lässt. Das ist insofern Quatsch, weil sie an den Wochenenden meistens mit den Handtaschen unterwegs war.«

»Was meinen Sie mit Handtaschen? Wer sind die Handtaschen?«

»Zwei Tussis . . .«

». . . Kommilitoninnen, die dasselbe studieren wie sie«, antwortete Regine schnell, bevor Thomas noch etwas Dummes sagen konnte, und bedachte ihn mit einem bösen Blick. »Irgendwann kamen sie zu dritt mit rosa Handtaschen in die Hochschule. Seitdem haben sie diesen Namen. Die hingen immer zusammen rum, und Manuel musste sie fahren, mal nach Wiesbaden in die Clubs, mal nach Frankfurt und Mainz. Sie fanden es toll, in seinem Auto aufzukreuzen.«

»Waren Sie, Frau Kirchner, mal mit den sogenannten Handtaschen unterwegs?«

»Nein. Nie. Wir hatten uns nichts zu sagen. Mir ist mein Studium wichtiger.«

»Sie muss daheim immer helfen, ihr Vater spart dadurch Arbeitskräfte«, warf Thomas ein, was ihm einen zornigen Blick Regines einbrachte.

»Ihr Verhältnis zu Alexandra Lehmann war nicht gerade entspannt zu nennen, wie wir erfahren haben.«

Thomas fuhr auf: »Wer hat das behauptet?«

»Wir ziehen unsere Erkundigungen ein, wo immer wir es für richtig halten, junger Mann.« Altmann verzog keine Miene. »Sie haben mit Herrn Stern eng zusammengearbeitet. Dann werden Sie sicher auch wissen, mit welchen Forschungsvorhaben er befasst war.«

»Das wüsste er, da können Sie sicher sein«, fühlte sich Regine bemüßigt zu bestätigen, »dicker konnte man gar nicht befreundet sein.«

Altmann überging ihren Einwurf. »Waren Sie, Herr Achenbach, über sein Interesse in Bezug auf Forschungsvorhaben zum Einsatz neuer Pestizide informiert?«

»Daran hatte Manuel nicht das geringste Interesse. Wir stellen unseren Betrieb, von dem Sie bestimmt wissen, gegenwärtig auf eine ökologische Produktionsweise um. Wir verwenden nur die Hälfte an Kupfer und Schwefel wie ein konventionell arbeitender Betrieb, ohne geht es nicht – noch nicht – wir setzen auf die Stärkung der Pflanzen, damit sie sich selbst gegen Schädlinge wehren. Trotzdem war Manuel in Chemie große Klasse. Er hat einen Sinn für Prozesse auf molekularer Ebene, genau wie für Musik. Wieso fragen Sie?«

»Seit wann legen Untersuchungsbehörden die Gründe für ihre Fragen offen? Hat er sich für Gentechnik interessiert, für den Einbau von mehltauresistenten Genen in das Genom von Rieslingreben?«

»Wieso Gentechnik? Er war absolut dagegen. Was unterstellen Sie ihm?«

Zum ersten Mal bemerkte Thomas etwas wie Ärger im Gesicht des Staatsanwalts. »Wollen Sie hier Fronten aufbauen, oder wollen Sie Ihrem Freund und uns bei den Ermittlungen helfen?« Altmann blieb unverbindlich.

»So habe ich das nicht gemeint.« Thomas merkte rechtzeitig, dass ein Rückzieher angebracht war. Er fühlte sich durch den Richter geradezu herausgefordert. Es waren nicht seine Fragen, es war seine Art.

»Also?«

»Nein, Forschung, geschweige denn Genetik, war nicht sein Ding.«

»Erstaunlich ...«

»Jetzt habe ich bitte noch eine Frage«, sagte Regine.

»Thomas meinte, dass Sie, vielmehr der Kripobeamte, eine angebrochene Flasche Riesling aus unserem Kühlschrank mitgenommen haben. Von welchem Winzer und weshalb?«

Der Richter machte eine lange Pause. Seine Augen ruhten ausdruckslos auf Regine. »Bei einem gewaltsamen Tod wird eine Autopsie vorgenommen, dazu gehört die Untersuchung des Mageninhalts. Es gestaltet sich ein wenig schwierig. Kurz vor dem Tod hat das Mordopfer Wein getrunken, und wir fragen uns, ob es der Riesling war, den wir bei Ihnen sichergestellt haben ...«

Alle weiteren Versuche, mehr zu erfahren, waren gescheitert. Regine hatte noch versucht herauszubekommen, was es mit den Forschungsvorhaben auf sich hatte, aber der Richter war ein Betonkopf. Thomas fühlte sich in der Annahme bestätigt, dass nicht in andere Richtungen ermittelt wurde. Über den eigentlichen Haftgrund erfuhren sie nichts, das sei Sache des Verteidigers, mit dem könnten sie alles besprechen.

Nach dieser Abfuhr hatte er sie quasi rausgeworfen. Sechser waren sie zum Glück nicht begegnet.

Während Thomas auf der Rückfahrt am Schiersteiner Kreuz beim Einfädeln nur knapp einem Auffahrunfall entging, sagte Regine etwas, das sein Denken auf den Kopf stellte.

»Wenn Manuel unschuldig ist, wie du sagst, wer ist dann schuldig? Wer ist wirklich der Mörder – genau das müssen wir fragen! Wer hatte ein Interesse an ihrem Tod? Manuel sicher nicht.«

Thomas fuhr langsamer, er hielt Ausschau nach einem Parkplatz; ein Rasthaus wäre ihm lieber gewesen, er hatte dringend einen Kaffee nötig.

»Das stimmt, Regine – der Mörder und sein Motiv. Frau Breitenbach hat sich ähnlich ausgedrückt. Sie meinte, dass sich das Motiv aus den Lebensumständen des Opfers ergibt.

Was hat Alexandra für einen Mord bedeutend genug gemacht? Das muss man nämlich sein. Das hat Altmann ignoriert.«

»Du weißt gar nichts von Alexandra. Frauen betrachten Frauen ganz anders als Männer.«

Es dauerte eine Sekunde, bis Thomas das Gesagte begriff, unter diesem Aspekt hatte er noch gar nicht über Alexandra nachgedacht. Regine war für ihn eine Kommilitonin, ein Kumpel, eine Mitbewohnerin – na ja, und da ein gewisser Thorsten aufgetaucht war, wohl auch eine Frau. Aber so hatte er sie nie gesehen. Er wandte sich ihr zu.

»Schau nach vorn«, blaffte sie ihn an, als hätte sie diesen andersartigen Blick gespürt. »Du bringst uns auch noch um.«

»Und wie sehen das Frauen – was sehen sie, was Männer nicht sehen?«

»Man sieht zuerst ihr Äußeres, ob sie gut aussehen, wie sie sich anziehen, was für Schuhe sie tragen, ob sie gepflegt sind. Wir machen unsere Hierarchie unter uns aus, ohne euch Männer. Dann ist wichtig, wie Frauen ihr Frausein ausnutzen, ob sie damit kokettieren, sich dumm oder hilflos stellen – oh, ah, ich bin ja so klein und schwach.«

»Klar, so jemand kommt bei dir nicht an, außer sie kann einen Schlepper fahren oder ein Barrique die Kellertreppe hochrollen.«

»Soll ich das kommentieren?«, fragte Regine spitz und setzte die Aufzählung ihrer Beurteilungskriterien fort. »Es ist wichtig, mit wem jemand Umgang pflegt. Hat sie Freundinnen oder . . .«

». . . oder treibt sie sich mit solchen wie die Handtaschen rum?«

». . . auf welche Typen sie abfährt, ob sie die ausnutzt . . .«

»So wie Alexandra es mit Manuel gemacht hat?«

»Du hast es erfasst, Thomas, das ist ganz erstaunlich für einen Mann.«

»Ich dachte, das Thema Emanzipation hätten wir abgehakt.«

»Wenn er so blöd war, auf ihr Theater reinzufallen, dann war er selbst schuld. Sage mir, mit wem du gehst, und ich sage dir, wer du bist.«

Das zuletzt Gesagte gefiel Thomas nicht, aber er kam nicht umhin, Regine recht zu geben. »Wer war es denn deiner Meinung nach?«

»Ein schlechter Mensch, einer von der übelsten Sorte, jemand, der im wahrsten Sinn des Wortes über Leichen geht. Er schreckt vor nichts zurück, jedes Mittel ist ihm recht. Und schlau ist er auch, wenn er Manuel als Verdächtigen präsentiert und keine Spuren hinterlässt. Nach dem müssen wir suchen – und zwar in Alexandras Umfeld.«

»Du solltest als Profilerin arbeiten, als Zielfahnderin. Wie groß? Wie schwer? Ein Mann, eine Frau? Jetzt brauchen wir nur noch Namen und Adresse. Dann halten wir uns also an den Rat von Frau Breitenbach und finden den wahren Mörder.«

»Da bleibt dir nichts anderes übrig. Was hältst du von ihr?«

Sie waren auf der B 42 im Bogen um Eltville herumgefahren, hatten Erbach passiert und das Schloss Reichhartshausen in Oestrich hinter sich gelassen, das Thomas immer mit einem skeptischen Blick und einem unguten Gefühl betrachtete, wie etwas, das hinter ihm lag. Die dortige European Business School bildete die zukünftige Wirtschaftselite aus, nach Meinung seines Vaters war es der Heuschrecken-Nachwuchs, der sie in der nächsten Krise noch gnadenloser ins Unglück stürzen würde. Thomas kannte die Jung-Heuschrecken aus dem BWL-Studium, das war einer der Gründe gewesen, das Studium abzubrechen. Und die Nähe zur EBS war mit ein Grund für hohe Zimmerpreise, die von Studenten ohne solventes Weingut im Rücken kaum bezahlbar waren.

So künstlich wie die auf Schlossruine hergerichteten Gebäude klangen auch die Absichten der EBS: Responsability, Network, Excellence und Internationality – alles hohle Begriffe, und statt einer Mafia anzugehören, war man heute »gut vernetzt«. Je weiter er in die Weinwelt eintauchte, desto häufiger ging ihm auch hier das Geschwätz auf den Geist. In jedem dritten Prospekt war ein Winzer »der Tradition verpflichtet« und »der Moderne gegenüber aufgeschlossen«. Niemand hatte ihm bisher erklärt, was das in der Praxis bedeutete.

Da war ihm das Fachwerk des »Hotel Schwan« bedeutend sympathischer, dort bestand kein eklatanter Widerspruch zwischen dem Außen und dem Innen, sowohl die Speisekarte wie auch die Weine befanden sich auf angenehmem Niveau. Als Nächstes kam der mit Holz verkleidete Oestricher Kran in Sicht, mit dem seit 1744 Weinfässer auf Transportschiffe verladen worden waren. Es war ein markanter Punkt, doch wenn Thomas daran vorbeifuhr, stellte er sich vor, wie einst Gefangene wie Hamster in den großen Rädern den Kran hatten antreiben müssen. So war es immer: Kannte man den Hintergrund, verflüchtigte sich die Romantik.

»Ich habe dich eben was gefragt«, sagte Regine. »Wo bist du? Hast du erste Ausfallerscheinungen vom Alkohol?«

»Was hast du gefragt?«

»Was du von Frau Breitenbach hältst. Wird sie dir helfen?«

»Mir? Wieso mir? Ich dachte *uns*.« Sah Regine die Bemühungen um Manuel als seine und nicht als ihre gemeinsame Sache an?

Regine schwieg, manchmal musste Thomas bei ihr etwas länger auf eine Antwort warten. Er warf einen schnellen Blick auf die Motorboote und Segeljachten am Ufer.

»Was ich von Frau Breitenbach halte? Sie liebt Sturm, sie liebt es, sich körperlich zu verausgaben. – Nein, nicht, was du jetzt meinst.« Thomas hatte Regines Erstaunen bemerkt und grinste anzüglich. »Das zu beurteilen steht mir nicht zu, obwohl«, er machte eine Kunstpause, um Regine zu verunsichern, »ich könnte mir vorstellen – sie hat eine tolle Figur, findest du nicht?«

»Sie könnte deine Mutter sein«, sagte Regine in einer Mischung aus Vorwurf und Skepsis.

»Ist sie aber nicht«, gab Thomas zurück.

»Wenn ich es nicht besser wüsste, würde ich dich für einen arroganten Pinsel halten. Aber du hast mir immer noch nicht gesagt ...«

»... was ich von Frau Breitenbach halte? Eine ganze Menge. Sie hat was drauf, fachlich gesehen. Sie ist ehrlich, aber gleichzeitig versteckt sie auch was, sie kommt mir verschlossen vor – und irgendwie auch traurig.«

»Meine Frage bezog sich nicht auf ihre fachliche Kompetenz, sondern darauf, ob sie ... ob sie sich unter den Dozenten nach Alexandra erkundigen könnte.«

Thomas berichtete vom Wochenende und dass sie gut miteinander zurechtgekommen waren. »Einen Plan, wie sie ihn für uns macht, sollte dein Vater auch mal zu sehen kriegen. Vielleicht überzeugt ihn das, und er wird ein bisschen lockerer.«

»Spare dir deine Vorschläge für bessere Zeiten. Aussichtslos.«

»Dann nimm mich mal mit zu euch.«

»Du bist zu beschäftigt, du hast nie Zeit.« Regine begann eine Haarsträhne zwischen den Fingern zu drehen, für Thomas ein Indiz für ihre Nervosität.

Schweigend fuhren sie am Brentano-Haus in Winkel vorbei, wo Geistesgrößen wie Achim von Arnim, der Jurist Friedrich Carl von Savigny und Freiherr vom und zum Stein verkehrt haben sollen. Von außen schien das große Gebäude unter dem Lauf der Zeit ziemlich gelitten zu haben, und mit der Romantik hatte Thomas wenig zu schaffen, sie war ihm ein zu vollgestopftes Zeitalter. Auch Goethe war hier zu Gast gewesen (wo eigentlich nicht?). Von hier aus hatte er es nicht weit zu den berühmten Weinen im Keller vom Schloss Johannisberg, das rechts von ihnen auf dem Johannisberg thronte.

Erst als Thomas von der Schnellstraße abbog, fand Regine ihre Sprache wieder. »Wieso nimmst du die erste Ausfahrt? Zur FH musst du die letzte nehmen.«

Thomas versprach, sie direkt vor dem Hörsaal abzuliefern.

»Und wieso hältst du jetzt hier an der Apotheke?«

Thomas war auf den Parkplatz eingebogen. »Ich brauche was gegen Kopfschmerzen. Ich halte diese Ermittlungs-, Haft- oder Untersuchungsrichter schlecht aus.«

Das, was er wirklich besorgen wollte, sollte Regine nicht sehen. Wenn er gesagt hätte, dass er hauchdünne Gummihandschuhe kaufen wolle, hätte sie geantwortet, dass ein Paar im Eimer unter der Spüle lag, aber die würden ihm nicht nutzen.

An diesem Nachmittag versäumte er zum ersten Mal mit Absicht eine Vorlesung. In seinem Zimmer angekommen schaltete er den Rechner ein, um E-Mails abzurufen. Die erste hatte sein Vater geschickt. Er fragte nach Neuigkeiten und erinnerte ihn daran, die Bodenproben abzugeben. Verdammt, das hatte er vergessen, er blickte sich nach dem Karton um, in dem diverse Plastiktüten mit verschiedenfarbigen Erden lagen. Er würde sich morgen drum kümmern und sie ins Labor bringen. Heute stand Manuel oben auf seiner Prioritätenliste. Die zweite Nachricht stammte vom Weingut Künstler: Man bat, den Termin für die Weinprobe um einige Tage zu verschieben. Das war ihm recht, denn seit er zu wissen glaubte, wie er Alexandra auf die Schliche kommen könnte, ließ ihn eine Idee nicht mehr los.

Er rief Johanna Breitenbach an, sie war nicht zu erreichen, so hinterließ er eine entsprechende Nachricht auf der Mailbox und bat um Rückruf. Nachdem er Regine wunschgemäß abgesetzt hatte, war er zurück nach Oestrich-Winkel gefahren und hatte im Drogeriemarkt eine Duschhaube, eine Plastiktüte mit einem Gummizug, gekauft. Im Kleiderschrank suchte er nach einem Paar Schuhe. Die ledernen Schnürschuhe, die eigentlich nur zu einem dunklen Anzug passten, erfüllten den Zweck am besten. Sie hatten kein Profil. In Regines Schrank fand er eine Kleiderbürste und reinigte seinen dunkelgrünen Blouson gründlich, genauso verfuhr er mit den ausgewaschenen Jeans. Nichts durfte fusseln. Zuletzt nahm er Manuels Schlüsselbund an sich. Die beiden unbekannten Schlüssel hatten ihn auf die Idee gebracht – und Johanna Breitenbachs Satz war für ihn das Programm: »Den Grund für einen Mord findet man immer im Leben des Opfers.«

Darum ging es, um das Motiv. Weshalb war sie umgebracht worden? Er hatte bei ihr immer auf das geachtet, was ihn störte, und das war viel, aber nichts davon wäre für ihn ein Grund gewesen, ihr zu schaden. Auf Dauer jedoch wäre ein handfester Krach unvermeidlich gewesen, hätte sie Manuel weiter ausgebeutet und ihn von der Pfalz ferngehalten, oder wegen ihrer dämlichen Sprüche.

»Wozu sich die Hände schmutzig machen? Dafür hat man schließlich Personal.«

Manuels Wagen fasste Thomas heute nicht mehr an. Für sein Vorhaben war das Fahrrad geeignet. Es hatte kein Nummernschild, und wenn er es zu anderen stellte, würde sich niemand daran erinnern.

Sein Ziel war eines der beiden Hochhäuser, die ein besonders pfiffiger Rechtsanwalt hatte bauen lassen, bevor ihm Geisenheims Gemeinderat weitere Sünden untersagt hatte. Sie würden bis weit in die Zukunft Geisenheims Skyline und die des Rheingaus verschandeln. Thomas' Bestreben, auf dem Weg nicht gesehen zu werden, kam der Umstand entgegen, dass nur auf der rechten Straßenseite kleine Häuser standen und am Nachmittag eines Wochentages niemand im Garten werkelte. Auf der linken Seite stieg das Gelände zum Rothenberg hin steil an, alles Riesling, eine Rebzeile begrünt, die andere nicht. Die Lage war längst nicht so berühmt wie der Kläuserweg, der sich östlich anschloss. Die Rebzeilen endeten an einer Plattform auf dem Gipfel, wenn man die Kuppe des Hügels so nennen wollte. Sie war von einem Kreuz gekrönt und von Bäumen eingefasst. Ob es ein Mahnmal war, eine Gedenkstätte oder das Grab eines Würdenträgers, der sich um wer weiß was verdient gemacht hatte, wusste Thomas nicht. In den anderthalb Jahren hier hatte er bislang noch keine Veranlassung gesehen, hinaufzugehen. So lebte man in Nachbarschaft von Objekten, deren Bedeutung sich verschloss. Mit den Menschen war es nicht anders. Man kam ihnen nahe und blieb ihnen trotzdem fern. Sie waren knapp hundert Studenten im Semester, im Grunde ein kleiner Haufen, aber was wusste er schon von den anderen?

Zwei Autos überholten ihn, er beugte den Kopf weit über den Lenker, sein Ziel hätte er blind gefunden. Er bog in die Garageneinfahrt ein. Neben den Mülltonnen standen wie erwartet Fahrräder, so viele, dass eines mehr niemandem auffiel. Er drehte sicherheitshalber noch eine Runde um den Block, auch um einen anderen Weg für den Rückweg zu finden. Schließlich stellte er das Fahrrad zu den anderen und ging zum Eingang des vorderen Hochhauses. Er klemmte einen Packen Werbebroschüren unter den Arm, ein Zeuge würde sich an den Prospektverteiler erinnern.

Er steckte den Schlüssel ins Schloss – und atmete auf. Er hatte sich nicht geirrt, der Schlüssel passte zur Haustür. Dann würde der zweite das Apartment öffnen. Vor den Briefkästen blieb er stehen, fingerte im Briefschlitz, aber er kam nicht an die Briefe heran. Mit einem Papiertaschentuch wischte er seine Fingerabdrücke weg und machte sich zu Fuß auf in den sechsten Stock.

An der Tür von Alexandras Apartment klebte das Siegel

der Polizei. Die Entscheidung, es aufzubrechen, hatte er längst getroffen, aber es tatsächlich zu tun, war etwas anderes. Niemand war auf dem Flur. Er ging lauschend an allen Türen vorbei, nirgends vernahm er ein Geräusch, keine Musik, keine Fernsehstimme, es herrschte Grabesstille im ganzen Haus. War so auch der Mörder unerkannt gekommen und wieder verschwunden? Jetzt musste es schnell gehen. Thomas zog die Gummihandschuhe über, setzte die charmante Badekappe auf und steckte den zweiten Schlüssel ins Schloss. Er passte. Als er das Siegel zerreißen wollte, löste es sich fast von allein – es war bereits erbrochen, und jemand hatte es von hinten mit einem Klebestreifen geflickt. Wer wagte so etwas? Sechser sicher nicht, der hätte ein neues Siegel dabei gehabt!

Thomas bekam eine Gänsehaut. War es der Mörder gewesen, der nicht alle Spuren beseitigt hatte? War jemand in der Wohnung?

Er trat ein und zuckte zusammen. Vor ihm stand – verdammt, es war sein Spiegelbild, der mannshohe Spiegel neben dem Garderobenständer hatte ihm den Streich gespielt. Lächerlich, wie er da stand, mit der Duschhaube, den Gummihandschuhen und der Windjacke. Nein, die Nerven für eine Karriere als Verbrecher hatte er nicht.

Alexandras Geruch hing in der Wohnung, und ihr schwarzes Cape befand sich an der Garderobe, was in Thomas die alte Abneigung wachrief. Nein, er durfte nicht jeden Gegenstand hier bewerten, er musste sich ein objektives Bild machen, es zumindest versuchen. Bewegungslos blieb Thomas im winzigen Flur stehen und überprüfte im Spiegel den Sitz seiner lächerlichen Haube. Er musste grinsen, es war das Outfit für den Sonntagabendkrimi. Die Türen zu den beiden angrenzenden Räumen standen offen. Auf Möbeln, Schubladengriffen und Türrahmen lag ein Pulver, die Reste der Spurensicherung. Bestimmt hatten sie den Teppichboden abgesaugt, um genetisches Material zu finden.

Dann fiel sein Blick auf die Stelle, an der Alexandras Leiche gelegen hatte. Sie war markiert, das Blut der Kopfwunde war in den Teppich eingesickert, anders war der dunkle Fleck nicht zu erklären. Aber es ließ ihn kalt, so wie alles hier, als wenn nach dem Schreck vor dem eigenen Spiegelbild jedes Gefühl ausgeschaltet worden wäre.

Alexandra hatte zwei Zimmer bewohnt. Der Schreibtisch stand im Schlafzimmer, daneben ein Bücherregal. Anders als bei ihm und seinen Mitbewohnern, wo der Arbeitsbereich alles dominierte, war er hier eine Randerscheinung, und Thomas wunderte sich über die wenigen Bücher und die wenigen Ordner. Ungeordnete Papiere, deren Bearbeitung man immer wieder verschob, lagen überhaupt nicht herum. Alles war picobello aufgeräumt und wirkte steril. Aber als zwanghaft ordnungsliebend hatte er Alexandra nicht erlebt. Diese Frau hatte studiert? Sie war mehr der Typ für Netzwerke und Protektion gewesen.

Er fand Unterlagen über Mathematik und Statistik, zur BWL und zum Marketing, es gab Skripte zum Wein- und Unternehmensrecht, zum Weinbau lediglich ein Lehrbuch über Ampelographie. Er griff danach und blätterte es durch, mit den Gummihandschuhen war es ein fremdartiges Gefühl. Bekannt waren hingegen die abgebildeten Rebstöcke, dazu die charakteristischen Merkmale jeder Weinrebe, angefangen bei der französischen Abouriou bis zum Zweigelt, gezüchtet an der Weinbauforschungsanstalt Klosterneuburg in Österreich. Hier in Geisenheim war es der Müller-Thurgau gewesen, Riesling und Silvaner, gekreuzt von Dr. Müller aus dem schweizerischen Thurgau, und dabei waren beide nicht besser geworden.

Thomas stellte das Buch zurück an seinen Platz und wunderte sich über die Menge an Lehrbüchern zu Chemie, Biotechnologie und Agrogenetik. Damit hatte sie sich beschäftigt? Das Bücherregal, erst jetzt fiel es ihm auf, sah leer geräumt aus, und als er die Regalbretter genau betrachtete, bemerkte er die Staubränder. Hier hatten bis vor Kurzem Bücher gestanden, jeder Zweifel war ausgeschlossen. Hatte die Kripo sie mitgenommen? Welche Titel hatte sie gewählt und warum? Auf dem Schreibtisch stand ein Flachbildschirm, aber der Rechner fehlte, die Anschlusskabel lagen auf dem Boden. Ein Laptop hatte sie auch benutzt, Thomas hatte sie damit an der FH gesehen, auch das war weg. In den Schubladen fanden sich weder USB-Sticks noch handschriftliche Notizen, keine CDs, dafür aber Rohlinge. Hatte der vorherige Besucher »aufgeräumt«?

Thomas lauschte. Er hörte nichts, kein Geräusch von Leben außer dem von Autos, das Rauschen der B 42. Fotos standen weder auf dem Nachttisch noch hingen welche an den Wänden, da war lediglich der Vorlesungsplan, und wo vorher Notizen gehangen hatten, steckten Nadeln in der Raufasertapete. Wo hatte die Zeitung das Foto von Alexandra und Manuel im Cabrio her? Er hob die Klamotten im Kleiderschrank an, ohne zu glauben, dort etwas zu finden, außerdem hatte die Polizei das sicher längst getan. Was ihn interessierte, waren Fotoalben oder Briefe. Er ging ins Wohnzimmer und achtete darauf, nur auf die Stellen des Teppichs ohne polizeilichen Staub zu treten.

Die Möbel waren neu, Kirsche und schwarzes Leder, ziemlich teuer, im Stil der sechziger Jahre und jetzt hochmodern. Auf dem Sideboard stand eine Stereoanlage unter dem Großbildschirm. Manuel hatte tief in die Tasche gegriffen.

Thomas ging zurück ins Schlafzimmer und schlug den Ordner »Privat« auf. Bereits unter B wurde er fündig. Sie hatte Bafög bekommen, den Höchstsatz, 648 Euro. Das war allein die Miete. Ohne Manuel als Sponsor wäre es nie gegangen. Oder gab es noch einen zweiten?

Thomas suchte nach dem Mietvertrag, aber er fand nichts, lediglich einen Handyvertrag, Bescheinigungen der Krankenkasse, Studienbescheinigungen, Zeugnisse, Prospekte eines französischen Weingutes, Bescheinigungen über bestandene Reitprüfungen, ein Basispass Pferdekunde (die armen Tiere) und abgelaufene Ausweise mit Teenie-Fotos. Sie war schon immer eine Schönheit gewesen. Aber dass sie reiten konnte, war neu. Darüber hatte sie nie ein Wort verloren.

Die Küche machte den Eindruck eines Fast-Food-Essers, der weder kochen kann noch will. Im Eisfach lagen zwei Pappschachteln mit Pizzen, unter den Vorräten fanden sich Trockensuppen und Dosengerichte. Wozu kochen, wenn man die Chance hatte, ins Restaurant eingeladen und gesehen zu werden? Der Mülleimer war leer, den wird die Mordkommission mitgenommen haben, vermutete Thomas und lächelte bei dem Gedanken an das, was sein Vater dazu sagen würde: »Sage mir, was du wegwirfst – und ich sage dir, wer du bist.«

Und der Wein? Bei ihrem Studienfach hätte er eine Kollektion internationaler Weine vermuten können, Mexikaner, Thailänder, Argentinier und Israelis, auf der ganzen Welt wurde mittlerweile Wein angebaut. Es gab nur einige ausgezeichnete Rieslinge von Rheingauwinzern wie Weil und Wegeler, die Manuel sicher angeschleppt hatte, um etwas Vernünftiges zu trinken, wenn er hier nächtigte. Aber eine Flasche, wie Sechser sie aus ihrem Kühlschrank hervorgezaubert hatte, fand sich nicht.

Nachdenklich ging er ins Wohnzimmer zurück und bemerkte jetzt die aktuellen Fotos neben der Couch. Alexandra sah als Weinprinzessin großartig aus, aber der Ärger, dass sie nur Prinzessin geworden war, hatte an ihr genagt. Neben ihr stand eine kleine unscheinbare Frau, die sie glücklich anstrahlte. Das war wohl die Mutter. Der Mann daneben, vielleicht war es ihr Vater, schaute irgendwohin. Sein Bart erinnerte ihn an den von Jürgen von der Lippe, eine ihm unangenehme Erscheinung.

Thomas ging zurück ins Schlaf-Arbeitszimmer, durchwühlte die Schubladen, bemüht, alles so zu lassen, wie er es vorgefunden hatte. Ein anderes Foto steckte in der Schreib-tischunterlage. Es zeigte Alexandra, die ein Pferd am Zügel hielt. Am Halfter hing etwas wie eine Rosette, wohl ein Preis. Seitlich hinter ihr, in sicherer Entfernung der Hinter-hufe, stand ein Mann, unscharf, er drehte sich im Moment der Aufnahme weg, als wollte er nicht aufs Bild kommen. Manuel war es nicht und der Vater auch nicht, aber der Mann kam Thomas bekannt vor. Irgendwann würde ihm der Name einfallen.

Er ging noch einmal ins Wohnzimmer und betrachtete die teure Stereoanlage. Es war das gleiche Modell, das in Manuels Zimmer stand. Wenn er ihr das Teil auch bezahlt hat, fragte sich Thomas, was hat er eigentlich nicht bezahlt? Wie hat sie gelebt, bevor sie sich kennenlernten? Neben der Anlage waren Alexandras CDs gestapelt. Es handelte sich um Popmusik, Namen, die er nicht kannte, Richtungen, die ihn nicht interessierten, Rap, House und Funk, worauf er stand, waren nicht dabei, aber Manuels beziehungsweise Beethovens Klavierkonzerte, und Manuel hatte die Ange-wohnheit, seine CDs zu kennzeichnen. Alles, was hier an Klassik lag, gehörte ihm. Ob die Bullen wussten, was genau hier lag? Bestimmt nicht, er musste die CDs retten, sonst fielen sie womöglich Alexandras Erben in die Hände. Bei der Durchsicht erinnerte er sich an ihren Besuch beim Weingut Wegeler in Oestrich-Winkel. Einer der Urahnen der Wegelers, Franz Gerhard, war mit Beethoven befreundet gewesen, und ihren Briefwechsel, auf CD gebrannt, hatten Manuel und er sich angehört. Das hatte aus dem götterglei-chen Beethoven einen Menschen gemacht, ihn vom Himmel auf die Erde geholt und die beiden Freunde auf das Weingut von Wegeler neugierig gemacht.

Es war 1882 von einem Julius Wegeler, Geheimrat, gekauft worden, dem Sohn des Beethoven-Biographen. Mittlerweile gehörten sechzehn ganz unterschiedliche, als Erste-Ge-wächs-Lagen klassifizierte Weinberge dazu. Auf diese Weise erzielten die Betreiber auch bei verschieden ablaufenden Reifeprozessen der einzelnen Terroirs immer bestes Traubenmaterial. Aus der Philosophie, möglichst viele Weinberge mit unterschiedlichem Terroir und Kleinklima zu vereinen, entstand der Geheimrat J.

Er war eine Lagencuvée, ähnlich einem Bordeaux, wo der Name des Châteaus im Vordergrund steht und nicht die Parzelle. So fanden sich die Weine von Terroirs von Rüdesheim bis nach Oestrich im Duft und Geschmack dieses Weines wieder. Die Jahrgänge ähnelten sich und waren doch verschieden. Die jungen Weine zeigten sich zuerst strahlig und fest, dann wurden sie weich und duftig. Sie veränderten die Farbe von einem hellen zu einem goldenen Gelb, in den Aromen hatte Thomas Honig, reife gelbe Äpfel und Nüsse wahrgenommen, und sogar an Pampelmuse erinnerte er sich. Eigentlich hielt er immer weniger vom Zerlegen des Geschmacks, außer man entdeckte Fehltöne oder musste ihn analysieren. Aber das taten ihre Kunden auch nicht. Die Petrolnote nach dem Öffnen des Geheimrat J verging sehr schnell, dann war der Gesamteindruck entscheidend. Die Weine erreichten immer die gleiche Qualität, aber drei Jahre musste man schon warten, bis der Jahrgang auf der Höhe war.

Wie lange würde er auf Manuel warten müssen, bis er wieder mit ihm auf Probiertour gehen konnte? Vorsichtig verließ er die Wohnung. Auf dem Flur begegnete er niemandem, als er den Fahrstuhl brummen hörte, lief er im Treppenhaus nach unten. Er war sicher, dass ihn niemand gesehen hatte.

8

Dass dieser Gewölbekeller im 17. Jahrhundert gebaut worden war, gehörte im Rheingau nicht zu den Besonderheiten.
In den Burgen der Toskana war Johanna durch noch ältere
und größere Keller geirrt, war unter mehr oder weniger
bröckelnden Gewölbebögen hindurchgeschlichen, beeindruckt von Deckenkonstruktionen und kunstvollem Mauerwerk, den Geruch von Esther, Wein und vom Holz des
Barrique in der Nase. Ein wenig hing auch diese für Weinkeller typische Geruchsmelange in dem Gewölbe des Weinguts Balthasar Ress, obwohl es einem gänzlich anderen
Zweck als der Weinbereitung zugeführt worden war. Es war
eindeutig ein Weinkeller, allerdings mit dem Charakter eines Tresorraums, die Beleuchtung machte ihn feierlich wie
die Grabkammer eines Potentaten, und in den von Leucht-
dioden matt erhellten Käfigen hätten urzeitliche Tiere liegen
können. Aber hinter den Gittern lagen Weinflaschen: alt,
selten, und die meisten von ihnen waren teuer bis kostbar.

Marquardt hatte Johanna in die WineBank eingeladen,
wo ein Freund von ihm seine besten Weine eingelagert
hatte, da ihm in seinem Haus der rechte Ort für die sachge-
rechte Lagerung fehlte.

»Hier stimmen Feuchtigkeit und Temperatur, und die
LEDs strahlen kein UV-Licht ab, das dem Wein schaden
könnte.«

Mehr sagte er nicht, sich der würdevollen Wirkung des

Ortes bewusst und wohl auch der repräsentativen Umgebung. Johanna folgte ihm schweigend in der teils feierlichen, für sie auch bedrohlich wirkenden Atmosphäre auf den Tresen zu, über matt geschliffene Schieferplatten aus dem nahen Bacharach, eingebettet in gestreuten groben Quarzit aus dem Taunus. Es hätte ein Ort für schwarze Messen sein können. Marquardts Freunde hatten die Flaschen längst geöffnet und die Gläser gefüllt.

Er war in Begleitung von zwei Herren in seinem Alter, Anfang bis Mitte fünfzig, in eleganten Anzügen und mit Krawatten, der schlankere von beiden hatte einen wattierten Anorak umgehängt, den er Johanna lächelnd anbot. Sie nahm das Angebot an.

»Holger hätte auf die Kälte hinweisen müssen, aber das Essen nachher wird uns aufwärmen. Jetzt allerdings werden wir uns für den Wein erwärmen, und der wird kühl getrunken.« Der Herr, der das gesagt hatte, war Dauernutzer dieses Kellers und stellte sich mit einer Verbeugung als Peter Waller vor, Inhaber der Firma Chem-Survey aus Mainz, »eine Art Maklerbüro für Forschungsprojekte«.

»Den Doktortitel lässt er aus Bescheidenheit weg«, bemüßigte sich Marquardt zu erklären, »doch beim Wein ist er weniger bescheiden. Dort drüben«, der Professor wies auf eines der größeren vergitterten Fächer, »liegen seine Weine. Kein Wunder, dass er sie hier in Sicherheit gebracht hat. Es sind Bordeaux aus den siebziger Jahren, Châteauneuf-du-Pape von den besten Gütern, die Loire ist vertreten, Elsass – und natürlich unser Rheingau.«

»... vergiss die Raubeine aus Gigondas nicht.«

»Die liebt er geradezu«, erklärte Marquardt, »vielleicht lässt er sich erweichen und öffnet zur Feier des Tages mal eine zehn Jahre alte Flasche.«

»Sind eigentlich alle deine Kolleginnen so charmant?« Waller strahlte Johanna an.

Johanna nahm das platte Kompliment lächelnd hin. War

»charmant« nicht ein Kompliment für die Frau jenseits der fünfzig? Bis dahin war es noch ein Weilchen. Da sie die Anwesenden nicht einschätzen konnte, spielte sie mit, schwieg und lächelte eben »charmant«. Die Männer würden sich weiter aus dem Fenster lehnen, gerade in dem Alter, wenn der Kamm die Farbe verlor, spielten sie besonders gern den Hahn. Auf den Wein aus Gigondas im Rhônetal allerdings war sie gespannt, sie würde demnächst für eine knappe Woche wegen eines Auftrags dorthin reisen und hatte keine Vorstellung von den dortigen Weinen. Ein deutscher Winzer hatte sich in der Gemeinde eingekauft und sie um Vorschläge zum Energiesparen gebeten und um »meine CO_2-Bilanz« zu verbessern.

Der Ältere am Tresen, in schwarzem Polohemd zum matt glänzenden schwarzen Anzug, das Haar grau meliert, bullig und gleichzeitig wach, war Rechtsanwalt – und ein diskreter dazu. Seine Vorstellung übernahm Marquardt.

»Dr. Vormwald ist ein anerkannter Strafverteidiger. Er hat sich freundlicherweise bereit erklärt, trotz seines überquellenden Terminkalenders, die Verteidigung unseres glücklosen Studenten zu übernehmen. Ich bin der festen Überzeugung, dass er bei ihm in besten Händen ist. Nicht wahr, Otto? Stern war auch einer von Frau Breitenbachs Studenten«, sagte er zu ihm gewandt, »und wenn ich Sie richtig verstanden habe, Frau Kollegin, auch einer der gescheitesten, oder?«

»Das kann man so sagen«, entgegnete Johanna vorsichtig, denn die Wortwahl des Professors gefiel ihr nicht. Zum einen störte sie der »glücklose Student«, zum anderen, dass bereits von »Verteidigung« gesprochen wurde, wo nicht einmal Anklage erhoben worden war. Sollte das heißen, dass Manuel in diesem Kreis als schuldig angesehen wurde? Das ging ihr zu weit und zu schnell.

»Trinken Sie nichts? Wir probieren heute hier die wunderbaren Weine des Direktors der WineBank, Christian

Ress. Es sind Erste Gewächse von ausgesuchten Lagen, und die gehören zum VDP.«

Das war sie wieder auf Männer getroffen, die ihr nicht die Welt, so doch zumindest den Wein erklären wollten. Was hatte sie erwartet? Über die technische Seite der Weinbereitung war sie im Bilde, das brachte ihre Arbeit mit sich. Doch ob die Säure des Rieslings nun feinstrahlig war oder spitz, ob ein Wein zäh war, abgepuffert, etwas hart im Ansatz oder lang im Abgang, entzog sich ihren sprachlichen Möglichkeiten und auch ihrem Verständnis. Fülle und Dichte im Gegensatz zu dünn und leicht, das erschloss sich, aber was der Rechtsanwalt zur muskulösen Festigkeit und Statur sagte, blieb ihr verborgen. Die fruchtbetonten Säurespiele waren ihr ebenfalls ein Rätsel, und als Waller eine durch die Konzentration an Mineralstoffen leicht angeraute Textur erwähnte, stieg sie aus. Und sie hasste es geradezu, dabei zuzusehen, wenn alles ausgespuckt wurde. Dazu war der Wein, den sie im Glas hatte, zu gut und zu schade. Sie schmeckte Süße und Säure, und trotz der Süße, es war eine Spätlese, empfand sie den Wein keineswegs als dick oder pappig, sondern als sehr lebendig. Sie nahm die Flasche in die Hand und betrachtete das Etikett: Hattenheim Nussbrunnen.

»Der Wein stammt von tiefgründigem Lehm-Löss-Boden«, erklärte Marquardt, der nicht zum ersten Mal diesen Wein probierte. »Weine von dieser Erde sind dichter und voller als andere, das liegt auch an der südlichen Exposition.«

Johanna wusste nicht, was für ein Gesicht jetzt angebracht war. Sollte sie verständnisvoll nicken oder fragend die Augenbrauen hochziehen? Sie entschied sich für Letzteres, es gab den Männern die Gelegenheit zu weiteren Erklärungen.

»Exposition bedeutet Ausrichtung«, erklärte jetzt der Rechtsanwalt lapidar, als würde er über die bekannteste

Sache der Welt reden. »Die Lage Nussbrunnen ist nach Süden und Osten ausgerichtet, die Weinstöcke haben den ganzen Tag über Sonne. Das macht sie reif und aromatisch. Diesen Vorteil haben die meisten Lagen im Rheingau, genau das hebt unsere Weine von denen anderer Weinbaugebiete ab.«

Behaupten konnte man alles, ob es der Wahrheit entsprach – wer sollte das beurteilen? Johanna fehlte Erfahrung, ihr fehlte auch die Lust, mehrere Weine hintereinander zu probieren. Wenn sie einen gefunden hatte, der ihr schmeckte, dann blieb sie dabei. Das hier hätte Carl gefallen, er hätte sich mit Inbrunst in die Debatte gestürzt.

»Vielleicht erklären Sie mir, wie man sich am besten durch die Bezeichnungen Kabinett, Spätlese, Auslese und so weiter durchfindet, Herr Dr. Vormwald?«

Ein mitleidiger Zug spielte um seinen Mund, die Milde gegenüber der Welt, die das Genie verkannte. Es war interessant zu verfolgen, was für eine Verteidigung dieser Mann dem glücklosen Studenten angedeihen lassen würde.

»Ich habe meine eigene Bewertungsmethode entwickelt, und es ist meines Erachtens die einzig richtige. Ich gehe ausschließlich vom Wert, vom Aussehen, vom Duft und dem Geschmack des Weins aus. Der Name auf dem Etikett interessiert nicht.«

»Den kennt man bei Blindverkostungen sowieso nicht«, fühlte sich Waller bemüßigt einzuwerfen.

Er erntete einen bösen Blick. »Zucker- und Säurewerte lassen sich im Labor bestimmen, aber wie beides auf der Zunge, am Gaumen wirkt, ist entscheidend. Ich möchte einen reinen Duft, ich wünsche mir Dichte, so wie bei dem hier, und dann kommen Harmonie und Eleganz. Ausgewogen muss ein Wein sein, die Tannine müssen sich mit dem Schmelz und der Süße verbinden, erst dann entsteht das, was wir Trinkgenuss nennen. Es kommt darauf an, sich die Sinneseindrücke bewusst zu machen.«

Und die entsprechenden Worte dafür zu finden, dachte Johanna, aber ihre Frage hatte Dr. Vormwald nicht beantwortet. Er erinnerte sie an Politiker, die nie eine Frage klar beantworteten. Sie wiederholte ihre Bitte.

»Die Einteilungen in QbA, Kabinett, in Spätlese, Auslese und Beerenauslese helfen wenig.« Wenigstens Marquardt erhörte sie. »Die Begriffe sagen lediglich etwas über den Zuckergehalt der verarbeiteten Trauben. Das war früher in Deutschland wichtig, wo wegen des kühlen Klimas die Weine selten richtig ausreiften. Aber es sagt nichts über seine Qualität. Eine Trockenbeerenauslese kann pappig sein, ohne Aroma, nur süß, ein Gutswein hingegen, die einfachste Qualität eines Weingutes, ist frisch, spritzig und aromatisch.« Er griff nach der Flasche mit einem QbA Riesling. »In so einem Wein dürfen laut Gesetz fünfzehn Prozent einer anderen Rebsorte sein, also wenn Riesling draufsteht, braucht nicht unbedingt nur Riesling in der Flasche zu sein. Deshalb sollte man wissen, bei wem man kauft.«

»Dieser hier«, beeilte sich Waller zu sagen, »ist aber zu hundert Prozent Riesling. Bei Ersten Gewächsen können Sie wenig falsch machen«, meinte der Makler, »die gibt es leider nur im Rheingau. Drei Jahrzehnte lang hat man Werte ermittelt, die das Mostgewicht eines jeden Geländepunktes widerspiegeln, das war entscheidend für die Einstufung der Parzellen in Erste Lagen. Dann gibt es dabei keine exorbitanten Erntemengen, maximal fünfzig Hektoliter sind erlaubt. Die Lese von Hand ist ein Muss, dann finden Betriebsprüfungen statt, außerdem werden die Weine vor dem Verkauf von einer Kommission begutachtet und einer Laborkontrolle unterzogen. Erst nach bestandener Prüfung dürfen sie sich Erstes Gewächs nennen. Der Riesling darf ab September des Folgejahres verkauft werden, beim Spätburgunder muss der Winzer ein Jahr länger auf sein Geld warten.«

»Das ist alles ein Chaos«, ließ sich der Rechtsanwalt Vormwald hören. »In den anderen Regionen heißen die

Weine von Ersten Lagen Große Gewächse, und dann kommen noch die Bezeichnungen Classic und Selection hinzu, da blickt keiner mehr durch. Für mich entscheidet der Name des Produzenten!«

»Die Franzosen machen es besser.« Marquardt sah sich offenbar genötigt, in die Debatte einzugreifen. »Man kann von vornherein die Qualität einschätzen. Unten stehen die Landweine, die Vins de Pays, denen folgen die AOC-Weine mit kontrollierter Herkunftsbezeichnung, hier folgen die Ortslagen, und zuletzt kommen die Weine von Cru- und Grand-Cru-Lagen . . .«

Johanna bemerkte, dass ihr der Wein zu Kopf stieg, sie vertrug nicht viel, sie trank wenig, ein gutes Glas verschmähte sie nie, ein zweites auch nicht, aber beim dritten passte sie meistens. Sie erinnerte sich, dass sie am Wochenende bei den Achenbachs viel mehr getrunken hatte, ohne es zu merken, aber da hatte sie sich nicht zusammenreißen müssen. Sie hatte sich so wohl gefühlt wie lange nicht. So ähnlich wird es Manuel Stern empfunden haben, dachte sie, und zum ersten Mal spürte sie etwas wie Mitleid mit ihm. Sie hatte die Erfahrung gemacht, vor langer Zeit, nach einer Sitzblockade in Mutlangen. Die Erinnerung daran war schrecklich. Beim Anblick der Flaschen in den Käfigen im geheimnisvollen Dunkel des Kellers stieg sie wieder hoch. Sie musste etwas für den Jungen tun, sie sollte Thomas unterstützen und ihm helfen.

»Wer hat Sie eigentlich mit der Verteidigung des *glücklosen* Studenten beauftragt, Herr Vormwald?«

»Der Vater«, beeilte sich Waller zu sagen. »Er hat bereits häufiger seine Dienste in Anspruch genommen. Ich übrigens auch, und das mit großem Erfolg, nicht wahr, Otto?«

Der Rechtsanwalt lächelte zum ersten Mal, souverän wie jemand, der sich seiner Sache sicher war. »Wir werden den jungen Mann nicht rauspauken können, aber ich werde dafür sorgen, dass wir von der Mordanklage runterkommen. Ich kenne den Ermittlungsrichter Altmann, ich kenne die Kammer, vor der wir verhandeln werden. Man muss die richtige Strategie verfolgen. Sie soll ihn ziemlich gequält haben, diese Alexandra Lehmann, ihn unter Druck gesetzt, ihn hingehalten haben, und das verträgt«, er zögerte, »unser junger Mann in dem Alter nicht. Deshalb wird es auf Totschlag im Affekt hinauslaufen. Die gesamten Umstände deuten darauf hin.«

»Kennen Sie denn die Aktenlage?« Johanna war verblüfft, auch dass der Rechtsanwalt anscheinend bemerkt hatte, dass ihr die Formulierung »glückloser Student« missfiel. »Stern ist doch gerade erst verhaftet worden.«

Marquardt sprang in die Bresche. »Ich sagte Ihnen bereits ja, wie wichtig es ist, jemanden zu haben, der über die entsprechenden Verbindungen verfügt.«

Die Selbstgefälligkeit der Männer stieß Johanna ab. Sie sonnten sich in ihren Erfolgen. Machte sie das blind für die realistische Einschätzung der Situation? Erreichten die Empfindungen und Gedanken anderer sie überhaupt noch, oder waren sie dagegen längst immun?

»Sie gehen also alle von Sterns Schuld aus?«, fragte sie in die Runde.

Waller zuckte mit den Achseln und blickte Marquardt an, der nickte, und Vormwald antwortete mit einem Anflug von Bedauern: »Wir werden uns nicht um die Wahrheit herumdrücken können, so leid es uns tut.«

Die Wahrheit? Die kannten sowieso nur Täter und Opfer, aber das arme Mädchen konnte sich nicht mehr äußern. Oder doch? Dazu müsste man die Zeichen zu lesen verstehen und wissen, was Zeichen waren. Johanna tat so, als rieche sie konzentriert am Wein in ihrem Glas, hob versonnen den Kopf und nahm einen Schluck.

»Wer aufmerksam wahrnehmen will, muss mit jeder Faser, mit jedem Rezeptor erfassen, was der Wein sagt«, meinte Marquardt, der sie beobachtete.

Johanna bezog ihre Entgegnung nicht nur auf den Wein. Es galt genauso gut für die Zeichen. »Zuerst sind jedoch Empfindungen da, dann beginnt das Denken, man kann analysieren, seine Eindrücke aussprechen und letztlich, wenn man konsequent ist, danach handeln.«

Sie sah erstaunte Blicke auf sich ruhen, ja sie las darin, dass man sie bisher unterschätzt hatte, die Männer wurden endlich wach. Es war jetzt angebracht, entschuldigend oder hilflos zu lächeln, um nicht zu viel preiszugeben. »Es wäre schön, wenn man es schaffen würde, sich immer daran zu halten – meinen Sie nicht?« Eine Brücke musste gebaut werden, denn sie bemerkte, dass die Runde sie jetzt mit anderen Augen sah. »Sie, Herr Waller, sagten vorhin etwas von Raubeinen aus Gigondas. Ich trinke gern Rotwein, aber sind diese Weine nicht eher als Begleiter zum Essen gedacht? Lamm, habe ich gehört, soll sehr gut zu einem Wein aus Gigondas passen, Wildschwein …«

»Woher wissen Sie denn das schon wieder?« Als auch die Freunde Waller ermunterten, ging er zu seinem Käfig und entnahm ihm eine Flasche, auch eine Dekantierkaraffe stand bereit. Der Wissenschaftsmakler, was immer man sich darunter vorstellen konnte, entkorkte die Flasche, wobei er darauf achtete, dass der brüchige Korken nicht beschädigt wurde. Hätte man nicht Glas statt der Gitter nehmen können?, fragte sich Johanna, denn die Käfige ringsum ließen in ihr ein Gefühl von Gefahr entstehen. Dass hier die ganze Zeit über Kameras liefen, hatte Marquardt ihr gleich bei der Ankunft erzählt.

»Man muss schließlich wissen, wer sich im Keller aufhält. Stellen Sie sich vor, später fehlten Flaschen. Wenn Diebe wissen, dass sie gefilmt werden, versuchen sie es lieber anderswo.«

»Es ist immer wieder erstaunlich, dass Riesling länger lagern kann als gemeinhin bekannt und als dieser Rotwein mit einem kräftigen Tanningerüst«, meinte Vormwald.

»Wein macht mich hungrig. Ich schlage vor, wir essen im ›Krug‹. Da kann Freund Waller seine Flaschen mitnehmen.«

»Eine, Otto, nur eine. Von der zweiten an muss ich Korkgeld bezahlen. Ich spendiere den Wein und ihr mein Essen.«

»Lass dich nicht lumpen«, sagte Vormwald in gespielter Entrüstung.

»Zehn Jahre Lagerung für ein Spitzengewächs sind gar nichts. Aber manche Gigondas verkraften das nicht«, warf Marquardt ein.

»Meine schon.« Waller mochte sich von seinem Lieblingsthema gar nicht trennen. »Einen mache ich noch auf, sozusagen als Einstimmung. Sie auch, Frau Breitenbach?«

»Hast du nicht zugegehört, Peter?«, fragte Marquardt, »die Frau Kollegin mag Rotweine. Und diese Vorliebe teile ich mit ihr. Aber woher kennen Sie Gigondas? Es ist selten, dass der Name einem Deutschen geläufig ist, äh, einer Deutschen«, korrigierte er sich.

»Mein Mann brachte eines Tages Wein aus Gigondas mit. Da ich sehr gerne Wild esse, habe ich mir das gemerkt. Es gibt so viele Weine mit schönen Namen. Es sind fast immer die der Ortschaften und Regionen, die ihnen die Namen geben. Im Ausland ist es jedenfalls so.«

»Stimmt«, bemerkte Marquardt, »ein Oestricher sagt man nicht, auch nicht ein Oberwallufer, da wird bei uns dann noch die Lage angehängt. Oder man differenziert erst, wenn man der Sache näher kommt. Wenn man wie wir ständig damit zu tun hat, sind diese Namen interessant. Für den, der einfach nur gern ein schönes Glas Wein trinken will, ist das gleichgültig. Es ist ziemlich kultig geworden, sich mit Wein zu befassen.«

Jetzt arbeitete es in ihren Schädeln, sie fragen sich, wie die Ehe ist, dachte sie, wie der Mann sein mochte, mit dem sie im selben Bett schlief. Falls sie es tat …

Sie hatte richtig kombiniert. Waller rang sich als Erster zu der obligaten Frage durch. »Sie leben mit Ihrem Mann in Bingen?«

»Da habe ich nur eine kleine Wohnung.« Mit dieser Antwort sollten sie klarkommen, es würde sich zeigen, wer sich weiter um sie bemühen würde.

Übergangslos wechselte Johanna das Thema. Sie wollte Vormwald auf die Probe stellen. »Woher wissen Sie, Herr Rechtsanwalt, dass Alexandra Lehmann Manuel Stern unter Druck gesetzt hat?«

Es gab einen fragenden Blick zwischen Vormwald und Marquardt.

»Das weiß niemand außer den Beteiligten, und einer davon ist tot. Der andere sitzt in U-Haft und schweigt. Ich hatte noch keine Gelegenheit, mit ihm zu sprechen.«

»Da fällen Sie bereits ein Urteil?« Johanna bemühte sich, mehr neugierig als vorwurfsvoll zu klingen. »Sie haben sich bislang keinen persönlichen Eindruck verschaffen können? Sie halten den jungen Mann für schuldig, nur aufgrund der Angaben der Polizei? Wie können Sie jemanden verteidigen, den Sie für schuldig halten? Sie sollten seine Unschuld beweisen. Dann steht er für Sie bereits als Täter fest, ein anderer kommt gar nicht infrage?«

»Da muss ich Frau Breitenbach recht geben«, sagte Marquardt zu Vormwald. »Es war vielleicht missverständlich formuliert. Aber so wirst du es kaum gemeint haben. Ich bin mir sicher, dass Otto«, jetzt richtete er die Worte wieder an Johanna, »sowohl Sorgfalt wie das richtige Augenmaß walten lässt.«

»Außerdem werde ich nicht in aller Öffentlichkeit meine Strategie ausbreiten«, sagte der Anwalt kühl und kurz. »Ich werde euch auch nicht mit meinen beruflichen Belangen den Abend verderben.«

Man probierte den zweiten Gigondas. Er war vom Tannin her tatsächlich ein Raubein und hatte keine Ähnlichkeit mit den eleganten Spätburgundern des Rheingaus. Der Wein war sieben Jahre alt, »genau richtig«, wie Waller erklärte. »Er ähnelt dem Châteauneuf-du-Pape, ist ihm in Fülle und Schmelz vielleicht sogar eine Spur überlegen, aber in puncto Kraft bleibt er hinter ihm.«

Dass die Fachsimpelei nicht zu sehr über Johannas Kopf hinweg geführt wurde, war Marquardt zu verdanken, der zum Aufbruch drängte. Man ließ die Autos stehen, bis zum »Krug« waren es nur wenige Minuten zu Fuß auf der Hauptstraße durch Hattenheim.

Vormwald und Marquardt steckten die Köpfe zusammen, Peter Waller begleitete Johanna.

»Ich habe Sie noch gar nicht nach Ihrem Fachbereich gefragt«, sagte er. »Ich vermute mal, Sie gehören einer der weichen Wissenschaften an. Wenn es in Geisenheim etwas wie Philosophie geben würde, dann wäre das Ihr Fachbereich. Aber hier vermute ich Biologie und Verbraucherschutz.«

»Weit gefehlt, mein Freund«, rief Marquardt, der mitgehört hatte, »sie ist härter, als du denkst. Sie unterrichtet Energiemanagement und Umweltschutz, Verfahrenstechnik gehört auch dazu. Sogar vom Anlagenbau versteht sie was.«

Er musste sich gründlich informiert haben. »Frau Breitenbach ist Umweltingenieurin, und wenn sie an die Macht kommt, werden wir beide arbeitslos, dann schließt sie unsere Chemiefabriken.«

»Als Kleinaktionäre werden Sie entschädigt«, konterte Johanna, »schließlich schätzen wir den Mittelstand.«

»Nimm dich in Acht, Peter«, Marquardt lachte. »Ich würde mich zurückhalten.«

Sie bogen um eine Ecke und sahen den bunt bemalten Fachwerkbau des »Krug« am Marktplatz vor sich, Johanna war hier auf dem Weg zum Kloster Eberbach schon mal vorbeigekommen. Jetzt hoffte sie, dass ihr das Essen, Wallers Weine oder Marquardts Charme die leidige Debatte über Ökologie und Ökonomie ersparen würde. Aber Waller ließ nicht locker. Kaum hatten sie sich in der getäfelten altdeutschen Gaststube niedergelassen, führte er ihr die schrecklichen Auswirkungen vor Augen, die ein Zuviel an Umweltschutz mit sich brächte.

»Die Ökonomen sind da weiter als Sie, lieber Herr Waller.« Johanna fühlte sich auf ihrem Gebiet sicher. »Ambitionierte Klimaziele lohnen sich für die Industrieländer, denken Sie an die jüngste Studie des Fraunhofer-Instituts. Klimaschutz bremst das Wachstum gar nicht. Im Gegenteil, man schafft neue Arbeitsplätze.«

»Die unsinnige Förderung von Solarstrom wurde von uns glücklicherweise auf ein erträgliches Maß zurückgefahren«, antwortete Waller böse. »Die Energiekonzerne haben auf unsere Kosten Traumgewinne gemacht.«

»Sicher nicht auf Ihre, eher auf die der Steuerzahler.« Johanna wurde schärfer. »Schnee von gestern. Wir brauchen alternative Energien, sonst geht hier alles zugrunde. Falls Sie einen Fernsehapparat haben, kennen Sie die Katastrophenbilder ...«

»Jemand wie Sie sollte nicht auf Panikmache hereinfallen.«

»Bitte!« Marquardt hob flehend die Hände. »Religion und Politik gehören nicht an den gedeckten Tisch. Sie können sich nach dem Kaffee von mir aus gegenseitig zerfleischen, aber bitte nicht vor dem Essen, mir verschließt sich der Magen.«

Johanna ging gern darauf ein. Es war lächerlich, sich mit Leuten wie Waller anzulegen. Sie waren taub für jedes Argument. Es kam ihr vor, als würde sie sich mit den Reitern der Apokalypse persönlich streiten.

»Wollen wir nicht endlich bestellen?« Auch Vormwald war an Vermittlung gelegen. »Und du, mein lieber Freund Peter, solltest dich mit dem Ober wegen der Weine arrangieren, statt dich mit unserer Frau Breitenbach anzulegen.«

Die Speisekarten lagen aufgeschlagen vor ihnen. Johannas diskreter Blick auf die Teller am Nebentisch verriet ihr, dass sie wohl hungrig nach Hause fahren würde. Folgte man hier mehr der arrangierten als einer sättigenden Küche? Wohl kaum, denn die Geisenheimer, das wusste sie, speisten hier gern nach Überreichung der Urkunden.

Es gab Zweierlei vom heimischen Taunuswildschwein (geschmort und rosa gebraten) in einer Wacholder-Rahmsauce, dazu Williamsbirnen mit Kürbis und Schupfnudeln. Falls das nur für die Augen und nicht für den Magen angerichtet wurde, hatte sie zur Not noch das eine oder andere im Kühlschrank.

Im Flur streifte sie als Erstes die Pumps ab und ließ sie gegen ihre sonstige Gewohnheit achtlos liegen. Sie tauschte das Kleid gegen ihren seidenen Morgenmantel und hängte es auf einem Kleiderbügel auf den Balkon, warf einen Blick auf die Straße und ging ins Bad, um sich das Geschwätz abzuwaschen, das an ihr klebte. Johanna trat an die Balkonbrüstung und schaute hinunter. Markus hatte sich für neun Uhr angemeldet, er war eine Viertelstunde über die Zeit. Sie war im Grunde genommen froh, dass er noch nicht aufgetaucht war, denn um die Spannung abzubauen, wäre ihr ein langes Bad willkommen gewesen, doch nass und im Bademantel wollte sie ihm nicht die Tür öffnen, Markus hätte es falsch verstehen können, und heute war ihr nicht nach seiner Liebe. Gespräche wie die heute waren fruchtlos, und es war lästig, ständig in einer Art Lauerstellung zu verharren, um sich keine Blöße zu geben, die sofort vom anderen genutzt wurde. Das hatte sie hinter sich gelassen – wie sie geglaubt hatte.

Dummerweise hatte sie sich dann doch noch von Waller in eine blödsinnige Debatte über Wachstum und Ressourcen hineinziehen lassen. Ihrer These, dass die gesamte industrielle Welt auf dem Öl aufgebaut war, mochte er als jemand, der in der Chemieindustrie sein Geld verdiente, verständlicherweise nicht folgen.

»Eine solche These ist Ihres Alters und Ihrer Position nicht würdig, Frau Breitenbach.« Er hatte von Liberalität und Freiheit gefaselt, davon, dass man jedem die Möglichkeit lassen müsste, sein Geld auf seine Weise zu verdienen, und wer das anzweifle, gehöre sowieso nur zu den Neidern. Dann brachte er den Begriff von der »Ökodiktatur« und lächelte dabei, wohlwollend wie einem Kind gegenüber, dem man den Fehler verzeiht. Das vertrug Johanna am wenigsten.

Ihr wurde plötzlich bewusst, dass sie das Selbstgespräch nicht mit Markus, sondern mit Carl führte, bei dem sie Verständnis für ihre Ansichten voraussetzen konnte. Es war ihr heute ein echtes Bedürfnis, über das Erlebte zu sprechen, sich mehr Klarheit über ihre Gesprächspartner zu verschaffen und ganz einfach Dampf abzulassen. Sollte sie ihn anrufen?

Als sie zum Telefon ging, klingelte Markus, damit war das Thema erledigt.

Er zog sie an sich, sie spürte, worauf er aus war, doch ihr fehlte heute die Lust. Sie brauchte Abstand.

»Ich habe einen schweren Tag hinter mir«, sagte sie und wand sich aus seiner Umarmung.

»Dafür riechst du wunderbar.« Er gab seine Annäherungsversuche nicht auf und nahm sie bei den Armen. Er merkte nicht, dass ihr Widerstand nicht als Koketterie oder Spiel gemeint war, deshalb war ihre Reaktion heftig. Wütend schüttelte sie ihn ab.

»Lass mich verdammt noch mal in Ruhe!«

Mit offenem Mund stand Markus vor ihr. »Was ist los? Hast du einen schweren Tag hinter dir?«

»Genau das habe ich eben gesagt, wortwörtlich! Aber du hörst mir nicht zu. Und wenn ich nicht will, dass mich jemand anfasst, kann ich verdammt böse werden.«

Ihr war klar, dass er lediglich als Blitzableiter diente. Es tat ihr leid.

»Wenn du dich aussprechen willst, dann tu's. Hast du Hunger, sollen wir essen gehen?«

»Da komme ich gerade her«, sagte sie und schämte sich wegen ihrer heftigen Reaktion.

»Willst du spazieren gehen? Komm, wir fahren an den Rhein und trinken ein Glas Wein.«

Johanna winkte ab. »Ich mache mir einen Tee. Wo der Wein steht, weißt du. Eine angebrochene Flasche Sekt von gestern ist noch da.« Das hörte sich bereits wieder verbindlicher an, und Markus, jetzt vorsichtig geworden, ließ sich darauf ein.

Johanna berichtete von den Begegnungen, aber sie fand bei Markus wenig Gehör.

»Du hältst dich besser raus, Johanna. Du weißt nichts von den Hintergründen, du kennst die Verbindungen zwischen deinen Kollegen und diesen Leuten nicht, vielleicht hat dein Student seine Freundin tatsächlich umgebracht? Du kennst ihn kaum. Nach einer kurzen Begegnung zu urteilen, halte ich für zu gewagt. Man kann niemandem hinter die Stirn schauen.«

Auch dir nicht, mein Junge, dachte sie und wechselte das Thema. Sie dachte laut über die Bemühungen der Winzer nach, Umweltschutz umzusetzen.

Markus hielt alles für eine Farce, für Marketing und Selbstdarstellung. »Sie tun es, weil es gut klingt, damit kann man sich darstellen. Euer VDP veranstaltet Hokuspokus im Weinberg, leuchtet aus Marketinggründen die Steillagen an der Mosel aus, sie verbrauchen Strom ohne Ende, und du dozierst über Energieeffizienz, bringst den Studenten bei, wie man Energie spart. Das ist doch alles lächerlich.«

»Meinst du nicht, dass du vielen damit unrecht tust, die es ernst meinen?« Johanna teilte seine Meinung bis zu einem gewissen Grad, aber das Wochenende bei den Achenbachs hatte sie mit Menschen zusammengebracht, die es ernst meinten. Und auch ihre Studenten hörten zu.

»Sie verändern das Klima nicht, aber sie tun mehr als die, die für die Schäden verantwortlich sind und sie bewusst in Kauf nehmen.« Wenn sie so sprach, hatte sie manchmal das Gefühl, eine andere sprechen zu hören, belächelte sie doch zu oft das, wofür sie selbst viele Jahre lang eingetreten war. Sie empfand es heute als naiv, als lieb gemeint, hilflos und letztlich unnütz.

Es war das erste Mal, dass sie nicht miteinander schliefen, wenn er bei ihr war. Jeder kroch unter seine Decke und wandte sich ab. Und als sie beim Hellwerden vor ihm erwachte und ihn ansah, war ihr klar, dass es auch das letzte Mal gewesen war, dass sie mit ihm das Bett geteilt hatte. Sie hatten sich nichts mehr zu sagen. Lieber war sie allein als in schlechter Begleitung.

9

Die beiden Rosa Handtaschen saßen tief über die Zeitschrift gebeugt und verschlangen Fotos und Bildunterschriften mit den Augen. Sie bemerkten nicht, dass Thomas sich im Hörsaal in die Reihe hinter ihnen gezwängt hatte und ihnen über die Schulter sah. Vor ihnen lag aufgeschlagen die Sonderausgabe einer Fachzeitschrift zum German Wine Cup, einem Superevent, bei dem Hunderte von internationalen Weinen probiert, bewertet und prämiert wurden. Es war die deutsche Weinshow schlechthin, bei der sich alles zeigte, was glaubte, in der Szene einen Namen oder entsprechende Handelsumsätze zu haben.

Alexandra war die Schönste der Handtaschen gewesen und damit das Alphatier, sie war bewundert worden. Dass Frauen wie sie zu einer wirklichen Freundschaft fähig waren, hielt Thomas für ausgeschlossen. Völlig hingerissen kommentierten sie die in der Zeitschrift abgebildeten Personen: selbst ernannte Weingurus, Weinblogger, Geschäftsführer von Weingrossisten und Marketingdirektoren der Kooperativen sowie die Kommentatoren der Online-Community. Genau da wollten die Handtaschen hin.

Thomas beugte sich weiter vor. »Das schafft ihr nie!«

Seine Stimme so nah an ihren Ohren ließ sie zusammenfahren. Sie verstanden sofort, was er meinte. »Was geht dich das an, du Weinbauer? Kümmer dich lieber um deinen Killerfreund.«

»Wenn du ein Mann wärst, hätte ich dir jetzt was auf die Glocke gehauen«, sagte Thomas kaum hörbar, und es war ihm ernst. »Was haben sie euch gezahlt?«

Jetzt stellten Steffi und Henriette sich dumm, doch Steffi wurde rot. Sie fühlte sich ertappt.

»Dann war das Honorar der Bild-Zeitung wohl ziemlich hoch. Spricht für dich, wenn dir so was noch peinlich ist. Das Foto mit Manuel und Alexandra haben die sicher extra bezahlt. Vorher war sie eure Freundin, und nach ihrem Tod schlachtet ihr sie aus und verbreitet Gerüchte. Ihr helft mit, dass ein Unschuldiger verdächtigt wird. Ihr seid widerlich, aber kein Kopf ist zu klein, als dass nicht noch irgendein Scheiß reinpasst.«

»Echt krass, wie du uns hier anmachst. Du profitierst doch auch davon, du Spinner. Du fährst jetzt seinen Wagen; damit kannst du Manuel ja im Knast besuchen.« Sie sahen sich an und kicherten dümmlich. Dann wurde Henriette rabiat.

»Kannst du nicht von hier verschwinden? Merkst du nicht, dass du störst?« Wieder lachten sie und blickten sich um. Die Studenten in ihrer Nähe schauten peinlich berührt weg.

»Warum wollt ihr Manuel im Knast sehen? Weil ihr neidisch seid? Weil ihr an ihn nicht rangekommen seid?«

Steffi, die rechts saß, machte eine wegwerfende Geste. »So einen würde ich nicht geschenkt nehmen. Und mit 'nem Mörder als Freund würde ich mich hier gar nicht mehr blicken lassen. Zisch endlich ab. Die Vorlesung hat angefangen, nicht einmal das raffst du.«

Thomas wurde von allen Seiten angestarrt, auch der Dozent signalisierte mit Schweigen, dass er auf Ruhe wartete, um seine Vorlesung über Mikrobiologie zu beginnen. An diesem Kurs hatten sie alle teilgenommen, die Handtaschen genau wie Thomas' WG. Heute war BSA ihr Thema, der biologische Säureabbau, auch Malolaktische Fermentation genannt, MLF, ihr Thema. Dieses sogenannte Kernmodul war sowohl für die Studenten der Önologie wie auch für die der Internationalen Weinwirtschaft ein Pflichtfach.

»*Il n'y a pas des grands vins sans la fermentation malolactique*«. Louis Pasteur war um 1870 darauf gekommen, dass es keinen großen Wein ohne die malolaktische Gärung geben könne. Diesem biologischen Säureabbau sollte man die beiden Handtaschen auch mal unterziehen, dachte Thomas, einer Wandlung der scharfen Apfelsäure in die weichere Milchsäure, so ätzend wie sie waren. Dann wären sie vielleicht irgendwann zu gebrauchen, nach entsprechend langer Reifezeit – am besten im Keller. Thomas starrte der vor ihm sitzenden hennagefärbten Henriette in den Nacken. Die Malo, wie sie untereinander zum BSA sagten, konnte man nach der alkoholischen Gärung künstlich durch die Zugabe von Bakterien einleiten. Das Ergebnis war ein reiferer Wein mit mehr Fülle, man brauchte weniger Schwefel, da die Nebenprodukte der Gärung verringert wurden, und besonders Rotweine gewannen eine mikrobiologische Stabilität. Ein Nachteil ergab sich bei flachen, schwachen Weinen mit hohem Anteil an Apfelsäure, wenn die Trauben nicht richtig reif waren. Weißwein schmeckte breit, man nahm eine Note von Sauerkraut wahr, andere, unerwünschte Aromen kamen hinzu, und Rotweine konnten die Farbe verlieren.

Thomas hörte dem Dozenten nicht zu, stattdessen fragte er sich, zu welcher Reaktion der BSA bei den Handtaschen führen würde. Normalerweise setzte dieser Prozess bei einem durchgegorenen Wein von allein ein, wenn im Frühjahr die Temperatur anstieg und die Bakterien bei zweiundzwanzig Grad munter wurden. Man sollte die beiden vor ihm, die zwanghaft nach vorn blickten, nach Mallorca schicken, da war es warm, und entsprechende Bakterien gab es im Ballermann sicher reichlich. Ob allerdings der gewünschte Bakterienstamm *Oenococcus oeni* dort grassierte, hielt er für fraglich. Seine Gedanken waren hässlich, aber in diesen Tagen war die ganze Welt für ihn hässlich.

Wollte man einen Weißwein frisch halten und wünschte eine spritzige Säure, dann sollte auf den BSA verzichtet werden. Dann musste der Wein rasch aus dem Gärbehälter abgezogen und geklärt werden, damit er geschwefelt werden konnte und bakteriell stabil wurde.

Während Thomas sich langsam beruhigte und sich mehr auf den Stoff des Vortragenden einließ, vergaß er die Handtaschen, er vergaß Manuel und seine Sorge um ihn. Die Bilder ihres Weingutes tauchten vor ihm auf, er stellte sich vor, wie er das, was der Dozent ansprach, mit seinem Vater diskutierte und dabei durch seine Fragen auf die eigenen Wissenslücken hingewiesen wurde. Sie mussten das Gelernte bereits im kommenden Herbst selbst in die Tat umsetzen.

Regine saß rechts neben ihm, und als würde sie seinen Blick spüren, wandte sie sich ihm zu. Ihr Lächeln tat ihm gut. Als er gestern aus Alexandras Wohnung zurückgekommen war, war Regine nicht da gewesen und heute Morgen auch nicht. Es hätte ihn nicht gestört, wenn sie ihren neuen Freund mitgebracht hätte, aber dass sie jetzt nur noch durch Abwesenheit glänzte, dass er allein frühstücken musste, ging ihm höllisch gegen den Strich. Weshalb brachte sie Thorsten nicht mit? War er nicht zum Vorzeigen?

Er sehnte das Wochenende herbei. Freitag würde er so schnell wie möglich nach Hause fahren. Er war das Alleinleben nicht gewohnt, weder aus der Zeit des Studiums noch aus der Lehre, als er ein Zimmer auf dem Weingut Knipser bewohnt hatte. Wenn er nach Hause fuhr, kam er in der Nähe von Laumersheim vorbei, und er würde schnell mal bei seinem ehemaligen Lehrherrn vorbeischauen.

Erst in der folgenden Woche begegnete er Johanna wieder. Auf dem Weg zur Bibliothek standen sie sich plötzlich gegenüber.

»Frau Breitenbach?«

»Herr Achenbach!«

Die Namensverwandtschaft ließ sie schmunzeln. Thomas' Laune besserte sich. »Ich habe Ihnen gar nicht von meinem Besuch beim Untersuchungsrichter erzählt.«

»Und?«

»Das geht nicht auf die Schnelle, und erst recht nicht auf dem Flur ...«

»Und ich habe den zukünftigen Verteidiger Ihres Freundes kennengelernt.«

»Ach ... und was halten Sie von ihm?« Ihr Gesichtsausdruck verhieß nichts Gutes.

»Auch dafür ist der Flur als Konferenzort wenig geeignet. Kennen Sie Bingen?«, fragte Frau Breitenbach leise.

Thomas schüttelte den Kopf. »Nur vom Durchfahren, rüber zur Autobahn 61. Die Fähre, klar, und dann waren wir mal auf 'ner Funk-and-House-Party drüben an Ihrer Fachhochschule.«

»Ich halte es für besser, wenn Sie zu mir kommen, man sollte uns nicht zusammen sehen.«

»Mir ist das egal, ich habe nichts zu verbergen.«

»Es geht um Diskretion. Zeigen Sie dem Gegner nie, wer Ihre Verbündeten sind. Dann macht er Fehler und rüstet nicht entsprechend auf.«

Thomas wurde hellhörig. »Von welchem Gegner sprechen Sie?«

»Es ist schlimmer, wenn man ihn noch nicht kennt. Aber er kennt Sie und beobachtet Ihre Schritte.«

Das klang unheimlich. Thomas vermutete, dass es Frau Breitenbach noch um etwas anderes ging, aber er ließ es dabei bewenden. Zumindest war er erleichtert, dass sie von Manuels Unschuld ausging.

»Nehmen Sie nicht diesen auffälligen Wagen. Den bringt jetzt jeder mit dem Fall in Verbindung. Das wollen wir vermeiden.«

Nachdem sie ihm ihre Adresse zugesteckt hatte, ging sie in die Bibliothek, und er schlich in die Mensa. Er war erleichtert, dass sie ihm helfen wollte, es war ein Lichtblick an diesem düsteren Tag. Sie müsste im Lehrkörper spionieren. Da sie keinerlei Beziehung zu Manuel hatte, wären ihre Fragen nicht verdächtig. Ihm hingegen unterstellte jeder ein persönliches Interesse.

Thomas verzog sich mit seinem Tablett und dem Hühnerfrikassee an den hintersten Tisch in der Mensa, wo er der Masse seiner Kommilitonen den Rücken zuwandte und nach draußen ins Grüne schaute. Regine saß bei irgendwelchen Frauen. Sie hatte es vermieden, ihm nach Ende der Vorlesung zu begegnen. Es gab Wichtiges zu besprechen, sie mussten klären, wie es mit der Wohnung weitergehen sollte. Würde es Schwierigkeiten mit Manuels Mietzahlung geben, würde dessen Vater das Zimmer kündigen? Das konnte nur Manuel selbst. Thomas würde ihm auf alle Zeit sein Zimmer freihalten, und wenn er in der Mensa Geschirr spülen müsste. Dann musste geklärt werden, wie es mit Manuels Studium weitergehen sollte; er durfte den Anschluss ans Semester nicht verlieren. Thomas würde in Zukunft doppelt so aufmerksam sein und mehr als sonst mitschreiben müssen. Er würde Regine fragen, ob sie sich die Arbeit teilen könnten.

Er drehte sich um, er hatte den Eindruck, dass er angestarrt wurde – der Freund des Mörders. Das hörte sich beinahe wie ein Filmtitel von Chabrol an, aber er war nicht bereit, die Hauptrolle zu übernehmen, und der Titel war falsch – Manuel hatte niemanden getötet. Er war der Freund des unschuldigen Gefangenen. Aber das klang viel zu seicht, da versprach ein Titel wie »Der Graf von Monte Christo« mehr. Thomas ließ die Gabel mit dem nächsten Bissen sinken, als er sich an den Kern dieser Geschichte erinnerte.

Ein Komplott war es gewesen, um sich den Besitz des Romanhelden Edmond Dantès anzueignen und ihm die Frau wegzunehmen. Der einzige Mensch, der sich für Manuels Geld interessiert hatte, war tot. Also ging es weder um Geld noch um die Frau. Dann blieb nur noch die Möglichkeit, dass Manuel verdächtigt werden sollte, um den oder die tatsächlich Schuldigen zu decken.

Das Essen schmeckte Thomas nicht mehr, der Gedanke an ein mögliches Komplott verleidete ihm den Appetit, und er ließ die Hälfte vom Frikassee und den Reis auf dem Teller und brachte das Tablett zum Transportband.

Mit dem Fahrrad war er zehn Minuten später zu Hause und holte das Foto von Alexandra und dem Pferd. Mit seinem eigenen alten Auto fuhr er zu einer Drogerie nach Rüdesheim, machte an einem Automaten zwei Fotokopien davon und begab sich auf die Suche nach Reitställen.

Er hatte in Geisenheim an der Heidestraße ein Hinweisschild auf einen Reiterladen gesehen. Die Besitzerin konnte anhand der Aufnahme nicht sagen, wo sie gemacht worden war, aber sie kannte drei Reiterhöfe in der Gegend: einen in Stephanshausen, der andere lag links auf dem Weg nach Kloster Eberbach, noch vor der neuen Kellerei, die einige »dem Roland Koch sein Weingut« nannten, weil es der Exministerpräsident mit Steuermillionen habe ausbauen lassen, um sich ein Denkmal zu setzen, während die Winzer sich Geld zu horrenden Zinsen leihen mussten.

Auf dem dritten Reiterhof, der am weitesten von Geisenheim entfernt lag, begann Thomas mit seiner Suche. Wieso standen die Pferde in winzigen Boxen, wenn es ringsum wunderschöne Wiesen gab? Hatten die Reiter so viel Angst vor ihnen, dass sie die Pferde in engen Ställen einsperrten? Er hätte es den Haltern nicht verübelt, denn die Tiere waren riesig. Er fürchtete sich vor ihnen, vor ihren Hufen, vor ihren Zähnen und ihrer Unberechenbarkeit. Wem konnte es Spaß machen, sich da draufzusetzen, nur um im vollen Galopp wieder runterzufallen und sich den Hals zu brechen? Das war auf der B 42 einfacher zu haben.

Am Nachmittag liefen auf den Reiterhöfen nur kleine Mädchen herum, die bereits als Zwölfjährige ähnlich blasiert wie ihre herausgeputzten Mütter herumstolzierten.

Zwischen kindlicher Scheu, pubertärer Überheblichkeit und Gefallsucht hin- und hergerissen, ließen sie sich zumindest dazu herab, Thomas zu sagen, dass sie eine Alexandra Lehmann nicht kannten. Aber sie kannten sowieso niemanden hier, da sie nur Augen für die Klepper hatten. Und dann hörte Thomas sie weiter mit schrillen Stimmen an den armen Pferden herummeckern, bis Mutter sie wieder in den Geländewagen steckte und zum nächsten Event brachte. Andere posierten in halbdunklen Reithallen vor einem riesigen Spiegel auf lustlosen oder bockigen Gäulen. Zu Alexandra hatte dieser Sport gepasst, bei dem weniger die Reiter als die Pferde aktiv waren. Wieso hatte sie nie ein Wort darüber fallen lassen?

Erst am späten Nachmittag und auf dem dritten Hof wurde er fündig. Es war ein Stallknecht mit einer Schubkarre mit stinkendem Pferdemist, der sich erinnerte.

»Sie hatte kein eigenes Pferd«, meinte er in kaum verständlichem Hessisch. »Sie hatte eine Reitbeteiligung, das heißt, sie bezahlte dafür, dass sie auf einem fremden Pferd reiten durfte.«

Ob er wüsste, mit wem sie hier Kontakt pflegte oder wem das Pferd gehörte?

»Nein. Ihr Freund mit dem Cabrio hat sie öfter gebracht, aber der ist spazieren gegangen, der hat nicht zugesehen.«

Thomas zeigte dem Stallknecht die Fotokopie.

»Ja, das ist sie, das ist das Mädel.«

»Und der Mann, der sich wegdreht, haben Sie den mal mit ihr gesehen?«

»Kann ich nicht sagen, aber sie war mal mit einem älteren Mann hier, vielleicht ihr Vater. Sie haben gestritten. Meistens wollen die Mädels Geld fürs eigene Pferd. Darum geht es immer.«

»Genau wissen Sie das nicht?«

»Was weiß man schon genau, junger Mann. Weshalb wollen Sie das alles wissen?«

In diesem Moment kam Thomas die Idee für eine Strategie. Man brauchte, um den Fuchs zu fangen, einen Köder, und den würde er selbst abgeben.

»Dieses Mädchen wurde ermordet. Vielleicht haben Sie es gelesen. Die Polizei hat einen Unschuldigen eingesperrt und sucht nicht weiter. Der wahre Mörder hat ihr den falschen präsentiert. Und wir glauben zu wissen, wer der Mörder ist, deshalb tragen wir noch letzte Beweise zusammen.«

»Ah, so ist das«, sagte der Pferdeknecht. »Ja, das verstehe ich. Sind Sie Detektiv?«

»Richtig.« Thomas kam die Lüge lächelnd über die Lippen, und heiligte nicht der Zweck die Mittel? »Gut erkannt.«

»Sind Sie dafür nicht etwas jung?«

»Ich arbeite für ein Detektivbüro – in Frankfurt – mein Chef ist natürlich älter.«

Das leuchtete dem Knecht ein, die kurz aufflammende Skepsis legte sich, und er war bereit, die Mistgabel, auf die er sich gestützt hatte, beiseite zu legen. Er gab Thomas seine Mobilnummer.

»Ich soll Sie anrufen, wenn ich etwas von den Pferdehaltern erfahre?«

Thomas gab ihm die Fotokopie. »Zeigen Sie das Bild überall herum und fragen Sie, ob jemand das Mädchen und den Mann kennt.«

»Zahlen Sie auch für Informationen?«

Der Pferdeknecht hatte Sinn fürs Praktische.

»Das kommt darauf an.« Ein Blick in die Brieftasche zeigte Thomas lediglich einen Zwanzig-Euro-Schein. Er musste noch tanken, aber er gab dem Knecht den Schein. »Als Anzahlung. Hundert Euro, wenn was dabei rauskommt.« Er biss die Zähne zusammen. An Manuels Geld würde er sich nicht vergreifen. Dieser Monat versprach ziemlich knapp zu werden.

Auf dem Heimweg sah er sich ein Stück vorangekommen. Die Idee mit der kurz bevorstehenden Aufklärung hielt er für blendend. Der Pferdeknecht wollte Geld verdienen, er würde reden, und irgendwann würde das Gerücht den Weg zum Mörder finden. Der würde auf jeden Fall versuchen, an ihn ranzukommen. Wie es dann weiterging, würde man sehen. Sorgen machte er sich nicht. Dass er sich in Gefahr bringen könnte, war beabsichtigt, aber er erzählte besser weder seinem Vater noch Frau Breitenbach davon. Sie würden es für zu gefährlich halten.

Siedend heiß fiel ihm ein, dass er die Bodenproben noch immer nicht abgegeben hatte. Am Nachmittag stand irgendwas mit Kellertechnik auf dem Stundenplan, aber die Bodenproben waren wichtiger, er musste dem »Chef« am Wochenende Rede und Antwort stehen, und er freute sich sogar darauf. War bei den Bodenkundlern um diese Zeit noch jemand in den Labors? War es nicht sinnvoller, die Tüten morgen früh abzugeben? Für den Kurs zur Kellerbuchführung, eine Tätigkeit, die ihm wenig lag, war es mittlerweile zu spät. Mit dem elektronischen Kellerbuch hatte er sich bereits während der Lehre vertraut gemacht, und auf ihrem Gut gehörte es zur täglichen Praxis. Außerdem machte es genug Mühe, das Studium für seinen Vater zu protokollieren, um ihm seinen Fernkurs, wie er es nannte, zu ermöglichen.

Jede Überquerung des Rheins mit der Fähre war für Thomas ein Erlebnis. Er genoss die Schiffspartie zweimal in der Woche – montags etwas weniger, wenn er aus der Pfalz kam und sich beeilen musste, um rechtzeitig bei der ersten Nachmittagsvorlesung zu erscheinen. Am Freitag hingegen war das Vergnügen größer, denn dann freute er sich, nach Hause zu kommen. Aber die heutige Überquerung sah er lediglich als notwendige Ausnahme, heute war Mittwoch, und er würde mit der letzten Fähre zurückkehren müssen. Er stieg aus dem Wagen, ging zur Reling und schaute ins Wasser. Beim Betrachten des Spiegelbildes der Rüdesheimer Weinberge lächelte er. Das waren Momente, die er liebte.

Die beiden Männer neben ihm hatten dafür kein Auge. Sie sprachen von der Nutzlosigkeit der Zeitersparnis, die der Bau der Loreley-Brücke ihnen zukünftig bringen würde.

»... aber die Baukonzerne verdienen daran«, meinte der Ältere der beiden. »Wie beim Hochmoselübergang. Niemand bis auf die Konzerne und die Politiker brauchen ihn, aber er verschandelt das mittlere Moseltal.«

Thomas trat näher. »Wieso brauchen die Politiker die Brücke?«, fragte er. »Was nutzt ihnen die?«

»Ach, junger Mann«, sagte der Ältere wieder, »wenn sie nicht direkt bestochen werden und ihr Geld im Ausland erhalten, kriegt es hier die Partei als Spende, und die ist steuerlich absetzbar. Indirekt bezahlt der Konzern den Wahlkampf, und die Politiker sichern ihre Jobs in der nächsten Regierung.«

»So einfach ist das?«, fragte Thomas.

»Ja, so einfach ist das«, wiederholte der Passagier und suchte in der Hosentasche nach Kleingeld, um die Überfahrt zu bezahlen.

Was er eben gehört hatte, verdarb Thomas die Laune. Die Überfahrt war für ihn eine Art Zäsur, ein Schnitt zwischen dem Studium und der Geisenheimer Welt und der neuen Welt, die er mit seinem Vater und Manuel aufbaute. Die Freundin seines Vaters gehörte zwar dazu, aber sie gehörte nicht zur Mannschaft ihres Schiffes, sie war mehr ein Passagier, zwar in der ersten Klasse, aber nicht auf der Kommandobrücke.

Regine dagegen hätte er gern in seiner Mannschaft gehabt. Bei ihrem Vater und der angeblich miesepetrigen Mutter blieb ihr nichts anderes übrig, als ins Exil zu gehen, bis der Alte nach der Tochter rufen würde, damit sie den Betrieb übernahm. Bis dahin würde er in seiner Beschränktheit das Weingut in den Ruin gewirtschaftet haben.

Die Fähre schwankte, die Bewegung riss Thomas aus seinen Betrachtungen. Er dachte daran, wie dieser Fluss sein

Leben bestimmte, er floss quasi durch sein Leben, seit sie von Marburg nach Köln gezogen waren.

Da verlangsamte die Fähre ihre Fahrt und näherte sich der Rampe. In diesem Moment bemerkte Thomas den jungen Touristen mit der Kamera, der Sonnenbrille und dem Basecap, dessen Schatten das Gesicht verdeckte. Thomas meinte, dass er sein Objektiv auf ihn gerichtet hatte, aber wahrscheinlich stand er nur zufällig im Bild herum, und die Uferanlagen hinter ihm waren gemeint. Thomas wandte sich um – doch bevor er darüber nachdenken konnte, was dort ein Bild wert gewesen war, musste er einsteigen. Die ersten Fahrzeuge rollten von der Fähre.

Johanna Breitenbach wartete in der Tür. Thomas staunte, er hatte sie bisher nie mit gelöstem Haar gesehen, sie trug es in der Hochschule immer streng nach hinten zusammengenommen. Jetzt fiel es bis auf die Schultern, es ließ sie weich und weiblich erscheinen. Er wollte etwas sagen, besann sich aber, dass man einer Dozentin keine Komplimente machte, schon gar nicht, wenn man mehr als zwanzig Jahre jünger war. Es hieß, sie sei eine begnadete Surferin, und je härter das Wetter sei, desto eher träfe man sie an der breitesten Stelle des Rheins vor Oestrich-Winkel über die Wellen jagend.

»Eh, toll«, entfuhr es ihm, und begeistert ging er an ihr vorbei auf ein Foto im Flur zu. »Sind Sie das?«

Es zeigte eine Surferin bei einem Sprung aus einer Brandungswelle heraus.

»Das ist vor Sylt. Wieso meint jeder, dass Frauen in meinem Alter unsportlich sind?« Johanna Breitenbach stemmte mit gespielter Verärgerung die Hände in die Hüften. »Auch Ihr Vater wurde nicht so alt geboren, wie er jetzt ist.«

»Bei den meisten glaubt man das«, druckste Thomas herum. »Jemand mit fünfundreißig gilt bei uns bereits als scheintot und ist mit fünfundvierzig nur noch sein eigener Schatten.«

»Gehen Sie schon mal ins Wohnzimmer, dann macht Ihnen mein Schatten einen Tee – oder lieber ein Glas Wein?«

Thomas entschied sich für Tee. »Philipp und ich haben ein Abkommen. Null Promille – denn 0,1 Promille gefährden bereits unsere Existenz und die des Weinguts.« Auch wenn es hart war, sie hielten sich dran. Für nicht ganz eindeutige Fälle besaß er das Fahrrad, oder die »Firma« übernahm die Taxikosten. Aber da es auch seine Firma war, drehte er jeden Euro mehrmals um.

Johanna Breitenbach war viel gelöster, als er sie aus der Hochschule und vom Besuch auf ihrem Weingut in Erinnerung hatte. Sie trug einen burgunderfarbenen Mohairpullover mit V-Ausschnitt und dazu Jeans und Sandalen. Thomas war verwirrt, sie so als Frau zu sehen, sie war nicht mehr die Respektsperson aus dem Hörsaal. Und das brachte ihn noch mehr in Verlegenheit.

»Sie wirken nervös, Herr Achenbach. Was ist der Grund dafür? War die Begegnung mit dem Staatsanwalt derart aufwühlend – oder deprimierend?«

Wie reizend von ihr, dass sie ihm die Ausrede lieferte. »Ja, es war schrecklich, ich glaube, an dem Nachmittag ist alles schiefgelaufen. Regine sieht das ähnlich, der Staatsanwalt ist an einer wirklichen Aufklärung nicht interessiert.«

»Mit wirklicher Aufklärung meinen Sie, die Unschuld Ihres Freundes zu beweisen? Das ist ein hartes Urteil«, meinte die Dozentin. »Wie kommen Sie dazu?«

Thomas berichtete ihr so genau wie möglich von dem Gespräch und legte auch die Gründe offen, die ihn zu dieser pessimistischen Einschätzung brachten. »Altmann heißt er, und auf mich wirkte er wie ... ja, wie eine Art Geist, ein Automat, ein Mensch, der sich nicht fassen lässt. Seine wichtigsten Eigenschaften sind, dass er keine hat. Den kann ich mir weder im Sportverein geschweige denn in Geisenheim vorstellen. Und er sieht einen an, als wäre man ein Verbrecher, und alles, was man vorbringt, ist gelogen.«

»Das ist seine Wirklichkeit, die macht es auch anderen nicht leicht. Hat er verlauten lassen, wie es weitergeht?«

»Nein, er hat auch nichts gefragt, er sagte lediglich, dass ich einen Besuchsantrag stellen könne, hat aber offen gelassen, ob er ihn genehmigt, so ein Typ ist das, als hätte er Befriedigung daran, mich zappeln zu sehen.«

»Sie müssen sich arrangieren. Meinen Sie, ich kann helfen?«

»Klar, Sie sind im Staatsdienst ...«

Johanna winkte ab. »Das hat nichts zu sagen ...«

»... Sie müssen ihn drängen, dass Manuel in der U-Haft das Studium fortsetzen kann und dass wir, also Regine und ich, ihm dabei helfen. Reden Sie mit dem Dekan, dann kriegen Sie was Offizielles, ein Schreiben oder so, wenn sich die Hochschule einsetzt ... Manuel gilt als unschuldig, er hat sich nie was zuschulden kommen lassen. Seine Leistungen sind überdurchschnittlich. Und was ist mit dem Anwalt? Sie wirken nicht begeistert.«

Obwohl Johanna Breitenbach sehr zurückhaltend von dem Treffen erzählte, entging es Thomas nicht, dass ihre Vorbehalte gegen den Rechtsanwalt größer waren, als es ihre Worte vermuten ließen.

»Wieso geht er von Manuels Schuld aus? Er soll ihn verteidigen, er soll ihn da rausholen.« Für Thomas war die Einstellung des Anwalts unfassbar. »Er hat bisher nicht ein Wort mit ihm geredet und hat keinen Blick in die Akten geworfen? Was ist das für ein Rechtsanwalt? Sicher bewegt er sich im Dunstkreis des Vaters. Den habe ich einmal erlebt – und hoffentlich nie wieder.«

»Allem Anschein nach ein Jurist mit weitreichenden Beziehungen. Ich würde an Ihrer Stelle besser abwarten.«

»Abwarten?« Thomas brauste auf. »Soll Manuel auch abwarten und Gitterstäbe zählen und in seiner Zelle so lange hin- und herlaufen, bis er einen Graben in den Beton getreten hat? Der muss da raus, der wird verrückt.«

Johanna Breitenbach war ruhig geblieben, Thomas' Ausbruch schien sie zu amüsieren.

»Sie nehmen mich nicht ernst, Sie glauben mir nicht. Aber es ist so. Auf Manuel muss man aufpassen.«

»Ich nehme durchaus ernst, was Sie sagen, Herr Achenbach, aber mit Emotionen erreichen wir nichts. Es zeigt mir lediglich, wie stark Sie involviert sind. Es muss eine tiefe Freundschaft sein, wenn man sich mit so viel Kraft für jemanden einsetzt. So, beruhigen Sie sich, Sie sind hier, damit wir überlegen, wie man am besten vorgeht.«

Thomas sackte auf dem Sofa in sich zusammen. Er wusste nicht, wie es weitergehen sollte, er fühlte sich alleingelassen, er biss sich auf die Lippen und schwieg.

»Es ist alles eine Frage der Zeit«, fuhr Johanna fort, »und eine der Geduld. Lassen Sie uns konkret werden.«

»Ich bin auch so aufgebracht, weil Manuels Vater nur um sein Image besorgt ist. Ich habe den Eindruck, es handelt sich um eine Verschwörung, um Manuel aus dem Weg zu räumen.«

»Wozu dann der Umweg über Alexandra Lehmann?«

Für seine These fehlten Thomas stichhaltige Argumente, und über seine Vermutungen wollte er nicht weiter reden. »Ich habe was über sie rausgekriegt«, sagte er und erzählte von seiner Suche in den Reitställen.

Johanna Breitenbach hatte still zugehört. »Wie sind Sie an das Foto gekommen? Das wird man sich fragen.«

Thomas zögerte. »Ich habe es in Manuels Schreibtisch gefunden. Außerdem glaube ich, dass ich Alexandra unterschätzt habe. Der Staatsanwalt hat mich nach ihrer Arbeit gefragt, er wusste eine Menge darüber, auch dass sie in der Forschungsanstalt mitgearbeitet hat. Analytische und anorganische Chemie waren ...«

Johanna unterbrach ihn. »Gehört das bei den Weinwirtschaftlern nicht zum Studienprogramm?«

»Nein. Sie hatte mehr drauf, als sie uns hat wissen lassen.«

»Chemie sagten Sie?« Johanna Breitenbach lehnte sich nachdenklich zurück.

»Sie machen ein Gesicht, als wäre Ihnen dazu was eingefallen.«

Das »Nein, nein« kam zu schnell, als dass Thomas es ihr abgenommen hätte, aber er wollte nicht insistieren.

»Ich werde versuchen, über die Bibliothek rauszukriegen, welche Bücher sie ausgeliehen hat, dann wissen wir, woran sie gearbeitet oder wofür sie sich sonst noch interessiert hat. Das könnte uns weiterbringen.«

»Fällt das nicht unter den Datenschutz?«

»Bislang habe ich Sie gar nicht zu den Bedenkenträgern gezählt.« Thomas war kurz vor dem Verzweifeln. »Es geht um Mord, Frau Breitenbach, und um meinen Freund. Mit Frankreich hatte sie auch was zu tun.«

»Das ist bei Internationaler Weinwirtschaft selbstverständlich.« Wieder war es Thomas, als gäbe sie sich selbst die Antwort auf eine Frage.

»Was hat denn für Sie überhaupt was zu bedeuten, Frau Breitenbach? Alles, was ich vorbringe, machen Sie nieder. Interessiert es Sie, dass auch kein Mobiltelefon gefunden wurde?«

»Das hat bestimmt die Mordkommission, um die Verbindungsdaten zu überprüfen.«

»Sie haben keins gefunden, ich sagte es doch. Aber ich weiß, dass sie eines hatte. Die Verbindungsdaten sind sowieso gespeichert. Ich wette, sie hatte ein zweites, für Gespräche, deren Nummer nicht angezeigt wird und wovon man andere nichts wissen lassen will.«

»Warum?«

»Genau das sollten wir herausfinden.«

10

»Erzählen Sie mir ganz in Ruhe, was Sie über Alexandra wissen.« Johanna hob abwehrend die Hand, als Thomas Luft holte. »Lassen Sie sich von Ihren Gefühlen nicht mitreißen. Sie treiben uns an; aber bei Ihnen läuft der Motor bereits auf Hochtouren. Jetzt hilft uns ausschließlich der Verstand weiter.«

»Heißt das, Sie denken auch, dass Manuel unschuldig ist?« Thomas war wieder hellwach.

Eine klare Antwort wollte sie ihm nicht geben, Johanna seufzte. Sie konnte und wollte sich noch nicht festlegen. »Seien Sie damit zufrieden, dass ich Ihnen helfe, und stellen Sie mir keine weiteren Fragen. Aber eine Bedingung muss ich stellen, nein, zwei!«

Thomas blickte sie an, als hätte er sich zu früh gefreut.

»Keine Sorge, ich werde Sie nicht in Ihrer Bewegungsfreiheit einschränken, und ich nehme auch kein Geld. Ich will auch sonst keine Gegenleistung, ich will nur absolutes Stillschweigen. Versprechen Sie mir das? Ich möchte meinen Beruf nicht aufs Spiel setzen, ich fühle mich in Geisenheim wohl, auch unter den Kollegen. Ich erwarte, dass Sie sich an Absprachen halten und Ihren Überschwang bändigen.«

»Jugendlichen Überschwang« hatte sie sagen wollen, aber sie korrigierte sich im letzten Moment. So wie sie Thomas kannte, würde er gleich wieder aufbrausen, und gleichzeitig wusste sie, dass es besser war, junge Männer nicht zu bremsen, andernfalls preschten sie erst recht vor.

»Ich erwarte weiter, dass Sie mich über Ihre Schritte informieren und nicht eigenmächtig handeln.«

Klarer konnte sie ihre Vorstellungen nicht äußern. Der Junge wusste, woran er war, und sie war überzeugt, dass er ein Versprechen hielt. Sie hatte erlebt, wie er mit seinem Vater und dessen Freundin umgegangen war, wie er Manuel an jenem Wochenende behandelt hatte, und hielt ihn für jemanden, der von Verantwortung schon mal gehört hatte, was nicht nur bei jungen Menschen aus der Mode gekommen war. Die Mehrheit hatte Verantwortung längst gegen einen Werbeslogan eingetauscht: Unterm Strich zähl ich!

Thomas wand sich, Johanna sah es ihm an. Es fiel ihm schwer, sich zu ihren Forderungen zu äußern, schließlich stimmte er zu. »Ich habe kapiert, worauf Sie hinauswollen. Gut, ich halte mich dran. Und wenn wir schon bei Forderungen sind, oder dabei, Ansprüche zu formulieren, dann informieren Sie mich bitte auch über alles, was Sie herausfinden, auch wenn es sich um ...« Er zögerte, wusste nicht weiter.

»... Mitglieder der Dozentenschaft handelt?«

Thomas nickte und schaute zu Boden.

Johanna fragte sich, ob er einen Verdacht hatte oder ob es ihm peinlich war, darüber zu sprechen. Es war besser, ihn nicht zu drängen; so wie sie ihn einschätzte, würde er sowieso nichts mehr sagen. Aber da täuschte sie sich.

»Ich habe mir von vielem ein Bild machen können. Ich habe mit meinem Vater einiges durchgestanden. Das hat uns noch mehr zu einem Team gemacht. Ich sage das, damit Sie mich verstehen. Philipp und ich haben ein gemeinsames Projekt, ich war bei den wichtigsten Verhandlungen dabei, sowohl in Bezug auf den Kauf der Kellerei, es wird ja mal Manuels und mein Betrieb sein, wie auch in Bezug auf die Finanzierung. Ich habe die Banker erlebt und die Weinhändler, die Anteile gezeichnet haben. Manuel hat sich gleich eingeklinkt, hat sich eingekauft, weil er es ernst meinte. Er war glücklich bis auf – diese Beziehung. Alexandra hat ihn fertiggemacht. So ganz habe ich noch nicht begriffen, was er von ihr wollte oder was er an ihr hatte. Alexandra hat Manuel nichts gegeben, nur genommen.«

»Womöglich war er nichts anderes gewohnt? Aber was hat das mit Alexandra und dem Mörder zu tun?«

»Der läuft irgendwo hier rum. Wenn er zu ihrem Tod gehörte, dann auch zu ihrem Leben. Sie selbst, Frau Breitenbach, haben gesagt, dass man am Leben des Opfers erkennt, warum es getötet wurde und wer der Täter war.«

»Mord ist immer der letzte Ausweg, der allerletzte. Entweder war der Mörder verzweifelt, befand sich in einer ausweglosen Situation, vielleicht war er bedroht, vielleicht zutiefst beleidigt, tödlich gekränkt, vielleicht ist sie mit ihm genau so umgegangen wie mit Ihrem Freund – oder schlimmer, oder der Mörder ist sich sicher, dass man nicht auf ihn kommt, dass man niemals vermuten würde, dass er es gewesen ist ...«

»Sie gehen von einem Mann aus.«

»Das tue ich. Junge Frauen würden es mit Mobbing versuchen, mit Rufmord, sie würden sich eher prügeln statt zum Äußersten zu greifen ...« Jetzt zögerte Johanna. Ihr war plötzlich noch eine weitere Möglichkeit in den Sinn gekommen. »Halten Sie es für möglich, dass Alexandra sich in irgendeine Beziehung gedrängt hat, und die Frau dieses Mannes hat ganz extrem reagiert und die Rivalin aus dem Weg geräumt?«

»Frauen erschlagen niemanden.«

»Auch Winzerinnen nicht? Auch nicht den eigenen Ehemann nachts im Bett mit einem Beil?« Sie lachte. »Das soll vorgekommen sein.«

»Das gehört mehr in Manuels alte Welt, in die oberbayerische, das Familiendrama auf dem Einödhof.« Jetzt lachte auch Thomas, wurde aber schnell wieder ernst. »Ich finde

Ihren Gedanken gar nicht so abwegig.« Er griff in die Tasche und zeigte Johanna die Fotokopie, sie war bereits ziemlich zerknüllt, er strich sie glatt. »Die Aufnahme wurde auf einem Reiterhof gemacht, wo Alexandra geritten ist.«

Nach allem, was Johanna wusste, passten Pferde zu den Allüren junger Mädchen, die hoch hinauswollten und im Grunde genommen Schwierigkeiten im Umgang mit Menschen und ihrer Umwelt hatten. Sie waren zwischen Pflege und Kontrolle hin- und hergerissen. Sie betrachtete die Kopie sehr aufmerksam.

»Kann es nicht ihr Vater sein? Was ist mit den Eltern? Haben die sich gemeldet?«

»Das ist nicht ihr Vater. Der würde sich nie wegdrehen, wenn man ihn mit seinem Kind fotografiert.«

Thomas stand auf und versuchte die Haltung nachzuahmen, die der Mann auf dem Bild eingenommen hatte, er drehte sich abrupt weg wie jemand, der sich nicht fotografieren lassen will.

»Er hat erreicht, was er wollte, man erkennt ihn nicht. Aber ich glaube, dass ich ihn schon mal gesehen habe. Irgendetwas in seiner Haltung erinnert mich an irgendwen ...«

»Irgendwas und irgendwen – finden Sie das nicht ein bisschen vage?«

»Ja, aber wenn es Manuel aus dem Knast bringt, gehe ich sogar zu einem Wahrsager.«

»Meditation hilft da, glaube ich, mehr.« Johanna war es lieb, dass sie beide nicht in tödlichem Ernst über die Angelegenheit sprachen. Die Unverdrossenheit und der Mut, mit denen der junge Mann ihr gegenüber bei der Sache war, machte das Drama erträglich. Manuels Verhaftung und der Mord gingen ihr bei Weitem nicht so nah wie Thomas. Aber was ging ihr eigentlich nah, was ließ sie überhaupt noch an sich heran? Johanna dachte an Carl, dann schüttelte sie innerlich die Gedanken ab und sah Thomas an.

»Sie haben meine Frage nach den Eltern nicht beantwortet.«

Thomas kratzte sich am Bart. »Ich weiß nichts von ihnen. Ich könnte Manuel fragen, aber ich weiß nicht, wann ich die Besuchserlaubnis bekomme, zumindest soll Telefonieren erlaubt sein, und Briefe darf man auch schicken. Er hat nie von Alexandras Eltern gesprochen; ob sie von ihnen erzählt hat, weiß ich nicht, und mit Alexandra habe ich kaum ein persönliches Wort gewechselt. Es mag ein Fehler gewesen sein, im Nachhinein sehe ich das so. Ich sollte vielleicht mit den Eltern Kontakt aufnehmen und sie mir ansehen. Dann wissen wir, ob ihr Vater auf dem Bild ist oder jemand anders.«

»Wir dürfen uns nicht nur in diese Richtung bewegen«, gab Johanna zu bedenken. »Wir sollten uns klar darüber werden, wer von uns beiden was erledigen kann. Wir tappen nach wie vor im Dunkeln.«

»Ja, das tun wir.«

Thomas stand auf und lief im Wohnzimmer auf und ab und blieb vor dem Bücherregal stehen. Er zog ein Buch heraus, es war ein Weinführer der Toskana. »Waren Sie mal da?«

»Mehrmals«, sagte Johanna, und sie erinnerte sich gern daran. »Ich liebe Florenz, ich liebe die Uffizien, ich liebe es, auf dem Ponte Vecchio zu stehen, die Leute flanieren zu sehen, sie haben gute Laune, sind chic angezogen, ich höre gern Italienisch und genieße den Sonnenuntergang über dem Arno. Ein schöneres Licht als in der Toskana gibt es kaum.«

»Aber hier geht es um Weingüter. Die Bilder gefallen mir, besonders die Porträts der Winzer.« Thomas war mehr an den Gesichtern interessiert als an den Kellereien. »Solche Bilder sollten wir von uns irgendwann auch machen lassen.«

»Kein Problem«, meinte Johanna. »Ich mache Sie mit dem Fotografen bekannt.«

»Sie kennen ihn?«

»Mein Mann kennt ihn, er heißt Gatow, Frank Gatow,

wenn er nicht mit der Kamera durch Weinberge schnürt, hilft er seiner Frau auf ihrem Weingut bei Brolio. Wenn Sie wollen ...«

»Waren Sie mal da?«

»Leider nein, der Fotograf hat uns in Stuttgart besucht.«

Das mit den Fotos habe Zeit, sagte Thomas, bis man das Weingut vorzeigen könnte. »Aber es ist gut zu wissen, wen man fragen kann, wenn wir so weit sind. Man bringt uns in Geisenheim zwar auch einiges über die Präsentation von Weingütern bei, wir machen Prospekte, wir drehen Videos, man zeigt uns, wie man sich den Medien gegenüber darstellt, was man bei einem Interview redet und so weiter, aber Profis sind viel besser – wie dieser hier. Ich finde es toll, wie er Menschen fotografiert, man erfährt etwas von ihnen. Da fällt mir was anderes ein. Ich habe gehört, dass es immer schwieriger wird, eine Tat aufzuklären, je länger sie zurückliegt, so heißt es.«

Johanna sah das weniger eng. »Für die Polizei mag das stimmen, uns hingegen kann der Zeitfaktor helfen. Je mehr Zeit vergeht, desto sicherer fühlt sich der Mörder, er wird unvorsichtig und begeht Fehler. Aber wir wissen ja eigentlich gar nichts.« Sollte sie über den Verdacht sprechen, den sie seit jenem Mittagessen in der Mensa hegte? Dass sie sich den Namen des unsympathischen Kollegen, der auffälliges Interesse an Alexandra gezeigt hatte, nicht merken konnte, wertete sie fast als Indiz.

Es war mittlerweile zehn Uhr geworden, Thomas stand auf. »Ich will los, ich weiß nicht, wie lange die Fähren verkehren. Vielleicht kommt Regine auch mal wieder nach Hause. Wir müssten reden.«

»Sie beteiligt sich bestimmt dabei, Ihren Freund über das Studium auf dem Laufenden zu halten.«

Zu Johannas Erstaunen zuckte Thomas Achenbach mit den Achseln, er suchte nach Worten und wirkte sogar ein wenig hilflos, das war neu.

»Sie hat einen Freund«, stieß er hervor.

Die Art, wie er es gesagt hatte, ließ Johanna schmunzeln. »Was ist daran ungewöhnlich?« Es hörte sich beinahe so an, als hätte die Studentin Verrat begangen.

»Für Regine ist das ungewöhnlich. Sie hat bislang einen Bogen um die Kerle gemacht. Wir dachten immer, dass das mit ihrem Vater zusammenhängt; er ist ein weltfremder Typ, streng und altmodisch – reaktionär würde mein Vater dazu sagen, ein Chauvinist. Bloß nichts Neues einführen, das ist seine Devise. Vielleicht ist er ja – dumm? Aber Regine nicht. Sie schläft kaum noch zu Hause, sie zieht sich anders an, plötzlich nimmt sie Lippenstift und dreht sich dauernd vor dem Spiegel ...«

»Könnte sie die Liebe entdeckt haben?«

»Wie romantisch. Nein!« Thomas sagte das mit so viel Überzeugung, dass Johanna aufhorchte. Dieses Nein gefiel ihr nicht, es war zu absolut. Arbeitete er auf diese Weise das Defizit in seinem Leben ab, oder war seine unversöhnliche Art dem Umstand zuzuschreiben, dass er ohne Mutter aufgewachsen war? Sein Vater war verbindlicher, ihr hatte die Selbstverständlichkeit im Umgang mit seiner Freundin gefallen, Johanna war fast ein wenig neidisch geworden. War Thomas auf Regine eifersüchtig? Alles, was sie über Alexandra erfahren hatte, wusste sie von Thomas. Sie war ihm im Weg gewesen. Zuerst Alexandra ... jetzt der Freund von Regine ... Johanna gewann das Gefühl, dass er die WG und sein Weingut als seine Gemeinschaft ansah, er war der Hund, der die Schafe zusammenhalten musste.

»Wenn Regine ihn lieben würde, hätte sie ihn mitgebracht und uns vorgestellt. Unsere WG ist so wie unser Weingut: Jeder kann kommen, jeder ist willkommen, wenn ... wenn ... wenn er sich einbringt, wenn sie oder er mitmacht und nichts zerstört, ach, was weiß ich. Sie versteckt ihn, ganz klar, weil irgendwas nicht stimmt.«

»Sind Sie nicht zu misstrauisch, Thomas?«

Die Frage erinnerte Johanna an ihr eigenes Misstrauen gegenüber dem Kollegen, der ihr das Foto in der Bild-Zeitung gezeigt hatte. »Falls Sie bei Ihren vielseitigen Aktivitäten etwas Zeit erübrigen können, kümmern Sie sich mal um den Chemiedozenten.«

»Herrn Florian? Sie meinen, weil Alexandra sich allem Anschein nach intensiver mit seinem Fachgebiet beschäftigt hat?« Thomas sprang sofort darauf an. Sein Tempo und sein Schwung imponierten Johanna, ja, sie bewunderte ihn im Stillen und dachte daran, wie anders ihr Leben verlaufen wäre, wenn sie mit Carl ein Kind gehabt hätte. Wäre ihr Leben ärmer oder reicher geworden? Aber es war müßig, sich darüber Gedanken zu machen. Sie war da, wo sie war, und es war nicht gut. Noch nicht – sagte sie sich, noch nicht.

Als Thomas das Haus verließ, waren die nächsten Schritte besprochen und die Aufgaben verteilt. Sie würden sich morgen wieder treffen, nachmittags beim Winzer Peter Jakob Kühn, der im Weinbau einen anthroposophischen Weg ging, wohin der auch immer führen mochte. Er hatte Johanna neugierig gemacht, obwohl sie Steiners Theorien ablehnte, sie konfus und als unwissenschaftlich empfand.

Die sogenannte weiße Rasse mit dem Denken zu verbinden, die gelbe mit dem Gefühl und die schwarze mit dem Triebleben hielt sie für Unsinn und rassistisch. Demnach war Adolf Hitler der Denker, hatte Nelson Mandela nur getanzt, während Konfuzius und Mao Tse-tung sich in ihren Gefühlen verstrickt hatten. Für Johanna gab es nur eine Rasse – die menschliche. Einige seiner Anhänger entschuldigten Steiners Idee mit dem Geist jener Zeit um den Ersten Weltkrieg.

Von Steiners Thesen zur Landwirtschaft wusste sie nichts. Sie nahm an, dass es Thomas ähnlich ging. Thomas wollte lernen, wollte zu seinem Wissen über biologischen Weinbau das über den dynamischen erkunden. Sie freute sich, dass er ihr angeboten hatte, sie mitzunehmen.

Johanna trat auf den Balkon und sah, wie der Junge, wie sie ihn im Stillen nannte, unter ihr aus dem Haus trat und durch den Schein der Straßenlaterne zu seinem Auto ging. Er hatte sich an die Absprache gehalten. Das hierarchische Verhältnis zwischen ihnen hatte sich von allein verflüchtigt. Er war bei genauer Betrachtung ihr Schüler oder Student, ihr Auftraggeber und jetzt sogar Partner. Als er die Wagentür öffnete, stutzte sie und holte ihre Brille. Jetzt sah sie den Mann hinter dem geparkten Mazda genau, er stand außerhalb des Lichtkegels der Laterne. Der Mann hielt einen Gegenstand vors Gesicht. War es eine Kamera? Als Thomas den Motor anließ, war der Mann verschwunden, stattdessen hörte sie, wie ein zweiter Motor angelassen wurde und der Mazda mit Abblendlicht dieselbe Richtung einschlug wie ihr junger Student. Sie hatte den Eindruck, dass der Mazda hinter ihm herfuhr. Aber wer konnte wissen, dass sie sich heute hier getroffen hatten?

Die Straße lag im Dunkeln. Bingen hatte die Bürgersteige hochgeklappt, hinter zugezogenen Gardinen flimmerte das blaue Licht der Fernsehgeräte, und die Nachtwächter mit Hellebarde und Handlaterne zogen um die Häuser.

Das Gespräch hatte sie wach gemacht, und sie beschloss, sich an den Schreibtisch zu setzen und noch einmal die Vorlesung durchzugehen, die sie in Bingen halten würde. Da bemerkte sie, dass die Balkonblumen welkten, sie nahm die blaue Gießkanne und füllte sie im Badezimmer. Sie gab den Pflanzen viel zu viel Wasser, sie war nicht wirklich bei der Sache, das Gespräch rumorte in ihr. Thomas Achenbach hatte gesagt, dass Manuel bei ihnen und in ihrem gemeinsamen Projekt einen Halt, ein Ziel und Hoffnung gefunden hatte.

Im Vergleich dazu sah es bei ihr düster aus. Sie lebte in den Tag, ihr Halt war der Rhythmus der Lehrpläne auf der jeweils falschen Seite des Rheins, der Tagesablauf war nicht selbstbestimmt, und sogar die Ziele hatten wenig mit ihr zu tun. Sie bildete junge Leute aus für eine Zeit, der sie wahrscheinlich nicht gewachsen sein würden. Sie hatte das dumme Gefühl, sich lediglich an der weltweiten Beschwichtigungsshow zu beteiligen.

Thomas Achenbach hatte von Hoffnung gesprochen. Worauf wollte sie hoffen? Dass sie wieder mit Carl zusammenkam, dass sie zusammenlebten, ihr Leben teilten und sich liebten? Träumte sie vom kleinen Glück im kleinen Haus? Nein. War man nicht erst frei, wenn man auch frei von Hoffnung war und dem folgte, was in einem selbst nach außen drängte? Dann musste sie sich weiter dem Absurden hingeben, der Gegenwart, wie sie war, ihren Widersprüchen, ihrer Zerrissenheit und der Entzweiung, wie es Albert Camus in seiner Existenzphilosophie gesagt hatte? Man sollte wissen, wie man fliehen konnte oder warum man blieb.

Blieben in den Jahrzehnten des Älterwerdens alle Träume auf der Strecke? Heute verstand sie ihre Eltern, die sie als junges Mädchen hatten mäßigen wollen, als sie bei dem Versuch, vieles zu ändern, gegen Mauern und Knüppel gerannt war.

»In Deutschland veränderst du nie etwas.« Den stereotyp wiederholten Satz ihres Vater hatte sie gehasst – und ihn neuerdings wieder im Ohr. »Die Leute wollen so sein, wie sie sind. Demokratie ist etwas zum Mitmachen, und dafür ist die große Mehrheit zu träge. Und sich für andere einzusetzen ist verlorene Liebesmühe. Kaum drehst du dich um, lachen sie dich aus. Und dann steht immer einer da, der sie dazu anstachelt, und den wählen sie.«

Eine ähnliche Sicht hatte Thomas Achenbach in Bezug auf die Reaktion seiner Umgebung. Sein Bemühen um Manuel Sterns Freilassung wurde kritisiert oder belächelt. Sie wunderte sich über Thomas. Dieser Bengel hatte sie aus dem Gleichgewicht gebracht. Das Schrillen des Telefons riss sie aus den Gedanken. Sie sprach eine knappe Stunde mit Carl und wehrte sich, nachdem sie den Hörer leise zurückgelegt hatte, gegen die Freude, dass er sich fürs Wochenende angemeldet hatte, und sofort ärgerte sich wieder über ihre dumme Reaktion. Das machte sie wach, und so setzte sie sich wieder an den Schreibtisch, nahm Steiners »Geisteswissenschaftliche Grundlagen zum Gedeihen der Landwirtschaft« und las, bis ihr die Augen zufielen.

Das Weingut lag am Ende des Ortsausgangs von Oestrich-Winkel, wo die Weinberge begannen. Die Rebzeilen neben der Kellerei machten den Geist dieses Hauses offenbar. Da war nicht ein Zentimeter Boden zwischen den Rebstöcken unbegrünt. Als Johanna aus dem Wagen stieg, sah sie den Rücken einer Gestalt zwischen den Reben. Hätte der Austrieb der Weinstöcke der Jahreszeit entsprochen, wäre Thomas nicht zu sehen gewesen, aber der Wein war bislang über den Sieben-Blatt-Status nicht hinaus. Der Student kniete in der vordersten Rebzeile, mit der Nase am Boden wie ein Hund. Wollte er mit einer Lupe das Bodenleben erforschen und dabei das Gleichgewicht in diesem Weinberg prüfen, den Milben und den auf sie angesetzten Raubmilben nachspüren? Sie hätte sich nicht gewundert, so wunderlich wie Thomas ihr manchmal erschien. Aber es war eine Kamera. Egal, worum es sich handelte, der Junge nahm auf, lernte, sog in sich ein, hörte zu und beobachtete. War sie in seinem Alter anders gewesen?

Johanna winkte Thomas, er kam zu ihr, sie begrüßte ihn freundlich, und nebeneinander, fast schon vertraut, gingen sie auf dem sacht ansteigenden Weg zum Empfangsraum für Gäste und Kunden. Große Glasflächen statt Mauern ließen alles offen, nichts wurde verborgen, und so ähnlich empfand Johanna das Gesicht des gut gelaunten Winzers. Ohne lange Vorrede ließ Kühn seine Gäste in den Lieferwagen einsteigen und fuhr hinauf in die Weinberge.

Der Boden war für den Winzer das alles Entscheidende, so wie andere Winzer ihr eigenes Tun für den entscheidenden Faktor hielten, wieder andere sahen das Heil in der Rebsorte, die nächste Gruppe schwor auf besondere Klone oder eine Mischung davon, dann wieder wurde der besondere Laubschnitt favorisiert. Doch für biodynamisch orientierte Winzer war der Boden das Nonplusultra. Schließlich brachte die Erde das Leben hervor.

»Die Industrie nimmt immer mehr Einfluss«, sagte Kühn, während sie langsam durch die Weinberge fuhren. »Sie uniformiert alles, nicht nur den Weinbau, auch die Supermärkte, die Metzger und Bäcker. Was wird da produziert? Backlinge. Wir sind entmündigt worden, die Natur genau wie wir, und dadurch schaffen wir Monotonie in allem, auf dem Land, in den Städten, und das macht uns im Grunde mit dem Leben unzufrieden.«

Johanna merkte, wie sie auf eine Aussage des Winzers wartete, der sie widersprechen konnte. Bei der nächtlichen Lektüre war ihr Rudolf Steiner gegen den Strich gegangen. Aber mit dem, was der Winzer sagte, stimmte sie überein. Thomas schwieg und schaute, er war wie ein Schwamm, der alles in sich aufsog.

Sie hielten an einem Platz mit mehr als mannshohen Wällen heller Erde. Johanna genoss den weiten, freien Blick hinunter ins Rheintal, über Oestrich-Winkel auf den in der weichen Nachmittagssonne schimmernden Strom. Ein gewaltiger lebendiger Raum tat sich vor ihr auf, lieblich und mächtig, in ständiger Bewegung und Veränderung, vom Strom dominiert, geteilt und verbunden, der weite Himmel darüber wie ein Dach und die Höhenzüge als Grenzen, damit die Landschaft sich nicht im Uferlosen verlor. Es gab Licht, es gab Farbe, um alles zu unterscheiden und die Stadien des Wachstums sowie den Zustand zu erfassen. Die Stadt Ingelheim am jenseitigen Ufer war aus dieser Perspektive bedeutungslos, außerdem gehörte sie zu Rheinhessen, und die Weine von dort interessierten an diesem Ufer kaum jemanden.

Der Winzer hatte mit beiden Händen in einen der Erd-wälle gegriffen, nach dem Ätherisch-Lebendigen, wie es Rudolf Steiner genannt hatte. Thomas schaute fasziniert zu, denn in den jetzt offenen Händen, die ihm der Winzer entgegenstreckte, wimmelte es von Regenwürmern. Da war keine Erde mehr, da war nur Leben, und Kühn erklärte ihnen die Bestandteile der Kompostberge: »Treber, die aus-gelaugten Reste aus der Bierproduktion, abgestochene Hefen, Sägemehl, Laub, Trester, Erde und Rinderdung – so geben wir dem Boden das Leben zurück.«

Das war für Johanna einsichtig, sie sah Thomas mit-schreiben, sie hingegen wartete auf das Stichwort, das dann auch pünktlich kam. »Eichenrinde, Löwenzahn, Kamille, Brennnessel und Baldrian werden getrocknet und dann in die Bauchdecke eines Rindes eingeschlagen und den Winter über vergraben.«

Wem sollte das nutzen? Dem Boden? Dem Winzer? Dem Wein? Dem Rind auf keinen Fall, denn es musste neben der Bauchdecke auch sein Horn opfern; in ihm wirkten Kräfte, nach innen gerichtete, die auf den in das Horn gestopften Mist übergingen. Den galt es in Wasser aufzulösen und damit zu düngen. Doch zuvor musste das Kuhhorn den Winter über vergraben werden, da, von Erde umgeben, alle im Kuhhorn enthaltenen Strahlen nach innen strahlten, im Sinne einer Ätherisierung und Astralisierung … Was für ein Mist, dachte Johanna und schaltete ab.

Als sie später an einem Platz saßen, wo der Winzer eine Art Terrasse und ein Kreuz hatte errichten lassen, erinnerte sie sich, dass Steiner wegen seiner Rassetheorie in die Nähe der Nazis gerückt worden war. Was dachte ihr Winzer darüber. Warum hatte er hier mit biodynamischem Wein-bau begonnen?

»Dieser Weg war für uns bereits vorgezeichnet, als wir die Entscheidung für den biologischen Anbau trafen. Mir ging es darum, zusätzliche Kräfte zu mobilisieren. Man ringt nach Worten, es zu erklären. Etwa achtzig Prozent aller Kräfte, die sich auf der Erde zeigen, die hier auf das Wachstum einwirken, kommen aus dem Kosmos. Die gilt es zu nutzen.« Etwas landläufiger war da schon die Erklärung, dass er zuerst auf mineralischen Dünger verzichtet hatte, damals hingen auch bei ihm im Rheingau überall Pheromon-Ampullen. Und der Eintrag von Humus in den Weinberg gab ihm das, was er den Trauben gab, auf natürliche Weise zurück.

»Und wenn man zum dynamischen Weinbau übergeht, hat man den Eindruck, dass sich immer neue Türen öffnen, nach jeder Tür kommt eine weitere. Wir stärken die Pflanzen, wir schaffen eine Atmosphäre, in der sie sich wohl fühlen, in der die Vielfalt durch Aussaaten von Gräsern und Kräutern wiederhergestellt wird. Und der Weinstock dankt es uns mit gehaltvolleren Trauben.«

Steiner hatte unter anderem von der Form der Elemente gesprochen, wie Johanna Thomas erklärte, vom Aggregatzustand, in dem zum Beispiel Stickstoff vorkam, gasförmig in der Atemluft, gebunden im Boden als Dünger. Der eine sollte tot sein, der andere war für ihn lebendig und sollte ein Eigenleben besitzen, sogar ein spirituelles.

»An dieser Stelle bin ich ausgestiegen, dazu bin ich zu sehr Naturwissenschaftlerin, als dass ich noch hätte folgen können. Ich wollte auch nicht mehr. Ich halte viel von ganzheitlichen Methoden, einer nicht nur selektiven Betrachtung einzelner Phänomene. Ich weiß, dass im physischen und psychischen Raum alles miteinander in Beziehung steht. Sie wissen, wie ich das meine. Um das nicht anzuerkennen, habe ich zu viel über Klimamodelle gelernt. Aber der Schritt hin zu einer esoterisch orientierten Weltsicht ist mir dann doch zu groß.«

Wenn es sich um Menschen handelte, war sie sich längst nicht mehr so sicher, doch das sprach sie nicht aus. Sie beobachtete den Winzer und Thomas, die beiden verstanden sich auf Anhieb. Sie kannte es von sich selbst: Jede neue Begegnung ließ ein Gefühl entstehen, da reichte die Spannweite von Liebe auf den ersten Blick bis zu völligem Abscheu. Eher zwischen Indifferenz und Abneigung hatten die Begegnungen mit Marquardt und dem Chemiker gelegen, mit dem Forschungsmakler und Rechtsanwalt Vormwald, an die sie sich in diesem Moment erinnerte und die gar nicht hierher passten. Wenn der Mensch nicht nur naturwissenschaftlich betrachtet wurde, wenn er eine Seele hatte, ein Bewusstsein, sie war wieder bei Steiner angekommen, wieso sollte das nicht auch für andere Lebewesen gelten? Aber ein Zweifel blieb immer – und eigentlich wusste man gar nichts. Man konnte letztlich nur herumprobieren.

Das taten sie nach der Rückkehr in die Kellerei. Die Weine stammten von den Lagen Oestricher Doosberg, einem humosen und tonigen Weinberg. Der Riesling vom Mittelheimer St. Nikolaus, der hundertfünfzig Meter vom Ufer des Rheins entfernt wuchs, auf reinem Löss, war ein von den Aromen her intensiver und dichter Wein. Bei der Nähe zum Rhein als Wärmespeicher begannen der Austrieb und die Blüte früh, die Reifeperiode war lang, die Trauben hatten viel Zeit, ihre Aromen zu entwickeln, und ließen den Wein sehr vielschichtig werden. Johanna hörte zu, wie Thomas und der Winzer darüber sprachen.

Vom Oestricher Lenchen stammten ein Kabinett und eine Spätlese, eine Auslese und auch die sehr süße und fruchtige Beerenauslese. Aber ein trockener Riesling mit dem Namen Quarzit gefiel ihr am besten. Ob es der Beste war, wusste sie nicht zu sagen, darauf kam es ihr nicht an. Der Duft erreichte ihre Nase sogar beim Einschenken. Der Wein war herb, er war fruchtig, er war grün, vordergründig erinnerte er sie an Apfel, hintergründig an Gräser, sie sah den Hang oberhalb von Rüdesheim vor sich und empfand das Traubenaroma als besonders deutlich, wesentlich prägnanter als bei anderen Weinen dieser Rebsorte.

»Damit können die wenigsten Weintrinker umgehen«, merkte der Winzer an, und Johanna sah Thomas bewundernd das Gesicht verziehen, als er hörte, dass dieser Wein im Stahl vergoren war und nicht im Stückfass.

»Ein Trauerspiel, dass Manuel das nicht schmecken kann, er wäre begeistert.«

Das ungewöhnlichste Geschmackserlebnis seit Langem war der Amphorenwein. Besonders biodynamisch produzierende Winzer wie Kühn probierten diese uralte Methode aus. In Georgien, dem Ursprungsland dieser Technik, wurden die Amphoren im Freien vergraben und nach der Lese mit Trauben gefüllt. Dann überließ man das Ganze mindestens den Winter über sich selbst. Kühn hatte Amphoren in Drahtkörbe gestellt und den freien Raum ringsherum mit Ton ausgefüllt. Anschließend war der abgepresste Most hineingegeben worden. Verschlossen wurde es mit einem Deckel, zum Abdichten diente eine Art Talg.

Um diesen dunklen, mehr als goldgelben Weißwein richtig zu beschreiben, hätte Johanna am Sensorikseminar teilnehmen müssen. Sie merkte einmal mehr, dass Studenten wie Thomas ihr darin überlegen waren. Wenn sie an der FH bleiben wollte, würde sie nicht umhin kommen, ihr Geschmacksempfinden zu vervollkommnen – und davon war sie weit entfernt. Sie wusste, was oxidative Geschmacksnoten waren, sie ließen sich leicht von Fruchtaromen unterscheiden, aber dann gab es wieder Primär- und Sekundärnoten, und auf die Rebsorte wäre sie bei diesem Wein sowieso nie gekommen. Mehr als fünf Aromen pro Wein sollte man nicht wahrnehmen können. Drei hätten ihr bereits genügt. Der Riesling dagegen war klar, er war für sie immer strahlig und fest.

»Sie haben wahrscheinlich über Riesling auch nur das im Kopf, was der Mainstream behauptet. Bitte, betrachten Sie das nicht als Beleidigung«, schob Thomas schnell nach, als er Johannas Erstaunen bemerkte. »Unser Geschmacksempfinden ist krank. Ein moderner Riesling wird scharf vorgeklärt, durch Reinzuchthefen aromatisiert, er wird kalt vergoren, filtriert, mit Enzymen und Schwefel traktiert, die Säure wird reduziert, bis nichts mehr von ihm da ist. Solche Weine haben keine Ähnlichkeit mit denen, die wir eben probiert haben, und das gilt nicht nur für diese Rebsorte.«

Draußen vor der Kellerei blieb Thomas stehen und blickte zurück. »Der Mann hat recht«, sagte er nachdenklich. »Wir sind entmündigt worden, die Natur genau wie wir. Das Industriesystem hat die Welt überzogen, ein anderes wird nicht mehr zugelassen. Dem haben sich Menschen und Pflanzen unterzuordnen. Eine Diktatur kann man das nennen.«

»Und wie ist es mit Ihnen und Ihrem Vater?«

»Wir?« Thomas lachte. »Wir sind wahrscheinlich genauso närrisch oder schrullig, wir leben in einer Nische. Wir könnten höchstens unsere Nischen zu Breschen erweitern.«

Johanna lächelte mitleidig: »Dann, mein lieber Thomas, schicken sie die Polizei, und wenn das nichts mehr hilft, das Militär.«

»Sie reden wie mein Vater, Frau Professor. Wollen Sie einem jeden Mut nehmen? Übrigens, ich habe eine Besuchserlaubnis.«

Johanna sah ihm nach, als er sich aufs Fahrrad schwang, und ärgerte sich. Das mit dem Mut hätte sie gern klargestellt. War es tatsächlich so?

11

Beton. Stahl. Kameras. Doch anders als in US-Actionfilmen, in denen Wächter mit schussbereitem Gewehr auf Wachtürmen patrouillierten, herrschte in diesem Gefängnis Hygiene – eine auf Dauer tödliche für Thomas' Verständnis.

Sein Freund war auf dem Weg, schwer krank zu werden. Manuel machte einen katastrophalen Eindruck. Er war blass, müde, mager, mutlos und wich jedem direkten Blick aus. Es war schmerzhaft für Thomas, den Verfall in so kurzer Zeit mit ansehen zu müssen, als er im Besuchsraum vor ihm saß.

»Lass dich nicht kleinkriegen«, hatte sein Vater ihm vor dem Besuch eindringlich geraten. »Sie machen Tamtam, der Staat und seine Diener lieben martialische Gebärden, aber sie schießen erst, wenn du bei Osama bin Laden mitmachst oder Amok läufst. Alles andere lässt sich ausreizen. Die Grenzen musst du erkunden.«

Manuel so vor Augen zu haben, ihn nicht einmal umarmen zu dürfen war ein Schock. Manuels Augen waren stumpf, die Schultern hingen herab, und sein Gesicht war leer. Er hob sich kaum von der Wand hinter ihm ab, nur der Beamte, der ihn brachte und nichts weiter als »dreißig Minuten« gesagt hatte, schuf eine Perspektive in dem weißen Käfig.

»Haben sie kein Sonnenstudio hier?«, flachste Thomas, »das wäre doch was für den modernen Strafvollzug.«

»Nicht in der Untersuchungshaft«, sagte Manuel tonlos, und seine Stimme entsprach seinem Aussehen. »Es geht mir gut. Ich bin in einer Einzelzelle, ich kann den ganzen Tag über mit mir reden. Und der Hofgang ist vorbei, bevor er begonnen hat – zwischen Betonmauern. Wenn ich senkrecht nach oben schaue, sehe ich sie nicht.«

»Was machst du den Tag über?«

»Ich laufe, auf der Stelle, ich gehe hin und her, hin und her, hin und her, hin und her wie ein ...«

»Ich hab's kapiert, wie ein Tiger im Käfig. Aber so geht das nicht. Du musst was machen! Du darfst dich nicht gehen lassen.«

Manuels Lachen hörte sich schrecklich an, verzweifelt, hoffnungslos.

»War der Anwalt hier? Hat er mit dir gesprochen?«

»Mein Vater hat ihn geschickt.«

»Was heißt das?« Thomas warf einen Blick auf den Schließer, der auf Manuels Seite an der Wand saß, das Gespräch schien ihn nicht zu interessieren.

»Dass er der Anwalt meines Vaters ist und nicht meiner.«

»Wenn ich dich richtig verstehe, liegt ihm mehr daran, deinen Vater rauszuhalten, als dich rauszuholen.«

»Du hast es erfasst.«

»Die Breitenbach hat mir von ihm erzählt. Ich treffe mich nachher mit ihm auf Schloss Johannisberg, er hat mich zum Essen hinbestellt.«

»Wie mein Vater. Solche Leute erledigen alles beim Essen, da brauchen sie nicht zu arbeiten. Ich habe ihm die Generalvollmacht für dich gegeben, sie gilt für alles, was mich angeht.«

»Sie ...«, Thomas warf einen vorsichtigen Blick auf den Schließer, »sie hilft uns«, flüsterte er, »sie recherchiert unter den Dozenten, ich mache die andere Arbeit. Übrigens – Alexandra hatte sicher eine Bibliothekskarte?«

Manuel nickte. »Wird in ihrer Wohnung sein.«

»Wieso hast du nichts davon gesagt, dass du ihre Wohnung bezahlt hast?«

»Du hättest mich für verrückt erklärt und rumgenervt.«

»Das ist wohl wahr, und da hältst du lieber das Maul, statt ehrlich zu sein, nur um meiner Kritik aus dem Weg zu gehen? Ist das deine Auffassung von Freundschaft? Ich habe eine andere.«

Das war dumm, das war zu hart, Thomas merkte es sofort, er musste sich mäßigen. Manuel biss sich auf die Lippen. Thomas wollte es wiedergutmachen.

»Ich soll dir Grüße bestellen – besonders von meinem Vater. Von ihm habe ich volle Rückendeckung für alles, was wir unternehmen, auch wenn es Geld kostet. Dann natürlich von der Breitenbach und von Regine.«

»Ist ihr neuer Typ aufgetaucht?«

»Nein, sie ist viel weg, aber wir werden dir jetzt jeden Tag einen Brief schicken, alles, was in der FH läuft, wirst du bekommen, Mitschriften und Skripte, alles wird kontrolliert, damit wir nichts reinschmuggeln. Dann hast du keine Zeit mehr für den Tiger. Nicht dass du mit dem Weben anfängst.« An Manuels verständnislosem Blick bemerkte Thomas, dass er es erklären musste. »Weben nennt man das Pendeln der Pferde vor dem Käfiggitter.«

»Seit wann verstehst du was von Pferden?«

»Seit ich in Alexandras Reitstall davon gehört habe.«

Manuel stöhnte. »Woher weißt du das denn schon wieder?«

»Es gibt ein Foto.«

»Aber das . . . du warst doch nicht etwa . . .?«

»Sei still . . .!« Thomas senkte die Augenlider. »Wer ist der Mann neben ihr? Hat sie was dazu gesagt?«

Manuel schüttelte kaum merklich den Kopf.

»Du hast nie gesagt, dass sie sich für Chemie interessierte und was davon verstand. Warum nicht?«

»Ich habe mich geschämt.«

Thomas starrte ihn fassungslos an. »Wieso das denn?«

Manuel wand sich, die Antwort bereitete ihm Unbehagen. »Weil wir Ökologie betreiben, weil wir verantwortungsbewusst arbeiten. Dabei wusste ich, dass es mit ihr nicht klappen wird, weil ich wusste, dass sie mich ausnutzt, weil ich wusste, dass sie hinter meinem Rücken über mich redet, weil ich wusste, dass sie auf Geld scharf ist, und ... und ... und das mit ihrem Interesse an Pestiziden und Gentechnik und an den Forschungsprojekten der FH konnte ich euch nicht sagen, dann hätte mich kein Mensch mehr ernst genommen.«

»Trotzdem hast du ... mit ihr ...« – rumgemacht, wollte Thomas sagen, aber es klang zu verächtlich. Er entschied sich für: »... eine Beziehung angefangen?«

»Das spielt keine Rolle mehr.« Manuel starrte vor sich hin und kaute an seinen Fingernägeln.

»Und ob. Sag mir alles, was du weißt, woran du dich erinnerst, die kleinste Kleinigkeit, an irgendeine Redensart, an die Leute, mit denen ihr unterwegs wart. Schreib es auf und gib es dem Anwalt, er kann es mir faxen.«

»Was soll das bringen?«

»Es hilft uns, den Täter zu finden, du Knallkopf!«

»Den findet ihr nie, das ist zu gut eingefädelt. Das mit den Unterlagen, die sie bei mir im Schreibtisch gefunden haben, das fehlende Alibi, der Streit, überall Spuren von mir, der Wein in unserem Kühlschrank, den soll ich mit ihr vor dem Mord getrunken haben. Sie fanden Reste davon bei der Autopsie im Magen. Stell dir vor, sie haben sie zerschnitten. Und ich Dummkopf habe sie auch noch auf die Idee gebracht, womit sie erschlagen wurde ...«

»Wie kann man nur so blöd sein!«

»Ich wollte nur helfen ... wie sollte ich ahnen ...«

Der Schließer stand plötzlich hinter Manuel. »Soweit ich weiß, sind Sie Zeuge. Sollten Sie sich weiter zur Sache unterhalten, breche ich den Besuch ab!«

Manuel biss sich auf die Lippen. »Siehst du? Es hat keinen Zweck.«

»Den hat es doch, wenn du deinen verdammten Arsch hoch kriegst! Du verhältst dich, als gäbe es für dich keine Zukunft.«

»Und die Umstände, mein ganzer Hintergrund?«

»Der ist immer da, den hat jeder. Am schlimmsten ist dein Jammerton. Du bist nicht tot, und die Freiheit kriegst du nicht geschenkt, weder draußen noch hier drinnen. Wenn du nicht an dich glaubst, wie sollen wir das tun? Es kommt auf dich an, ob du noch einmal durch die Rebzeile gehst, ob du die Blätter zum dritten Mal umdrehst und mit der Lupe schaust, ob Spinnmilben da sind, ob du dich trotz Rückenschmerzen wieder bückst und noch eine Bodenprobe nimmst. Du machst nur einen großen Wein, wenn du es dir wirklich vornimmst. Sonst erreichst du gar nichts.«

Thomas sah das Flackern in Manuels Augen, und er schöpfte Hoffnung, vielleicht konnte er Manuel aufrichten. Aber so schnell waren Selbstmitleid und Hoffnungslosigkeit nicht zu besiegen.

»Ich habe im Knast nicht die geringste Chance.«

»Wenn du das glaubst, mein lieber Manuel, dann hast du auch keine! Was soll ich draußen tun, um deinen Arsch zu retten, wenn du dich hängen lässt?«

»Und was kann ich hier ausrichten?«

»Zumindest dich nicht einschüchtern lassen.«

»Du hast gut reden.« Er sah sich um. »Zwischen Mauern und Gittern.«

»Eine Säge werde ich dir nicht mit reinbringen, die musst du dir selbst basteln, aus Gedanken und aus Erinnerungen, an besagte junge Dame, die du an uns weitergibst, damit wir draußen suchen. Du kannst uns steuern. Aber ich muss vorsichtig sein, dieser Kriminaler hat mich auf dem Kieker, dieser Sechser.«

»Was kann ich tun?« Manuel hatte sich aufgerichtet.

»Na endlich! Erzähle mir alles, was du von Alexandra weißt. Alles, absolut alles, nichts darfst du auslassen. Hatte sie vielleicht – noch einen anderen?« Thomas machte eine Pause, in der sie sich lange ansahen, bis Manuel wegschaute. »Wehre dich nicht gegen die Frage, nur weil du das nicht wahrhaben willst. Du willst raus, also reiß dich zusammen! Ich will dich hier nicht rausholen, um dich anschließend in der Psychiatrie abzugeben. Kennst du ihre Freunde? Mit wem hat sie verkehrt? Nur wer die richtigen Fragen stellt, bekommt die richtigen Antworten. Der Grund für ...« Thomas ballte die Faust und deutete einen Schlag an, »der Grund dafür liegt bei ihr, irgendwo in ihrer Person, in der Beziehung zu jemandem, den sie kannte ...«

»Noch drei Minuten«, sagte der Schließer mit Blick auf seine Armbanduhr, »verabschieden Sie sich.«

Thomas nahm einen CD-Player nebst Kopfhörer aus einer Plastiktüte und legte sie vor sich auf den Tisch. »Das Klavierkonzert Nr. 1 e-Moll Opus 11 von Chopin auf CD, damit dir die Töne im Gedächtnis bleiben. Alles genehmigt, ausgehändigt wird es dir später.« Dann zog Thomas eine Hülse aus der Tüte, rollte den darin enthaltenen Papierstreifen vor sich aus und strich ihn glatt. Es war die aufgezeichnete Tastatur eines Klaviers oder Flügels. »Falls dir die Finger steif werden, kannst du Trockenübungen machen. Wir wollen dich in Eberbach hören. Enttäusche uns nicht. Spiel leise, im Geist, Zeit hast du ja genug. Nur wer aufgibt, verliert.«

Manuel starrte ihn mit offenem Mund an. »Aber da höre ich mich ja gar nicht.«

»Na und?«, sagte Thomas, »Beethoven hat auch ohne Gehör gespielt und sogar komponiert, und der war stocktaub, der hatte, wie er sagte, Dämonen im Ohr.«

Plötzlich stand der Schließer hinter Manuel. »Die Besuchszeit ist beendet!«

Er tippte Manuel auf die Schulter, und Manuel stand auf,

schaute Thomas lange an und nickte, dann drehte er sich weg.

Thomas war sich nicht sicher, ob er es tat, damit niemand seine Tränen sah. Manuel wurde beim Hinausgehen durch eine andere Tür geführt als beim Hereinkommen. Würden sie ihn jetzt filzen? Ja, er hatte ihm trotz Trennscheibe etwas zugesteckt, etwas, das nützlicher war als jede Säge oder jeder Nachschlüssel: Gedanken hatte er ihm zugesteckt, ihm Mut und vielleicht Hoffnung gemacht.

Von Weiterstadt aus raste Thomas zurück nach Geisenheim. Natürlich kam er zu spät in die Vorlesung und setzte sich provokativ neben Regine. Sie wirkte bedrückt, und erst nachdem Thomas sie später bedrängt hatte, war sie bereit, sich am Abend mit ihm zu treffen. Der Mann, den sie vor ihm versteckte, übte keinen guten Einfluss aus. Dann druckte Thomas Studienunterlagen für Manuel aus, steckte alles in einen Umschlag und brachte ihn zur Post. Da würden die Kontrolleure im Knast was über Weinbau lernen. Danach hetzte er zur nächsten Vorlesung. Dann jagte er atemlos nach Schloss Johannisberg. Johanna Breitenbachs Andeutungen über Vormwald waren nicht gerade vielversprechend.

Kaum hatte Thomas den Wagen in der Schlossallee unter den Platanen abgestellt, meldete sich sein Mobiltelefon. Es war Vormwald. Er kündigte an, dass er eine Stunde später erscheinen würde, wichtige Klienten hätten ihn aufgehalten. Das konnte passieren, doch Thomas verstimmte, dass der Anwalt kein Wort der Entschuldigung vorbrachte. Sonst regen sich die Alten über das schlechte Benehmen der Jugend auf, dachte er, hier ist es umgekehrt, und ärgerlich steckte er sein Telefon weg. Aber die Verzögerung hatte ihr Gutes: Er konnte sich endlich mal das Weingut anschauen.

Den majestätischen Bau kannte er bislang nur aus der Ferne. Aristokratisch thronte er auf einem Berg aus Quarzit über den mit Reben bestockten Hängen, die langsam aus der Ebene vom Elsterbach ansteigend zum Schloss hin steiler wurden, sodass die Reben jeden Sonnenstrahl von morgens bis abends einfangen konnten, ausgerichtet von Ost nach West. Das Schloss war der markanteste Punkt im Rheingau, neben dem Oestricher Kran. Er wusste, dass der Gutsverwalter auch Önologe und ehemaliger Geisenheimer war. Davon gab es inzwischen knapp dreitausend, sie hatten einen guten Ruf, und sie ackerten von Argentinien bis Neuseeland, in Büros, Kellern und Weinbergen.

Fuhr man auf der Schnellstraße von Westen am Johannisberg vorbei, sah man nur das Zentralgebäude und den westlichen Seitenflügel, kam man von Osten, fiel besonders der mächtige Turm der neo-romanischen Kirche auf. Das älteste Rheingauer Kloster, nach der ersten Jahrtausendwende gegründet und dem jeweiligen Baustil der Epoche angeglichen, wurde 1942 bei einem britischen Fliegerangriff auf Mainz zerstört – bis auf die Fässer und die Weinflaschen in den Kellern. Paul Fürst Metternich hatte alles aufbauen lassen, und die jetzigen Besitzer, der Oetker-Konzern, hielten es instand.

Langsam ging Thomas auf das Tor zwischen zwei dreistöckigen Gebäuden zu, die ihn an Barockbauten erinnerten. Das zweistöckige Hauptgebäude dahinter und die Seitenflügel zeigten strengere Linien, und obwohl auch hier Fenster, Türen und Tore sowie deren Einfassungen weiß abgesetzt waren, meinte er neo-klassizistische Elemente zu entdecken. Aber davon verstand er wenig, Architektur war nie sein Ding gewesen. Die einstöckigen Verwaltungs- und Wirtschaftsgebäude rechts mit runden Bögen und Fenstern entsprachen wieder mehr dem Barock, wozu auch die Rosenstöcke unter den Fenstern der ockerfarbenen Wände passten.

Er suchte den Weg zur Vinothek, auf einem Weingut dieser Größenordnung musste es sie geben, wenn sogar sie auf ihrem kleinen Weingut sofort nach der Übernahme einen Probierraum eingerichtet hatten.

Die Fürsten Metternich hatten als damaliger Besitzer des Weingutes bereits 1812 angeordnet, ihre Qualitätsstufen durch Farben kenntlich zu machen. Hatte Lack früher zum Versiegeln der Flaschen gedient, war er heute ein Zeichen für die unterschiedlichen Qualitäten geworden, das sich auf den Kapseln wiederfand. Gelblack stand für die Qualitätsweine, die Hälfte des gesamten Angebots. Die als Rotlack deklarierten Kabinettweine, egal, ob sie trocken oder mit der neuen Bezeichnung feinherb ausgebaut waren, kamen auf fünfzehn Prozent, und dann wurde die Luft dünn. Bei den folgenden Weinen gingen die Mengen nach unten und die Preise nach oben. Die Spätlesen bekamen Grünlack auf die Kapsel, bei den Ersten Gewächsen war es eine silberne, den Silberlack symbolisierende Kapsel. Ganz oben auf der Skala stand Eiswein – als Blaulack zu dreihundert Euro die Flasche.

Neben dem Probieren der Weine war Thomas an einer Führung durch die Keller interessiert. Er würde Studienkollegen zusammentrommeln müssen und dann mit dem Verwalter oder dem Domänenrat, wie es hieß, reden – als Ehemaliger würde er ihnen bestimmt einen auch für BAföG-Empfänger akzeptablen Preis machen.

Bis zum Eintreffen des Anwalts war noch Zeit. Thomas fragte in der Gutsschänke nach einem reservierten Tisch und wurde ans Geländer der Terrasse gewiesen. Der Blick war grandios und um Klassen weiter und besser als der aus den Fenstern von Alexandras Apartment.

Am Fuß der Besucherterrasse begannen die Rebzeilen und fielen nach Süden hin erst steil ab und liefen flach zum Geisenheimer Stadtteil Johannisberg hin aus. Bis dahin war alles Riesling. Fünfunddreißig Hektar davon gehörten zum Schloss. Thomas erinnerte sich lächelnd an die Bedeutung der Buchhalter für die Historie. Anhand alter Rechnungen ließ sich vieles rekonstruieren, hier war durch Rechnungen aus den Jahren 1720 und 1721 der Kauf von genau 292 950 Riesling-Rebstöcken belegt. Es war der Beginn der Ausrichtung des Rheingaus auf diese Rebsorte, gleichzeitig ein Indiz für eine fundamentale Änderung der Anbautechnik, denn bis dato war Mischbesatz mehrerer Rebsorten statt nur einer bevorzugt worden. Gegenwärtig waren achtzig Prozent der dreitausendzweihundert Hektar Rebfläche des Rheingaus damit bestockt.

Wäre der Anlass nicht so unangenehm gewesen, es hätte ein Nachmittag zum Genießen sein können. Die Sonne schien warm, es ging ein leichter, warmer Wind. Die Terrasse war nur mäßig besetzt, die Gäste unterhielten sich leise. Nichts störte die Beschaulichkeit, nichts störte das Bild aus Wasser, Erde, Wein und Himmel. In diesem Moment der äußeren Ruhe spürte er seine innere Unruhe, sein Flattern und seine Angst, Fehler zu machen. Seit dem Besuch in Weiterstadt grauste es ihm bei dem Gedanken, Manuel dort zu wissen. Dass seine Zelle stank, war für ihn sicher, Gefängnisse mussten stinken, Fenster ließen sich nicht öffnen.

»Herr Achenbach?«

Der Mann in Schwarz musste der Anwalt sein. Thomas stand schnell auf, um seine Verwirrung zu überspielen und mit ihm mindestens auf Augenhöhe zu sein. Ohne Thomas die Hand zu geben, setzte der Anwalt sich schnell ihm gegenüber an den Tisch und griff mit geübter Hand zur Speisekarte.

»Sie haben noch nicht bestellt? Kennen Sie dieses Restaurant? Eine ausgezeichnete Küche und exzellente Weine. Schloss Johannisberg ist im Grunde genommen ein Synonym für ...«

»Ich weiß«, unterbrach ihn Thomas, »wenn man hier studiert, kommt man nicht daran vorbei.«

»Nett gesagt, ich vergaß, ich habe es mit einem Experten zu tun.« Das Lächeln kam ziemlich von oben herab. »Der Johannisberg ist ein markanter Punkt unserer Weinlandschaft. Sie kennen die wechselvolle Geschichte des Berges?«

Vormwald überflog beim Sprechen die Speisekarte und

sah sich nach dem Ober um. Die Frage war rhetorisch, denn an einer Antwort schien er wenig interessiert. »Ihr bedauernswerter Freund studierte dasselbe wie Sie? Na ja«, der Anwalt nahm die Pose eines Menschen ein, den die Last des Lebens drückt, er seufzte. »Daraus wird wohl auf absehbare Zeit nichts mehr werden, darauf sollten Sie sich einstellen.«

Vormwald sprach vor sich hin, ohne Thomas anzusehen.

»Wieso glauben Sie das?«

Wieder sprach Vormwald, ohne Thomas eines Blickes zu würdigen. »Ich denke, Sie kennen den Fall? Sie kennen das Opfer, Sie waren bei der Hausdurchsuchung und bei der Verhaftung zugegen, Sie haben sich mit dem Staatsanwalt angelegt und sich beim Kommissar alle Sympathien verscherzt, wie mir berichtet wurde. Das war nicht besonders intelligent, Sie schaden Ihrem Freund. Der Fall ist traurig und leider auch sehr klar. Wir finden nichts, was Manuel Stern entlastet. Die Beweise sind erdrückend.« Das alles war vorgetragen, als würde es sich um Vorwürfe handeln.

»Sie sprechen von Indizien, nicht von Beweisen, Herr Anwalt.«

»Seien Sie nicht spitzfindig. So leid es mir tut, das zu sagen, alles weist auf Ihren Freund als Täter hin.«

»Manuel hat Alexandra nicht umgebracht, davon müssen Sie ausgehen. Alles andere führt in die Irre.« Thomas nahm die Speisekarte, die ihm der Anwalt reichte. Es war unklar, ob er etwas gefunden hatte, was ihm zusagte. Dabei wäre ihm eine Diät gut bekommen, der Bauch quoll über den Gürtel.

Vormwald winkte dem Ober, bestellte eine große Flasche Wasser und ein Erstes Gewächs, »den aktuellen Silberlack kann ich empfehlen, der ist ausgezeichnet.« Er wartete auf die Zustimmung des Obers, aber der wandte sich ab.

Thomas war heilfroh, dass Johanna Breitenbach ihn gewarnt hatte, sonst hätte er Vormwalds Arroganz nicht ertragen und wäre auf der Stelle gegangen. So aber konnte er seine Frage emotionslos stellen, obwohl er sich maßlos darüber ärgerte, dass sich ein Verteidiger noch vor dem eigentlichen Kampf zurückzog.

»Dann sagen Sie mir bitte, um welche Art von Indizien oder Beweisen es sich handelt. Ich kenne keine.«

Der Anwalt lehnte sich zurück, atmete tief ein, wurde ernst, sein Blick ging wieder an Thomas vorbei ins Tal, aber er sah nur sich selbst. »In der Wohnung des Opfers finden sich so viel DNA-Spuren wie ...«

»Ist doch kein Wunder, er war mit Alexandra zusammen.«

»... sein Wagen wurde zur fraglichen Zeit vor dem Haus gesehen, dafür gibt es Zeugen.«

»Das streitet Manuel auch nicht ab. Er war am Sonntag bei ihr. Aber gilt das auch für die Zeit des Mordes?«

»Ob es Mord war oder Totschlag, worauf ich plädieren würde, wissen wir noch nicht.«

»Sie haben meine Frage nicht beantwortet!«

Die scharfe Art, in der Thomas den letzten Satz vorgebracht hatte, befremdete Vormwald offenbar. Mit einem missbilligenden Blick griff er wieder zur Speisekarte und starrte stirnrunzelnd hinein.

»Ihr Freund hat für die fragliche Zeit kein Alibi. Weshalb ist er nicht wie sonst mit Ihnen auf Ihr Weingut mitgefahren? Das kann als Vorsatz interpretiert werden.«

»Alexandra hatte ihn darum gebeten.«

»Woher wissen Sie das?«

»Manuel hat's mir gesagt.«

»Sie glauben, dass eine derartige Aussage vor Gericht Bestand hat? Machen Sie sich nicht lächerlich, Sie sind der beste Freund, Sie werden lügen.«

»Ist das Ihre Meinung, oder nehmen Sie die Einstellung der Richter voraus? Dann vereidigen Sie mich doch. Sie können vor Gericht den entsprechenden Antrag stellen.«

»Ich bin der Advocatus Diaboli, ich spiele des Teufels Anwalt.«

Den spielt er nicht nur, dachte Thomas.

»Herr Ober!« Vormwald legte die Speiskarte demonstrativ beiseite. »Ich nehme als Vorspeise das Carpaccio vom Weideochsen und als Hauptgericht das Kalbsrückensteak. Beilagen?«

»Trüffeljus auf Blattspinat und gefüllte Trüffelsäckchen.«

»Sehr gut. Hinterher bringen Sie mir den Kaiserschmarrn.«

Kein Wunder, dachte, Thomas, dass ihm der Bauch über den Gürtel hing. »Mir reicht die Wispertaler Forelle.«

»Sonst nichts?« Zum ersten Mal sah Thomas etwas wie Erstaunen in Vormwalds Gesicht. »Junge Männer wie Sie brauchen ein ordentliches Stück Fleisch. Und als Vorspeise nehmen Sie . . .«

»Was ich esse, können Sie ruhig mir überlassen.« Thomas hasste es, wenn ihm jemand in Bezug aufs Essen Vorschriften machte, und so kam seine Entgegnung schärfer als beabsichtigt. Es trug nicht dazu bei, die angespannte Situation zu entkrampfen. Thomas wandte sich an den Ober.

»Der Bach dort unten, der unterhalb der Weinberge fließt, ist das der Wisperbach?«

»Nein, mein Herr, der Elsterbach.«

»Da kommt die Forelle her?«

»Nein, aus dem Wisperbach, der mündet bei Lorch in den Rhein.«

»Was ist mit den Rückständen aus dem Weinbau, Spritzmitteln, Mineraldünger, werden die vom Regen nicht nach unten in den Elsterbach geschwemmt?«

»Wie sind Sie denn drauf, um in Ihrer Sprache zu bleiben?« Zu Vormwalds Geschwollenheit kam jetzt noch Empörung hinzu.

Der Ober nahm es gelassen. »Wir verwenden schon lange keinen Mineraldünger mehr für unsere Weinberge, und das

Spritzen ist aufs äußerste Minimum begrenzt.« Anscheinend war er solche Fragen gewohnt.

»Danke, genau das wollte ich wissen«, sagte Thomas verbindlich und sah Vormwald triumphierend an. »Ich bleibe bei der Forelle. Aber fahren Sie bitte fort, Herr Anwalt, ich hatte Sie unterbrochen.« Thomas erinnerte sich an den Rat seines Vaters, gewisse Leute möglichst lange reden zu lassen, irgendwann ging ihnen die Luft aus.

Während Vormwald bereits trank, empfand Thomas den eben erst entkorkten Wein als zu verschlossen. Deshalb schwenkte er ihn im Glas, das er mit den offenen Händen anwärmte. Ob Temperatur und Sauerstoff ihn in kurzer Zeit öffnen würden? Es war ein typischer Riesling, strahlig, fruchtig, harmonisch zwischen Süße, Säure und schönen Aromen und trotz seiner Jugend nicht mehr hart. Und dem Geschmack konnte er lange nachspüren. Es ist einer von der besonderen Sorte, dachte Thomas, als er am Glas roch und vorsichtig probierte, und er ist um Klassen besser als der Typ mir gegenüber.

»Zur möglichen Todeszeit, die sich auf ein Zeitfenster von zwei Stunden erstreckt, und auch danach hat keiner mehr auf das Auto geachtet.«

»Na bitte, genau das meine ich.« Aber Thomas' Befriedigung währte nur eine Sekunde.

»Erschwerend kommt hinzu, dass es Streit gegeben hat, den haben die Nachbarn gehört. Es muss laut geworden sein.«

»Auch das hat Manuel betätigt. Sie hatte ihn gebeten, zu bleiben, und dann hat sie ihn plötzlich weggeschickt.«

»Das war ihr Spiel mit ihm, so habe ich das auch verstanden: kommen lassen und nicht ranlassen. Das wird als Teil des Motivs dafür gesehen, dass er durchgedreht ist. Unser junger Freund hat bei seinem labilen Charakter die Fasson verloren, die Kontrolle über sich selbst …«

Es kostete Thomas Mühe, nicht laut zu werden. »Sie

maßen sich an, über seinen Charakter zu urteilen, nach nur einem Besuch, und das auch nur im Knast? Wo haben Sie das her – das mit seinem labilen Charakter? Sie reden wie der Ankläger und nicht wie sein Verteidiger.«

»Er war bekannt für ...«

»... für seine Bescheidenheit, für sein ruhiges Wesen«, beendete Thomas den Satz. »Mit wem haben Sie geredet? Wen haben Sie befragt? Und wenn Sie ihn nicht aus dem Knast holen, geht er darin kaputt.«

In seiner ruhigen, selbstgefälligen Art sagte der Anwalt: »Genau deshalb haben wir einen Haftprüfungstermin angesetzt, aber die Haftgründe, Fluchtgefahr und dringender Tatverdacht, werde ich schwerlich entkräften. Es gibt keine neuen Erkenntnisse.«

»Weil niemand danach sucht – außer mir und ...« Johanna Breitenbach ließ er besser unerwähnt. »Haben Sie sich mit dem Opfer beschäftigt? Mit wem sie Umgang pflegte, wer sie war, was sie noch tat, außer zu studieren? Was wissen Sie über ihre sonstigen Aktivitäten? Woher hatte sie Geld?«

Jetzt wurde Vormwald aufmerksam, so wach hatte Thomas ihn noch nicht erlebt. Unterschätzte er ihn geradezu fahrlässig?

»Sie ergehen sich in sibyllinischen Andeutungen, junger Mann. Was soll ich damit anfangen? Was wissen Sie, was ich auch wissen sollte?«

»Sie hat mehr getan als nur Internationale Weinwirtschaft zu studieren, sie war irgendwie, ich sage bewusst irgendwie, in der Forschung involviert, im Bereich Chemie, Pflanzenschutz, Pestizide oder Genetik, Mikrobiologie, ich weiß es nicht ...«

»Das passt ja zusammen.«

»Womit?« Jetzt horchte Thomas auf.

»Mit den Unterlagen, die von der Polizei beschlagnahmt wurden. Man fand vertrauliche Forschungsunterlagen aus genau diesen Bereichen, und damit hatte Ihr Freund, wie er sagt, nichts zu tun. Wie aber sind sie dann in seine Hände gelangt? Sie waren nicht freigegeben. Ich glaube, Herr Stern ist Ihnen gegenüber nicht ganz offen ...«

Gab es Grund, an Manuel zu zweifeln? Nein, dieser Mann ihm gegenüber wollte Zwietracht säen und Manuel isolieren – nur um seinen Prozess gut abzureißen? Was wusste Manuel, was er, Thomas nicht wusste? Wem war er im Weg? Thomas bekam es für einen Moment mit der Angst zu tun, als ginge er auf dünnem Eis, das jeden Moment einbrechen konnte. Wusste er wirklich alles über Manuel?

»Wir müssen den wirklichen Täter finden, Herr Vormwald, es gibt kein Motiv für ...«

»Das Motiv ist sonnenklar, leider. Es ist Eifersucht. Und Ihr Freund wusste von der Mordwaffe; er wird sie in den Rhein geworfen haben.«

»Was Sie nicht alles wissen. Ist denn überhaupt erwiesen, dass es sich um die Mordwaffe handelt? Sie wurde doch nicht gefunden, oder?«

Das war falsch, dachte Thomas, die Wut war mit ihm durchgegangen, und Vormwald wirkte wieder sehr aufmerksam.

»Was Sie bisher von sich gegeben haben, Herr Achenbach, hilft Ihrem Freund nicht weiter. Da wäre noch der Riesling aus Ihrem Kühlschrank. Es war das Letzte, was das Opfer getrunken hat, kurz vor seinem Tod, das ergab die Obduktion. Außerdem fand man dieselben Gläser wie in Ihrer WG-Küche, blitzsauber gespült, keine Fingerabdrücke, wohl aber die Fasern vom entsprechenden Küchenhandtuch. Da hat jemand fein sauber gemacht.«

Dass die Wohnung aufgebrochen worden war, erzählte Thomas besser nicht, er würde gar nichts mehr sagen, er würde Vormwald nicht länger als Manuels Anwalt betrachten und den Freund überzeugen, ihm die Vollmacht zu entziehen. Da war jeder bestellte Pflichtverteidiger hilfreicher.

»Sie wollen Manuel als psychisch labil hinstellen? Sie prüfen keine anderen Möglichkeiten, ja, Sie ziehen sie nicht einmal in Betracht ... für Sie ist bereits alles klar.«

»Sie sind unverschämt. Es ist eine Frechheit, meine Verteidigung zu kritisieren. Ich mache meine Arbeit seit fünfunddreißig Jahren, und Sie gehen besser mit Ihrem Spaten wieder in Ihren Weinberg zurück. Überlassen Sie die Jurisprudenz gefälligst den Erwachsenen. Ihre Besorgnis um Ihren Freund ist rührend, nur ihm hilft das wenig ...«

»Für gutgemeinte Ratschläge ist ein junger Mensch immer dankbar«, sagte Thomas betont freundlich und bemerkte, wie Vormwald eine Sekunde brauchte, um seinen Zynismus herauszuhören. Er sollte begreifen, dass er mit ihm nicht so leicht fertigwerden würde. Dieses Verhältnis war genauso wenig zu kitten wie das mit Sechser. Der Mann muss weg, dachte Thomas, dringend. Wozu eine Haftprüfung, wenn der Anwalt nichts Entlastendes fand – oder finden wollte? Manuel brauchte einen Verteidiger, der von seiner Unschuld überzeugt war.

Thomas ging zur Toilette. Auf dem Rückweg blieb er am Tresen stehen, bestellte die Forelle ab, aber er musste sie zahlen. Den Wein übernahm er freiwillig. Wie knapp er auch bei Kasse war, von Vormwald ließ er sich nicht einladen. Er ließ sich vom Ober noch ein Glas Wein geben, »aus einer Flasche, die mindestens einen Tag offen ist«.

Er wusste, dass ein guter Riesling Zeit brauchte, einen Tag, zwei Tage, am dritten musste er noch immer seine Eigenschaften zeigen, wenn er was taugte, wenn man zu der Größe dieser Rebe zurück wollte.

Er bekam einen Rotlack, einen Riesling Kabinett, er war als »feinherb« deklariert. Thomas hielt die Bezeichnung für Augenwischerei, die süße Weine kaschieren sollte. Aber dieser hier hatte die Bezeichnung verdient. Die vielseitigen Aromen, die Dichte und auch die Säure hielten die Süße in Schach, sie aber ließ den Wein weicher und voller wirken.

Er ging zum Tisch zurück. Die Verschnaufpause hatte ihn in seinem Entschluss bestärkt, auch der traumhafte Ausblick in den sommerlichen Nachmittag brachte ihn von seinem Entschluss nicht ab. Er würde sich nicht wieder zu Vormwald setzen.

Der Anwalt merkte schnell, dass sich etwas verändert hatte, dumm war er nicht. »Wir sollten vielleicht noch einmal von vorn . . .«

»Da der Wein meine Domäne ist, und Sie sich derart intensiv für meinen Freund einsetzen, habe ich mir erlaubt, die Rechnung für den Wein zu übernehmen. Eine wichtige Verabredung zwingt mich leider dazu, unser sehr aufschlussreiches Gespräch zu unterbrechen. Ich wünsche Ihnen weiterhin guten Appetit, Herr . . .«

Thomas gab Vormwald nicht mehr die Hand, sondern deutete eine Verbeugung an. »Würden Sie mir bitte die Generalvollmacht aushändigen, die Manuel Ihnen für mich übergeben hat?«

Vormwald brauchte einen Moment, bis er begriff. »Die liegt im Büro, ich werde veranlassen, dass man sie Ihnen zuschickt. Es kann einige Tage dauern. An welche Adresse?«

»An die von Manuel Stern . . .«

»Sie meinen natürlich nicht die vom Untersuchungsgefängnis?«

»Es gibt Menschen, die lachen am liebsten über eigene Witze.«

Thomas wandte sich ab. Er eilte zum Parkplatz. Er musste sich beeilen. Er wollte sehen, wo ihr Chemiedozent, dessen private Adresse Johanna ihm mitgeteilt hatte, in Frankfurt wohnte. Die Rushhour setzte gerade ein. Den Weg nach Frankfurt kannte er, sie waren auf der Suche nach guter Musik und coolen Partys mehr oder weniger erfolgreich durch diverse Clubs gezogen – bis Alexandra dazwischengefunkt hatte. Ihr war alles immer eine Spur zu gewöhnlich gewesen. Sie hatte Cocktailbars bevorzugt.

Auf dem Rückweg kam Thomas wieder am Denkmal für den Spätlesereiter vorüber. Er saß da, in Stein gehauen, in der rechten eine Traube, in der linken Hand die schriftliche Genehmigung des Fuldaer Bischofs zum Beginn der Lese auf dem Johannisberg. Der Weinberg war im Jahr 1775 in der Hand des katholischen Klerus, und das Bischofsamt in Fulda erteilte jedes Jahr wieder die Genehmigung zur Lese. Aber 1775 kam der reitende Bote erst zwei Wochen, nachdem man mit der Lese hätte beginnen müssen. Hatte sein Pferd gelahmt? Hatte eine charmante Reisebekanntschaft den Boten unterwegs aufgehalten? Den wahren Grund für die Verspätung hat bis heute niemand herausgefunden. Jedenfalls waren die Trauben bei Ankunft des Boten überreif und von Fäule befallen. Sie wegzuwerfen wäre den Mönchen nie in den Sinn gekommen: Sie kelterten den Wein aus dem, was ihnen geblieben war. So entstand die erste verbriefte Spätlese der Geschichte, und bei der Verarbeitung der von Botrytis befallenen Trauben wurde der grandiose Geschmack edelfauler Weine entdeckt.

Thomas saß die Befürchtung im Nacken, dass es ihm wie dem Spätlesereiter ergehen könnte, dass er mit seinen Nachforschungen zu spät käme und Vormwald bereits alles in die Wege geleitet hatte – nur was?

12

Johanna war erleichtert, den Rheingau für eine Woche hinter sich zu lassen. Die Maschine war startbereit und würde in wenigen Minuten abheben und sie nach Marseille bringen. Johanna hoffte, dass der Leihwagen für die Weiterfahrt nach Gigondas bereit stand. Sie wäre auch mit öffentlichen Verkehrsmitteln in das Dorf in Vaucluse am Fuß der berühmten Dentelles de Montmirail gelangt. Ein Bus verkehrte in der menschenleeren Region am linken Ufer der Rhône morgens und abends, dann müsste sie jedoch ihr Auftraggeber eine ganze Woche herumfahren oder ihr ein Auto zur Verfügung stellen. Doch sie blieb lieber unabhängig, denn sie wollte sich allein umsehen.

Das Flugwetter war gut, über den Wolken schien die Sonne, davon hätte der Rheingau in diesem Jahr mehr abbekommen müssen. Es war zu kühl, es war zu nass. An der Rhône war es anders, Gigondas hatte 2700 Sonnenstunden im Jahr und damit eintausend Stunden mehr als der Rheingau. Johanna freute sich auf die Wärme, auf die Landschaft, auf den warmen Duft nach Kräutern, Lavendel und Rosmarin, wie sie ihn von einer Reise mit Carl in Erinnerung hatte. Die Vorfreude auf das weiche, fließende Licht des Südens, das die Konturen glättete, eine innere Ruhe schuf und neue Farben entstehen ließ, machte sie lächeln.

Dazu trug auch die Erinnerung an das Wochenende mit Carl bei. Langsam glaubte sie wirklich, dass sie die Ebene wiederfinden könnten, auf der sie sich früher begegnet waren, auf der sie Verständnis füreinander fanden, bis Misserfolg und Zweifel am Sinn ihres Berufs ihre Beziehung untergraben hatten. Jetzt war Carl gekommen, sein Besuch in Bingen, der erste, zeigte ihr sein wiedererwachendes Interesse, und sie hatte getan, was ihr am schwersten fiel: Sie hatte sich gehen lassen. Was in den vergangenen Jahren unausgesprochen zwischen ihnen gestanden hatte, war in einer einzigen Nacht zwar nicht bewältigt worden, sie hatten es zumindest in Worte fassen können, und erschöpft waren sie im ersten Morgengrauen Arm in Arm eingeschlafen. War es tatsächlich der Weg zurück zu ihren alten Ufern? Ein Zurück gab es nie. Es würden neue Ufer sein, beide wussten nicht, wie sie aussehen würden, da fehlte ihnen jede Erfahrung. Aber was ihr Mut machte ...

Johanna stutzte bei dem Gedanken, sie fühlte sich ertappt. Thomas Achenbach war da schon wieder klammheimlich in ihr Denken geschlüpft. Er hatte sie aufgerüttelt, vielleicht mit seinem Optimismus angesteckt, mit seiner Freundschaft zu Manuel. Sein Bemühen um Manuel hatte sie von seiner Haltung überzeugt. Er und sein Vater bauten ein Weingut auf, sie schufen sich eine Zukunft; sie zu bewundern war besser, als sie zu beneiden.

Sie schaute aus dem Fenster, und unter ihr öffnete sich das bizarre Panorama der verschneiten Alpen. Der Kopilot ratterte die Ansagen über ihre Position herunter und erklärte, dass sie in Marseille achtunddreißig Grad erwarteten. Johanna schlief ein, träumte von Chemielabors, und beim Erwachen dachte sie wieder an Thomas Achenbach. Über den Chemiker, dessen Name ihr wieder nicht einfiel, hatten sie nichts oder nichts Verdächtiges herausgefunden. Thomas wollte sich an seine Fersen hängen, sowohl innerhalb der FH als auch an seinem Wohnort in Frankfurt. Der Chemiker betreute zwei Forschungsprojekte, an denen Alexandra beteiligt gewesen war. Das warf die Frage auf, ob er ein spezielles Interesse an ihr gehabt hatte, denn seine Vorliebe für besonders junge Frauen war bekannt – unter einer Altersdifferenz von zwanzig Jahren tat er's angeblich nicht, wie Thomas behauptet hatte. Dabei war der Chemiker ein unscheinbares Kerlchen. Wären die Studentinnen auf gut aussehende Männer abgefahren wie zum Beispiel Professor Marquardt, hätte Johanna dafür Verständnis aufgebracht.

»Sein Trick, und damit kriegt er sie rum, ist Hilflosigkeit. Das zieht. Er aktiviert den Muttertrieb. Achten Sie mal auf seinen Augenaufschlag. Jede männliche Neurose findet ihre Entsprechung beim anderen Geschlecht.«

Thomas hatte sich von Alexandras Kommilitonen die Studienpläne besorgt, um sich ein besseres Bild von ihr zu machen, von ihren Beziehungen und ihrem Wissensstand, und hatte seine Einstellung ihr gegenüber nach eigenen Worten »modifiziert«, nicht in menschlicher Hinsicht, dafür aber in fachlicher. Und er hatte herausgefunden, dass der Mann auf dem Foto vom Reitstall nicht ihr Vater war.

Ihr Schlummer wurde von einer Stimme unterbrochen, die sie aufforderte, den Sitz in eine aufrechte Position zu bringen und sich anzuschnallen.

Die Autobahn im Tal der Rhône war viel befahren und gut ausgeschildert, Johanna fand den Weg sofort, und als sie die Autobahn verließ, konnte sie sich entspannen und die Landstraße in Richtung Westen genießen. Ihr Wunsch würde in Erfüllung gehen, sie würde im späten Licht dieses sommerlichen Nachmittags in Gigondas auf dem Weingut des deutschen Winzers Lothar Meckling eintreffen. Die Domaine du Mont d'Or hatte der ehemalige Finanzmakler vor zehn Jahren gekauft und auf ökologischen Weinbau umgestellt, und jetzt wollte er ihn auch in energetischer Hinsicht zukunftsfest machen. Der Kontakt war durch Carls Stuttgarter Weinclub zustande gekommen, wo man Mecklings Weine schätzte.

Schmale Straßen zwangen sie dazu, den Fuß vom Gas zu nehmen, Schlaglöcher taten sich auf, die Hügel rückten näher und wurden steiler, das Grün entfaltete sich über der Ebene, der Wein war bedeutend weiter entwickelt als am Rhein, sein Blattwerk war voller. Hier wurde Buschziehung praktiziert, statt die Triebe an Drähten wachsen zu lassen. Deshalb konnte man auch nicht von einer Laubwand sprechen, es war mehr eine grüne, im heißen Wind wogende Fläche. Johanna lächelte vor sich hin, zufrieden mit sich selbst, dass sie die richtigen Worte fand. Das zeigte, dass sie ganz von selbst in die Kunst des Weinbaus hineinwuchs. Im Stillen bewunderte sie die Menschen, die es verstanden, aus Trauben wunderbare Getränke zu machen.

Dann lag das Dorf vor ihr, beschützt von bewachsenen Felsen, den Dentelles. Es lehnte sich an die »Zähne«, als suchten die Häuser Schutz, und schien mit dem Stein verwachsen. Der Eindruck verstärkte sich durch ein helles, fast strahlendes Grau der hohen Mauern, die Steine waren hier gebrochen. Sicher war es Kalk. Und das hieß, dass die hiesigen Weine nicht nur die Kraft des Südens zum Ausdruck brachten, sondern auch Mineralität und Eleganz. Die Erinnerung an den Nachmittag in der WineBank kam hoch, wo sie mit Professor Marquardt, Waller und Rechtsanwalt Vormwald diese Weine probiert hatte. Wie dumm, dass sie sich die Namen nicht aufgeschrieben hatte, sie hätte sie probieren können und feststellen, ob sie hier genauso schmeckten. Umgebung, Licht, die Raumluft und das zuvor Gegessene, nicht zuletzt die Gegenwart anderer bestimmten, wie man einen Wein beurteilte.

Ein Wegweiser zur Domaine du Mont d'Or ließ sie den Weg finden, der letztlich in Schotter überging. Es war genug für heute, das Fahren hatte sie müde gemacht, der Tag war lang gewesen, sie war weit gereist, sie war hungrig und wollte raus aus der engen Kiste. Der Weg gabelte sich, führte links durch ein Tor auf niedrige Wirtschaftsgebäude zu. In dem Dreieck zwischen den Wegen wuchs eine mächtige Zeder inmitten von blühendem Oleander, der Weg rechts führte zum privaten Teil des Gutes.

Dass Meckling mal Finanzmanager gewesen sein sollte, war für Johanna unbegreiflich. Der Mann war völlig verwildert, er wirkte wie ein Bürgerschreck. Er hatte das sonnenverbrannte Gesicht eines Bauern, die Hände eines Zimmermannes, er ging, als trüge er einen Sack auf den Schultern. Sein langes, teils ergrautes Haar flog ihm um den Kopf, es verdeckte sein Gesicht, und als er das Haar zurückwarf, kamen sehr listige Augen zum Vorschein. So stellte Johanna sich einen zufriedenen Menschen vor. Wie oder mit wem er hier lebte, hatte sie bislang nicht erfahren.

Meckling begrüßte sie herzlich, schnappte sich ihren Koffer wie ein Spielzeug und bedeutete ihr zu folgen. Sie gingen rechts am Haus vorbei durch einen Garten bis zu einem Treppenabsatz, dem Eingang zu ihrem Gästeapartment. Auf diesen Stufen werde ich heute Abend sitzen, sagte sich Johanna, ein Glas Wein neben mir, in die Sterne schauen und warten, dass der Mond aufgeht. Ich werde einfach nur dasitzen und nichts tun, nichts denken, mir nichts vornehmen, mir nichts wünschen ...

»Täusche ich mich, oder sind Sie bereits angekommen?«, fragte Meckling und lächelte. »So geht es vielen, wenn sie ankommen. Aber nur wenige verstehen, von hier neben dem Wein auch das Essentielle mitzunehmen.«

»Und das wäre?«

»Klarheit, weiter nichts. Aber dazu später mehr. Schauen Sie sich um, Sie können hier überall herumgehen, alles rings herum gehört uns. Ich hoffe, Sie haben feste Schuhe mitgebracht, es gibt ein paar kleine Vipern.«

Er öffnete die Tür zum Apartment. Es erinnerte sie an das auf dem Weingut der Achenbachs in der Pfalz, nur dieses hier war größer, und sowohl Tür wie Fenster hatten Mückengitter, und es duftete nach Lavendel. Wie wunderbar, dachte Johanna, man kann nachts alles offen lassen. Die Domaine du Mont d'Or und ihre Umgebung trafen so sehr ihr Innerstes, dass sie sich fragte, ob sie für ihre Arbeit überhaupt ein Honorar berechnen dürfe oder ob sie fürs Hiersein zahlen müsse.

Zum Abendessen holten sie Mecklings Zwillinge auf die Terrasse, Yvette und Theodor der Zweite, Theodor der Erste war sein Großvater gewesen, angeblich ein starker Typ, der Opa, wie der Achtjährige meinte, er würde in seine Fußstapfen treten. Oben wartete auch Gesine. Johanna hatte erwartet, dass Mecklings Frau Französin wäre, aber die Mutter seiner Kinder kam aus Hamburg, und sie war um vieles jünger als er. Die Noch-Ehefrau war nach seinem »Abdriften ins Hippietum« in Lübeck geblieben, lebte angeblich fürstlich von der Apanage und verbrachte ihre Zeit damit, ihren Noch-Ehemann zu verklagen.

Diese Eröffnung befriedigte Johanna insgeheim, ansonsten wäre es ihr zu viel heile Welt gewesen, und es hätte das Gefühl der eigenen Unzulänglichkeit verstärkt.

Gesine unterrichtete in der nächsten Schule, wo ihre Kinder den Tag über blieben, aber jetzt waren Ferien. »Wir haben es relativ schnell geschafft, uns einzufügen. Unsere Kinder sind hier geboren, sie sind Franzosen, sie haben im Dorf ihre Freunde. Wir haben uns gleich nach der Entscheidung, hier zu leben, einen Privatlehrer genommen, der unser Französisch auf Vordermann gebracht hat, und wir haben den Nachbarn gezeigt, dass wir gern hier leben.«

»Etwas Wichtiges kommt hinzu«, sagte Meckling, »ich habe meine Winzerkollegen häufig um Rat gefragt, sogar noch vor dem Kauf des Mont d'Or, und ich habe sie gefragt, ob sie was dagegen hätten, wenn wir uns hier niederließen.«

»Und?«, fragte Johanna.

»Niemand war dagegen, wir haben mehr Ratschläge bekommen, als uns lieb war, aber als Quereinsteiger kann man dafür nur dankbar sein. Ich kannte nichts weiter als Bildschirme, Zahlen, Kurse und Ratings. Jemanden um Hilfe zu bitten bedeutet auch, sich auszuliefern, und so zeigt man den Mitmenschen, dass man sie nicht fürchtet, denn wer Angst hat, hat auch oft was zu verbergen, und wenn es die eigene Unsicherheit ist. Nur ein Lump sagt Nein, wenn er um Hilfe gebeten wird.«

»Vielleicht ist es auch einfacher, wenn man allein kommt, wenn es nicht viele sind, wenn sich die anderen nicht überrollt fühlen.«

»Es gibt noch ein zweites deutsches Weingut hier, aber zu den Betreibern haben wir keinerlei Kontakt, die leben ziemlich isoliert. Da gibt es die einheimischen Angestellten und eine alte Dame aus Deutschland. Uns jedenfalls geht sie aus dem Weg.«

Als Theodor II. auf dem Stuhl und seine Schwester auf dem Schoß ihres Vaters eingeschlafen waren, wurden beide zu Bett gebracht. Johanna blieb für einen Moment allein auf der Terrasse und genoss den Abendhimmel, dessen Anblick in Bingen durch die Berge ringsum begrenzt war. Das Gefühl von Einsamkeit, vor dem sie sich gefürchtet hatte, wollte sich nicht einstellen, nicht einmal Melancholie. Sie trank einen Schluck Wein. Sein Geschmack erinnerte sie an das Treffen mit Marquardt und Konsorten, die Aromen waren ähnlich, aber dieser Wein wirkte wesentlich stärker, seine Tannine längst nicht so hart, und er schien ihr gleichzeitig weicher. Dann stimmte es, dass die Umgebung, in der man trank, den Geschmack des Weins prägte?

Der nächste Vormittag verging mit der Besichtigung des Weingutes, des Maschinenparks, der Weinberge und des 656 Seelen zählenden Dorfes. Es gab eine alte Schlossruine, eine romanische Kapelle sowie eine Pfarrkirche aus dem 11. Jahrhundert und Reste einer alten Stadtmauer. Johanna bekam zwischen Keller- und Weinbergsbesichtigungen alles vorgeführt. Bis in die Mitte der sechziger Jahre waren die Weine von hier als einfache Côtes du Rhône verkauft worden, im Jahr 1966 erreichte Gigondas den Status als Côtes du Rhône Villages, bis der Ort dann 1971 eine eigene Appellation zugestanden bekam.

»Früher nannte man den Gigondas den Châteauneuf-du-Pape für Arme oder auch seinen kleinen Bruder.« Meckling lachte. »Da sind wir längst drüber hinaus. Heute haben sich etliche der hiesigen Winzer die drei Sterne im Guide-Hachette-Weinführer längst verdient. Wir haben im letzten Jahr zum ersten Mal einen zweiten Stern erhalten.«

Johanna sah ihm die Genugtuung darüber an und auch wie viel Freude es ihm machte, ihr seine Weinberge vorzuführen, die Hügel hinauf, um Felsen herum in die schmalen Täler hinein, eine Staubfahne hinter sich lassend. Es duftete beinahe so üppig, dicht, warm und intensiv, wie sie es sich vorgestellt hatte, nur etwas staubiger. Seit April hatte es nicht mehr geregnet, und vor Oktober war kaum ein Tropfen Regen zu erwarten.

»Die Qualitätsanforderungen sind hoch. Wir dürfen nicht mehr als fünfunddreißig Hektoliter je Hektar ernten, das sind knapp fünftausend Kilo, das entspricht in Deutschland der Menge eines Ersten Gewächses, wobei wir hier die Vorteile des trockenen Südens genießen und wenig Pilzbefall haben, also kaum spritzen. Als Dünger reicht Schafmist und all das, was im Weinberg an Abschnitten, Blättern, Trester sowie Hefeabstich übrig bleibt. Hier ist es einfach, ökologisch zu arbeiten, ich hoffe nur, uns geht das Wasser nicht aus.«

Sie liefen Mecklings Weinberge ab, Johanna griff nach dem rötlichen, geröllhaltigen Ton, den sie zwischen den Fingern zerbröselte, und er sprach über die hiesigen Rebsorten, die rote Grenache, Syrah und Mourvèdre. Johanna hätte sie nicht einmal vom Riesling unterscheiden können, selbst wenn sie die Blätter nebeneinander gelegt hätte. Dabei waren die Rebstöcke sehr unterschiedlich: dicker, knorriger und älter, zum Teil sechzig Jahre alt, und sie bildeten viele

Ruten, von denen die meisten weggeschnitten wurden, damit der Rebstock nicht zu viele Trauben ernähren musste und der Extrakt nicht verwässert wurde.

»Die hiesigen Weine sind in der Regel sehr fruchtig und extrem alkoholreich, sie reichen bis zu vierzehneinhalb Prozent, bei der knalligen Sonne hier ist das kein Wunder.«

Und damit sie sich nicht nur mit der Theorie aufhielten und Johanna ausschließlich Mecklings Weine kennenlernte, fuhren sie auf dem Rückweg vom Weingut Montirius zur Domaine du Mont d'Or noch schnell bei Familie Amadieu vorbei und probierten.

Der Vater erinnerte Johanna an Louis de Funès. Ob ihm der Vergleich gefallen hätte? Als der Exportleiter dazukam, waren die Filmstars komplett: In ihm sah sie Fernandel, den Darsteller des Don Camillo mit dem Pferdegebiss, ein Idol ihrer Kindheit. Wie konnte man als Kind so ein Gesicht geliebt haben?

Der Verkaufsleiter präsentierte einen vier Jahre alten Pas de l'Aigle, es war sofort Johannas Favorit, wie viele der hiesigen Weine ein Verschnitt aus Grenache und Syrah. Er hätte noch ein oder zwei Jahre liegen können, aber auch jetzt zeigte er sich bereits trinkbar, die Gerbsäure hatte ihre Rauheit und Schärfe durch die Lagerung im Fass wie auf der Flasche verloren, doch beides gehörte zu diesem Wein wie Aromen von reifen roten Früchten, Pflaumen, von Leder und Lorbeer. Und trotz seiner Kraft und Würze wirkte er nicht schwer, nicht pappig und nicht süß. Aber er stieg in den Kopf. Johanna war zufrieden mit sich, dass sie sich so weit einem Wein nähern und ihn beschreiben konnte, dass sie sich zutraute, ihre Meinung zu äußern. Oder war der Alkohol daran schuld – oder dass sie so weit von allem weg war?

Der Domaine Grand Romane war ebenfalls vier Jahre alt, jedoch längst nicht so geschliffen und ungestüm. Johanna war froh, dass man ihr eine Beschreibung ersparte, der Chef nahm sie selbst vor:

»Brombeeren, schwarze Johannisbeeren, wobei das Himbeer- und Erdbeeraroma leicht von Vanille überdeckt sind. Gleichzeitig nehme ich Thymian wahr, Lorbeer und schwarze Oliven mit einigen pfeffrigen Noten.«

Er musste die Beschreibung auf Englisch wiederholen, bis Johanna ihn verstand. Was jetzt noch die feinporige Eiche aus Allier Besonderes hinzufügte, blieb ihr verschlossen. Das großporige Holz der Eichen aus den Wäldern des Limoges brachte angeblich eine ganz andere Note mit sich.

Ein weiterer Wein musste probiert werden. Da verlor sich der Unterschied zwischen deutschen und französischen Winzern. Wenn sie erst einmal bei der Verkostung waren, stellten sie alles vor, was sie im Keller und auf der Flasche hatten, und fanden kein Ende.

Beim nächsten Wein musste Johanna passen. Sie trank zu viel, sie war das Ausspucken nicht gewohnt, und zu viel Alkohol machte sie schweigsam. Es war ihr peinlich, sie fühlte sich benebelt. Glücklicherweise hatte Frau Gesine den Tisch fürs Mittagessen gedeckt, als sie zurückkehrten. Das alles erinnerte Johanna wieder an das Wochenende mit Manuel und den Achenbachs, nur dass dort die Männer gekocht hatten, und sie begriff, wie vieles die Winzer gemeinsam hatten, unabhängig von ihrer Nationalität. Sie liebten ihre Weine, das Leben war vom Weinberg bestimmt, vom Wetter, von der Erde, und irgendwie schienen sie ihr alle miteinander verwandt. Das war der letzte Gedanke, bevor sie satt und zufrieden in den Mittagsschlaf abtauchte.

Am Nachmittag erschien ein Architekt. Er hatte die Umbauten des Weingutes geleitet. Gemeinsam inspizierten sie die Bausubstanz und diskutierten nötige Umbauten der Dächer für die Sonnenkollektoren und Belüftungsschächte in den Kellern. Daran schloss sich eine Debatte über Energieeinsparung und Atomenergie an, der Frankeichs Wirtschaft sich verschrieben hatte. Meckling teilte glücklicherweise Johannas Meinung, nicht aber der Franzose.

»Ihr seid eben eine Atommacht«, frotzelte der Winzer, »oder ihr haltet euch zumindest dafür. Ihr braucht die Meiler für euer Plutonium. Aber wen wollt ihr denn damit beeindrucken, außer eure afrikanischen Kolonien? Wir Deutsche sind längst keine Bedrohung mehr, und die Russen machen kurzen Prozess, bevor ihr auch einen Finger an den Roten Knopf legt. Wir müssen Strom produzieren, wir alle, auf jedem Dach, an jedem Fluss, auf jeder Bergkette, Kollektoren, Windräder und Wasserkraft.« Meckling kam bei diesem Thema richtig in Fahrt. »Oder einfach sparen, raus aus der Wachstumsfalle! Nur so machen wir die verfluchten Meiler überflüssig, die Regierungen tun es sowieso nicht, wie man an Deutschland sieht. Da fliegt sogar die Regierungschefin mit einer Düsenmaschine zum Fußballspiel bis nach Südafrika.«

Johanna empfand es als erleichternd, dass sich auch mal ein anderer aus dem Fenster lehnte. »Ich überlege mir, ob ich mit dem Fahrrad oder mit dem Auto zum Einkaufen fahre, um weniger Dreck zu machen«, meinte sie lachend, obwohl sie es gar nicht komisch fand. »Ist denn alle Mühe umsonst?«

»Jeder zählt«, meinte der Architekt, »ich baue auch keine energieintensiven Häuser mehr, selbst wenn die Kunden das wollen.«

»Dafür tun es dann andere«, meinte Johanna. »Es ist aussichtslos. Aber hier im Süden habt ihr es leichter.«

»Bei uns hängt die Zukunft vom Wasser ab.« Der Winzer sah bei diesen Worten gar nicht glücklich aus. »Manche bekommen zu viel davon, wir zu wenig. Und wenn es kommt, dann in Mengen, die uns die Weinberge wegschwemmen.«

Das brachte sie zurück zur Kohlenstoffbilanz. Für einige Experten war die klimaneutrale Weinproduktion eine Modeerscheinung, für Meckling jedoch nicht, andernfalls hätte er Johanna nicht engagiert. In Deutschland wurde alles dem Winzer überlassen, in Frankreich hingegen bemühten sich die Winzerverbände sowohl von Bordeaux wie der Champagne um gemeinsame Maßnahmen zur Verringerung von CO_2. Da waren die bei der Herstellung des Weins anfallenden Emissionen erfasst worden, über das Verbrennen des Rebholzes nach dem Schnitt im Winter bis zur endgültigen Entsorgung aller Verpackungen. Sie machten den meisten Dreck.

Man diskutierte eine andere Anordnung der Gärtanks, die Verlagerung des Produktionsprozesses von der Waagerechten in die Senkrechte, um die Schwerkraft auszunutzen, statt Pumpen einzusetzen, die dadurch entstehenden Kosten eines Umbaus und der dazu nötige Energieeinsatz.

Die Hitze war kaum erträglich, die Sonne biss in die Haut, das grelle Licht stach in die Augen. Ohne Sonnenbrille ging Johanna in dieser Woche nicht aus dem Haus, und sie trug den Strohhut, den die Dame des Hauses ihr geliehen hatte. Den Hals und die Schultern bedeckte sie mit einem Seidenschal und trug langärmlige Blusen. Als der Architekt zu Besuch gewesen war, hatte sie den Fehler begangen, ein leichtes Sommerkleid zu tragen und offene Sandalen. Dabei hatte sie sich einen schmerzhaften Sonnenbrand auf den Fußrücken zugezogen. Es gab einen kleinen Laden im Ort, wo sie versuchen wollte, eine Feuchtigkeitscreme zu bekommen, dabei wäre eine Brandsalbe sinnvoller gewesen.

Sie betrat den verwinkelten Kramladen und atmete in der Kühle des dreihundert Jahre alten Gemäuers auf, gleichzeitig strömten hunderterlei Gerüche auf sie ein, wobei die von Reinigungsmitteln am deutlichsten hervortraten. Hier gab es alles, von Fliegenfängern über Schreibhefte bis zu Artischocken. Auch die gesuchte Lotion war im Angebot. Es gab nur eine Kasse mit einem defekten Transportband, und vor ihr nestelte eine alte Dame Geldscheine aus dem Portemonnaie. Für eine Landfrau war sie zu elegant, es schien, dass sie sich eigens für den »Stadtgang« zurechtgemacht hatte. Als sie Johanna warten sah, beeilte sie sich, ihren

Einkauf in zwei großen Taschen unterzubringen, dabei fiel ihr ein Päckchen Margarine vom Band, platzte auf, und schmierig quoll das weiche, gelbe Fett aus der Packung und verteilte sich auf den Fliesen.

»Oh, entschuldigen Sie ...« Die alte Dame hielt sich entsetzt die Hand vor den Mund, dann wiederholte sie die Entschuldigung auf Französisch: »Pardon, Madame, *excusez-moi! Je* ...« Sie stockte, als müsste sie nach Worten suchen, sah sich hilflos um und wollte sich bücken, um das Malheur zu beseitigen. Da brachte die Kassiererin bereits eine Rolle Küchenpapier, und gemeinsam mit Johanna beseitigte sie kniend den gewaltigen Fettfleck.

Als hätte sich ein furchtbares Unglück ereignet, rang die alte Dame um Fassung. »Es tut mir ... *j'en suis désolée.*«

Vor Schreck hatte sie auf Deutsch begonnen und sich auf Französisch korrigiert. War das die Frau, von der Meckling gesprochen hatte? Johanna stopfte die benutzten Tücher in eine Plastiktüte.

»Machen Sie sich nichts draus, es ist alles sauber.« Johanna hatte ebenfalls Deutsch gesprochen, und auch die Kassiererin lächelte, denn beiden kam die Reaktion überzogen vor, oder zeigte sich da ein angegriffenes Nervenkostüm?

Ein Ausdruck der Freude verwandelte das Gesicht der alten Dame. »Sie sind Deutsche? Nein, wie wunderbar. Was verschlägt jemanden wie Sie hierher in die Dentelles?«

»Die Arbeit«, sagte Johanna, und während sie beim Einpacken und der Verkäuferin beim Aufräumen half, erklärte sie kurz den Grund ihres Aufenthalts. »Aber in drei Tagen bin ich schon wieder weg.«

»Sie müssen mich unbedingt vor Ihrer Abreise besuchen kommen, auch wir bauen Wein an. Mein Name ist Bernard, Elisabeth Bernard. Alle nennen mich ganz einfach Elisabeth.« Sie lachte nervös. »Ich würde mich riesig freuen, wenn Sie zum Tee kämen, von unserer Terrasse haben Sie einen traumhaften Blick ins Tal, oder Sie kommen zum

Essen? Abends? O ja, ich habe ein wunderschönes Gästezimmer, ganz separat, da hätten Sie Ihre Ruhe … wenn Sie länger bleiben möchten. Ach …«, ihre Freude fiel in einer Sekunde in sich zusammen. »Bitte verzeihen Sie. Sie sind bei Ihren Freunden sicher gut aufgehoben und zu beschäftigt, um einer alten, langweiligen Frau Gesellschaft zu leisten.«

In einer Mischung aus Mitleid und Zuneigung nahm Johanna die Einladung an. Es war auch Neugier. Was verschlug eine Frau von Ende siebzig hierher?

Auch Meckling zeigte sich später interessiert, mehr über die Nachbarin und ihre Domaine Grande Vallée zu erfahren, die seiner Meinung nach gut geführt wurde, gute Weine produzierte, aber deren Besitzer man nie zu Gesicht bekam. Dass es nicht die alte Dame war, war allen klar.

Am nächsten Abend nahm Johanna die Einladung wahr. Meckling hatte einen recht genauen Plan gezeichnet, denn in der Einöde zwischen Pinienhainen, Flächen mit dichtem Unterholz, Felsen und einem Gewirr von landwirtschaftlichen Wegen würde Johanna niemanden nach dem Weg fragen können und sich rettungslos verfahren. Schließlich fuhr er vorneweg und kehrte in Sichtweite der Domaine um. Er wollte nicht als indiskret gelten.

Madame Bernard war außer sich vor Freude. Sie strahlte, hatte sicher eine Stunde darauf verwandt, sich zu frisieren, sich zu schminken, und sich ein geblümtes Sonntagskleid angezogen. Der Tisch auf der von Wein überrankten Terrasse war gedeckt und mit Blumen geschmückt, als käme eine Präsidentin zu Besuch, darauf standen die teuersten Riedel-Gläser neben Fayencen von Gien – und selbstverständlich reichte Frau Bernard Johanna ein Glas Champagner zur Begrüßung, das die beiden Frauen an der Brüstung stehend mit Blick in die schier endlose Abendlandschaft genossen.

»Das habe ich nun jeden Tag«, seufzte die Gastgeberin, es klang bitter. »Andere Menschen zahlen ein Vermögen für diese Aussicht. Ja, sie ist großartig, wunderschön, ein traumhafter Fleck in Gottes Natur – nur ich wäre lieber in Mainz geblieben. Aber mein Sohn wollte es so.« Um ihren Mund zuckte es. »Lassen Sie sich von mir nicht den Abend verderben, ich freue mich so sehr, dass Sie gekommen sind. Erzählen Sie von sich. Was genau ist eine Umweltingenieurin? Es klingt so interessant und neu für mich. Haben Sie Familie? Sie haben sicher Kinder? Wo leben Sie? Was macht Ihr Mann? Er übersetzt Literatur? Nein, wie interessant.«

Während Johanna ihre Fragen beantwortete, bemerkte sie, dass Frau Bernard in der Zeit, in der sie selbst noch nicht einmal ihr erstes Glas geleert hatte, sich zweimal nachschenkte, und erst nach dem dritten Glas schien sie ein wenig zur Ruhe zu kommen.

Es gab als Vorspeise einen Salat von Meeresfrüchten, und Johanna war von dem Wein irritiert, den Elisabeth – Frau Bernard bestand darauf, so genannt zu werden – dazu reichen ließ. Es war ein rebsortenreiner Clairette Blanche, eine in Südfrankreich nur noch an wenigen Stellen angebaute Sorte. Er fühlte sich dicht an, süßlich, viel schwerer als die gewohnten Rieslinge, und sie steckte die Nase ins Glas, um sich selbst zu testen. Würde sie die Aromen definieren können?

»Machen Sie es sich nicht so schwer, Kindchen«, sagte Madame Elisabeth, »das soll hier keine Prüfung sein. Dass der Wein in neuen Eichenfässern auf der Hefe ausgebaut ist, merkt man gleich. Die Aromen sind Birne, Akazie, manche riechen noch Äpfel heraus, andere wiederum Nüsse. Als ich hierherkam, verstand ich absolut nichts von Wein, aber die Arbeit hat mich zur Expertin gemacht. Von diesem Wein haben wir pro Jahr keine fünftausend Flaschen, mehr möchte mein Sohn davon nicht machen lassen.«

»Und von den Roten?«

»Oh, da gibt's mehr, viel mehr, bestimmt hundertachtzigtausend.«

»Und wo werden die verkauft? In Deutschland?«

»Nein, das will mein Sohn nicht. Er betrachtet sich als französischen Produzenten. Wir verkaufen ausschließlich in Frankreich.«

Den Namen des Fisches, der jetzt aufgetragen wurde, vergaß Johanna sofort. Sie interessierte sich mehr für die Frau, die sie bei Tisch bediente.

»Sie ist mit unserem Verwalter verheiratet. Wenn ich mit ihr rede, nenne ich sie meine liebe Freundin, *ma chère amie*, aber insgeheim«, sie beugte sich zum Sprechen weit zu Johanna und flüsterte. »Insgeheim betrachte ich sie als Aufseherin. Sie ist die Wärterin meines goldenen Käfigs.«

Nach dem Fisch trug die Wärterin einen Rehrücken auf, die Portionen waren glücklicherweise so bemessen, dass Johanna sich danach nicht genudelt vorkam. Dazu gab es drei verschiedene Weine, auch Madame Elisabeth wollte zeigen, was die Domaine produzierte. Johanna meinte, eines der Etiketten auf den Flaschen schon mal gesehen zu haben, oder war es die Prägung auf dem Flaschenhals? Auch die aus den Nachbargemeinden Vacqueyras und Châteauneuf-du-Pape trugen ein *écusson*, wie Madame Elisabeth es nannte. In Gigondas war es ein Wappen mit Jagdhorn und Olivenzweigen.

Während Johanna an allen Weinen nur nippte, trank Frau Bernard mit Genuss und wurde gesprächiger. Sie litt darunter, so wenig Gesellschaft zu haben, und als Johanna fragte, weshalb sie zu der Familie Meckling keinen Kontakt pflege, meinte sie nur, dass ihrem Sohn das nicht recht sei. Schließlich sei er der Herr im Hause. »Und danach habe ich mich zu richten.«

Das sah Johanna anders. »Sie lassen sich Ihren Lebensstil vorschreiben und mit wem Sie Umgang pflegen?«

»Sie verstehen meine Situation nicht, Kindchen.«

Johanna überhörte das »Kindchen«, das hatte lange niemand zu sagen gewagt, und von jedem anderen hätte sie es sich auch verbeten. Aber Frau Bernard erregte ihr Mitleid. Es gab niemanden, mit dem sie sich unterhalten konnte, sie hatte niemanden für Ausflüge, wie sie sagte, außerdem wolle ihr Sohn hier keinen Besuch aus Deutschland, aber sie hatte eine riesige Bibliothek und Videothek, beides natürlich von dem fürsorglichen Sohn eingerichtet. Im Wohnzimmer stand ein Flachbildschirm von ähnlichen Ausmaßen wie das Panoramafenster. Sie hatte alles, auch das Haus war ein Traum und wunderbar gelegen, es gab einen kleinen Pool, den sie auch nutzte, »doch was nützt das alles ohne Menschen?«

»Welche Situation verstehe ich nicht«, fragte Johanna nach einer langen Pause.

»Ich hatte Pech im Leben. Aber ich will Sie nicht mit meiner Lebensgeschichte langweilen. Es gibt interessantere.«

»Sie langweilen mich beileibe nicht«, sagte Johanna, »ganz im Gegenteil, erzählen Sie …«

»Wenn es Ihnen nichts ausmacht?« Madame Elisabeth verzog das Gesicht, und erst als Johanna mehrmals genickt hatte, sprach sie weiter. »Ich habe mich von meinem ersten Mann getrennt, vielleicht war das der Fehler, das hätte ich nicht tun sollen. Er hat damals sofort in die Scheidung eingewilligt, weil ich, verstehen Sie, weil ich auf alle Ansprüche verzichtet habe, nur um aus der unerträglichen Ehe herauszukommen. Ich hatte einen Neuen, wissen Sie?« Sie lächelte verschmitzt. »Und wir waren schrecklich verliebt und sehr glücklich. Wir haben geheiratet, wir waren ein Herz und eine Seele, unser Leben war wunderbar, bis er krank wurde, sehr krank, sterbenskrank – Krebs, verstehen Sie? Unheilbar und weit fortgeschritten. Er war selbstständig. Er konnte nicht mehr arbeiten, seine Firma ging bankrott, er verlor alles, auch das Haus, und was sonst noch da war, holten sich die Ärzte und seine Exfrau und die Kinder aus erster Ehe. Und ich stand da – im Nichts, und auch in meiner Trauer allein. Da half mir glücklicherweise mein Sohn. Er bot mir an, mir hier mein Heim zu schaffen, er sagte, dass er mich brauchen würde, um seine Geschäfte zu beaufsichtigen, was ich auch tue. Ich kümmere mich um das Büro, wohl auch ganz gut, er ist sehr mit mir zufrieden.« Als sie das sagte, lächelte sie sogar wieder, fiel dann aber wieder in ihre leichte Schwermut zurück.

»Ja, und so lebe ich hier – im Grunde von Almosen – in einem wunderbaren grünen Gefängnis unter dem grandiosen Sternenhimmel im südlichen Frankreich, bis ich eines Tages hier sterbe. Mein Sohn hat versprochen, dass er mich, wenn es Zeit fürs Pflegeheim wird, nach Deutschland holt. Es könnte hier viel schöner sein, wenn mein Sohn mit seiner Frau und den Kindern öfter käme, aber er telefoniert nur einmal die Woche mit mir … Kindchen, Sie trinken ja gar nichts!«

Sie griff nach den Flaschen und schenkte nach, dann rief sie nach der Haushälterin und bat darum, die *mousse au chocolat* zu servieren. »Das mögen Sie doch? Das mögen alle. Ich sehe, Sie essen gern und trinken gern. Das freut mich. Mein Sohn sagt, ich soll mich zurückhalten, gerade mit dem Wein, aber Rotwein ist gesund, da sind Antioxidantien drin, und die schenken ein langes Leben, regen den Kreislauf an, und die Tannine von hier sollen gut sein gegen Verkalkung und Arteriosklerose. Was meinen Sie? Stimmt das? Sie haben doch studiert?«

Johanna verstand es, das Gespräch auf andere Themen zu bringen, um Madame Elisabeth nicht in ein weinseliges Tief abgleiten zu lassen, und erfuhr durch ihre gezielten Fragen einiges mehr über Land und Leute.

Als krönender Abschluss wurde ein dezent duftendes Riesling-Sorbet gereicht. »Damit Sie sich ein wenig heimisch fühlen«, meinte Madame, »und es zeigt die Kochkunst meiner Aufpasserin.« Die im halbdunklen Nebenzimmer wartende Frau wurde gerufen, um den Wein zu holen, von dem Johanna noch ein Glas eingeschenkt bekam. Die grüne Schlegelflasche war ihr vertraut, der Name des Weingutes nicht. »Davon hat mein Sohn beim letzten Besuch einige Flaschen mitgebracht.«

Es war längst dunkel und damit unmöglich, in dieser Einöde den Heimweg zu finden. Madame Elisabeth wollte unbedingt, dass Johanna blieb, das wunderschöne Gästezimmer habe ihr Sohn eingerichtet, genau wie das ganze Haus – »hat er nicht einen ausgezeichneten Geschmack?«

Madame trank immer mehr, Johanna wollte nur weg, auch weil sie sich gruselte. Sie rief Meckling an, und er versprach, sie zu holen, damit sie hinter ihm herfahren könne.

»Aber, Kindchen, Sie ... kommen morgen doch wieder?« Das Sprechen fiel Madame Elisabeth schwer, sie stand auf und hielt sich an der Kante des schweren Esstisches fest, sie schien plötzlich entsetzlich müde, sie wollte schlafen, und ihre Haushälterin kam, um ihr das Bett aufzudecken, wie sie es nannte.

»Wenn Sie also nicht mit mir frühstücken wollen, dann schreiben Sie mir.« Madame Bernard lallte nicht, aber es bereitete ihr Mühe, die Worte richtig aneinanderzureihen. »Ich würde mich riesig über einen Brief freuen. Eine Karte genügt, damit ich weiß, dass Sie gut heimgekommen sind – ja?«

Sie stakste zu ihrem Sekretär, klappte ihn auf, griff nach Block und Bleistift, bemüht, die Haltung zu bewahren. Während sie ungelenk schrieb, sagte sie langsam ihren Namen vor sich hin: »E-li-sa-beth Mar-quar ... ach, ich – ich bin ganz durcheinander«, stammelte sie, »ich Dummchen. Das ist der Wein. Ver-verzeihen Sie, jetzt hätte ich Ihnen fast den Namen meines ersten Mannes aufgeschrieben. Ich heiße ja seit Langem schon Bernard ...«

Johanna wartete in der Stille, betrachtete die nächtlichen Schatten der weiten Ebene und lauschte den Zikaden. Sie hätte sich abgestoßen fühlen können, doch Madames Anblick schmerzte sie, in ihrer Hoffnungslosigkeit und Abhängigkeit vom Wein – und vom liebevollen und treu sorgenden Sohn. Sie spürte einen zunehmenden Widerwillen. Was war Schicksal, was war eigene Verantwortung? Und war das Zufall, dass sie Marquardt geheißen hatte und aus Mainz stammte?

»... eine Gemeinheit, eine bodenlose Sauerei!« Thomas saß am Küchentisch und ballte die Fäuste. Seine Wut trieb ihm die Tränen in die Augen.

»Glaubst du wirklich, dass Vormwald den Termin absichtlich verschlampt hat?«, fragte Regine vorsichtig, weil sie nicht zur Zielscheibe seiner Wut werden wollte. »Ich kann mir das kaum vorstellen, das wäre ... er kann es vergessen haben, oder etwas ist dazwischengekommen.«

Thomas hatte das Gefühl, auf der Stelle zu treten, nein, alles bewegte sich sogar rückwärts, nirgends kam er voran. Aber dafür konnte Regine nichts. Was er ihr jedoch vorwarf, war ihr Desinteresse an Manuels Lage und dass sie sich diesem Ignoranten von Thorsten an den Hals geworfen hatte und seinetwegen ihn und ihre gemeinsame Wohnung mied. Wenn sie richtig verknallt wäre, würde er es verstehen, wenn man an nichts anderes mehr dachte, wenn einem beim Anblick des anderen die Knie weich wurden, dann ja. Aber sie schien nicht glücklich zu sein, wenn sie von diesem Thorsten kam, sondern wirkte angespannt.

»Wie stellst du dir unser Zusammenleben in Zukunft vor? Wie soll es hier weitergehen? Wir suchen uns jetzt sang- und klanglos einen neuen Mitbewohner und führen den Laden weiter so wie bisher, sitzen abends bei Spaghetti Bolognese und einem Chianti am Tisch, bei Fisch ist es dann sinnigerweise ein Rheingau-Riesling, hecheln die Dozenten durch – und Manuel geht vor die Hunde? Du bist nur noch bei Thorsten, und niemand nimmt mehr Anteil am Leben des anderen? Regine, so will ich das nicht! Dann suche ich mir lieber ein Zimmer – und zwar sofort.«

»Du siehst nur immer dich und Manuel ...«

»Was gibt es Schlimmeres als Knast? Sag mir das! Für dich würde ich mich genauso einsetzen.«

»Das ist fies, Thomas, das ist moralisch. Du gibst mir keine Chance, du lässt mich nie ausreden, du willst gar nichts verstehen, du brüllst nur deinen Frust raus ...«

»Soll ich mich etwa freuen?«

»Du fällst mir schon wieder ins Wort. Halt verdammt noch mal fünf Minuten die Klappe!« Jetzt war Regine laut geworden.

Thomas zuckte zurück. So hatte er seine Mitbewohnerin noch nie erlebt, und verwundert sah er Regine an.

»Was guckst du? Bei dir hat keiner das Recht, Fehler zu machen, du und dein perfekter Vater, das unfehlbare A-Team. Als dritten Mann habt ihr euch Manuel ausgesucht und ihn aufgebaut, so wie ihr ihn haben wollt, weil er sich nicht wehrt. Die drei supergeilen Weinmacher aus der Pfalz – auf dem Weg nach oben! Unaufhaltsam. Und kochen könnt ihr auch. Johanna Breitenbach sorgt fürs ökologische Gewissen, absolut perfekt – ohne jeden Schadstoffausstoß und politisch korrekt. Es ist nur eine Frage der Zeit, bis eure Weine alle bei neunzig Parker-Punkten liegen, die MUNDUSvini-Goldmedaille kriegen und den Sonderpreis der London Wine Challenge ...« Sie schnappte nach Luft. »... bis eure Fotos in ›Vinum‹ erscheinen, dann im britischen ›Decanter Magazine‹, danach ein Porträt im österreichischen ›Falstaff‹, und ihr werdet Mitglied beim Verband der Prädikatsweingüter ...«

Außer Atem und über ihre eigene Frechheit erstaunt hielt Regine inne – und Tränen kullerten ihr über die Wangen.

Thomas war entsetzt, er war baff. Er riss ein Blatt von der

Küchenrolle ab und hielt es Regine in einer hilflosen Geste hin.

»Bitte, hör auf zu heulen. Ich meine es nicht so, Regine, ich bin fertig. Ich weiß mir keinen Rat mehr ... Aber dass du so über uns denkst?« Thomas starrte Regine an. Er hatte geglaubt, sie wolle lediglich für sich sein, aber ihre letzten Worte zeigten eine andere Haltung. Das war ein Mischmasch aus Neid, Ablehnung und Ausgeschlossensein. War es das? Manuel und er hatten Hoffnungen, sie redeten ständig von ihrem Weingut, ihren Möglichkeiten und dem riesigen Experimentierfeld – und Regine? Sie musste sich mit ihrem verstaubten Alten rumschlagen, der ihr statt des Betriebs eines Tages nur Hypotheken hinterließ.

»Nein, Thomas, ich denke nicht so über euch, und doch bin ich wütend, ich ...« Sie stammelte und hatte Mühe, sich zu fassen. »Ich meine es gar nicht so. Willst du wissen, weshalb ich mich in letzter Zeit zurückgezogen habe, willst du das wirklich wissen?«

Thomas nickte wortlos, er war zu aufgewühlt, um etwas sagen zu können. Regines Ausbruch erschütterte ihn, gleichzeitig bedauerte er, dass er sie zum Weinen gebracht hatte. Andererseits imponierte es ihm, dass sie endlich mal Contra gab, auch wenn es sich gegen ihn richtete. Mit ihrer Kritik hatte sie ihn nicht wirklich getroffen, dazu war er zu sehr von dem überzeugt, was er tat. Manuel und er hatten Regine nie ausgegrenzt, sie hatten sie immer wieder eingeladen. Sie war nie mit in die Pfalz gekommen – vielleicht weil sie es nicht ertragen hätte, zu erleben, wie sie sich einen Traum erfüllten?

»Dann hör mir jetzt mal zu, Thomas, und lass dir was erklären.« Regine gewann langsam ihre Ruhe zurück. »Sicher bin ich auch mit schuld, aber andererseits auch wieder nicht. Ich kann nichts dafür, dass das mit Thorsten anfing, als sie Manuel abgeholt haben. Ihm, also Thorsten, hat es von Anfang an nicht gepasst, dass ich mit zwei Männern zusammenwohne. Der kommt vor Eifersucht um. Jeden Tag höre ich mir seine Nörgelei an, und ich habe gedacht, dass Manuel vielleicht auch … in seiner Eifersucht … du weißt ja, wie schwierig das mit Alexandra war.«

»Du hast geglaubt, dass Manuel Alexandra …?«

»Ja, zuerst nur, weil Thorsten mich so verrückt gemacht hat, der hat sich von mir sogar den Studienplan zeigen lassen. Ich dachte, er ist an meinem Studium interessiert, aber er wollte lediglich wissen, wo ich wann bin, verstehst du? Er ist ein Kontrollfreak, manisch, das erkennst du an seinem Weinberg. Da liegt nicht ein welkes Blatt. Dann hat er gefragt, ob ich mit euch beiden was habe, das sei in Kommunen so üblich.«

»So blöd kann man doch nicht sein. Wahrscheinlich liest er zu viel Bild-Zeitung. Dann hat er sicher den Quatsch über Manuel gelesen, den die Rosa Handtaschen verbreitet haben?«

Jetzt machte Regine ein zerknirschtes Gesicht. »Er ist wie alle Leute, mein Vater ist genauso. Von Manuel wollte er nichts hören. Ich wollte nicht, kaum dass ich ihn kennengelernt habe, einen Streit anfangen.« Regine roch lustlos an ihrem Weinglas und stellte es zurück auf den Küchentisch.

»Weshalb bist du auf ihn abgefahren, was interessiert dich an ihm?«

»Er sieht gut aus, ich finde ihn männlich, er weiß, was er will, und er lässt sich nicht beeinflussen.«

»Hast du dir einen Typen geangelt, der so ist wie dein Alter? Einer, der nichts lernen will, der andere Menschen verachtet und trotzdem meint, dass er die Ansagen machen kann? Macht das den Umgang miteinander leichter? Das sind für dich bekannte Muster. Wie ist denn sein Wein? Genauso?«

»Bist du bei Manuel dem Gefängnispsychologen begegnet? Du bist gemein.«

»Nein, ich bin offen. Du hast eben gesagt, ich soll mir

Thorstens Weinberg ansehen. Das sagst du nicht ohne Hintergedanken. Zwischen seinen Reben ist wahrscheinlich alles totgespritzt. Du hast seinen Wein sicher probiert – Mainstream in der Literflasche, oder? Vielleicht einen CLASSIC als qualitativen Ausreißer nach oben? Es würde mich freuen für dich, wenn es anders wäre.«

»Leider hast du recht. Es kann schließlich nicht jeder so ehrgeizig sein wie du.« Regine hörte sich traurig an. »Aber sei nicht so eingebildet.«

»Meinst du nicht, dass es mehr Spaß macht, sich nach oben zu orientieren statt nach unten?«

»Glaubst du nicht, dass das eine Frage des Charakters und der Erziehung ist?«

»Doch, aber du hast einen Besseren verdient.«

»Willst du meinen Papa ablösen und mir sagen, was gut für mich ist?«

Thomas sah den verschmierten Lidstrich in Regines Gesicht. Bisher hatte sie sich so gut wie nie geschminkt, und deshalb war ihr nicht klar, dass sich ein dicker schwarzer Balken über ihre rechte Wange zog, das linke Auge sah aus, als hätte sie einen Bluterguss. Thomas ging ins Bad, holte Regines Handspiegel, die Kosmetiktücher und ihr Schminktäschchen, legte alles vor sie hin und lächelte. Dann trat er ans Küchenfenster. Er blickte auf die Straße. Er wollte weg, er wollte nach Hause, sich auf den Schlepper setzen und pflügen, er wollte lieber von Sonnenaufgang bis Sonnenuntergang Triebe in die Spanndrähte einflechten, es war Zeit dafür, oder Kartons packen, an der Abfüllmaschine Flaschen zählen, sie an sich vorüberziehen sehen und sich von ihrem Klirren die Gedanken aus dem Kopf treiben lassen. Bloß nicht nachdenken. Manuel würde nach dem Desaster mindestens noch zwei Monate im Knast bleiben müssen.

»Du solltest noch was wissen.« Regine seufzte bedeutungsschwer. »Ich sage es dir ungern, bitte reg dich nicht wieder so auf, aber es wäre falsch, dir das zu verheimlichen. Du kriegst anscheinend gar nichts mehr mit, du bist ja kaum noch an der FH.«

Bei dieser Einleitung kann nur wieder etwas Schreckliches rauskommen, dachte Thomas. »Red endlich, schlimmer kann's nicht werden.«

»O doch. Man hat dich zusammen mit Johanna Breitenbach gesehen.«

»Na und? Sie ist schließlich unsere Dozentin.« Thomas verstand nicht, worauf Regine hinauswollte. »Außerdem arbeitet sie für unser Weingut.«

»Man hat dich nachts gesehen, als du aus ihrer Wohnung gekommen bist, drüben in Bingen ...«

Es dämmerte Thomas, was Regine ihm zu verstehen geben wollte. Er ging in die Knie und zog unwillkürlich den Kopf ein – aber nicht, um sich zu verstecken, nicht um zurückzuweichen, sondern um seinen Schwerpunkt zu verlagern, wie er es beim Kampfsport gelernt hatte, um seine Mitte zu finden, den sicheren Stand, aus dem heraus er den Angriff führen konnte. So hatte es ihm der Chinese beigebracht, mit der offenen Hand zu kämpfen, wenn man von drei Gegnern gleichzeitig angegriffen wird. In dieser Haltung konnte er sich sammeln und gewann sein Selbstvertrauen zurück, das ihm die Nachricht von dem gescheiterten Haftprüfungstermin genommen hatte.

Es war wie ein Automatismus. Die Schultern senkten sich, seine Atmung stellte sich auf den tiefen Schwerpunkt ein, und er sah Kommissar Sechser vor sich, wie er Manuel voller Verachtung den Kopf nach unten gedrückt hatte, als brächten sie ihn zur Hinrichtung. Er selbst wäre niemals freiwillig mitgekommen, sie hätten ihm Hand- und Fußfesseln anlegen müssen.

Er blickte Regine an, und sie erwiderte seinen Blick ganz offen. Wenn sie Respekt einforderte, dann war es auch an ihm, Respekt zu zeigen. Dabei sein Ziel nicht aus den Augen zu verlieren, hatte nichts damit zu tun, auch nicht Freund und Feind zu verwechseln. Er brauchte einen klaren Blick auf die Gegner, er musste sie kennen. Regine war nicht sein Gegner, sie war lediglich verwirrt, ihr Gesicht eine einzige Frage, sie war unglücklich, und er musste da anknüpfen, wo ihre Verbindung unterbrochen worden war – in dem Moment, als Thorsten sich in ihr Leben geschoben hatte. Vielleicht brauchte sie ihn, um ihren Vater besser zu verstehen? Philipp hatte gemeint, dass man im Leben immer genau das wieder vorgesetzt bekam, was man noch nicht bewältigt hatte, »und immer in anderer Gestalt. Die Kunst ist, es zu erkennen.«

»Wer setzt Gerüchte über Johanna und mich in die Welt?« Thomas war von seiner Ruhe selbst überrascht. »Wer hat ein Interesse daran, uns was anzudichten? Eine Schweinerei … Ich könnte mir vorstellen, dass es die Handtaschen waren.«

»Ja und nein«, sagte Regine gequält. »Also warst du bei ihr? Sie haben es nur weitererzählt, von dir und Frau Breitenbach, das wieder hat mir jemand anderes gesagt. Ich habe mich dann in der Mensa zu ihnen gesetzt und sie genervt, bis sie geredet haben.«

»Du hast das wirklich getan?« Thomas fühlte sich beschämt. Dann hatte Regine sich doch bemüht?

»Sie wollten sich rausreden und meinten, sie hätten es von Herrn Florian. Was ist wirklich mit dir und Frau Breitenbach gewesen? Angeblich steht sie auf junge Männer.«

Thomas musste einen klaren Kopf behalten. Er wusste nicht weiter, er hatte keinen Plan und niemanden, mit dem er sich besprechen konnte, denn Johanna Breitenbach war in Frankreich, sie müsste dieser Tage wiederkommen. Das Schlimmste war, dass sich die Hoffnung, Manuel noch in dieser Woche vom Knast abzuholen, zerschlagen hatte.

»Entschuldige, dass ich so harsch war, ich habe das nicht so gemeint. Mit Frau Breitenbach ist nichts, das kann doch keiner wirklich glauben.« Er war an den Tisch zurückgekehrt und stützte sich auf die Lehne eines Stuhls. »Und wer sagt, dass sie auf junge Typen steht?«

»Ihr Letzter soll auch ...«

»Woher weißt du das?« Thomas beschlich ein Verdacht. Es kam zu vieles zusammen, es gab zu viele Informationen. »Aus welcher Quelle hast du das?«

»Aus derselben Quelle.«

»Von Florian? Das saugt der sich doch nicht aus den Fingern.«

»Warst du denn nun bei ihr?«

»Ja, vergangene Woche, abends, wir hatten extra abgesprochen ...« Thomas hielt inne und blickte Regine eindringlich an. Konnte er ihr wirklich vertrauen?

Sie hob unter seinem Röntgenblick den Kopf, als hätte sie Gedanken gelesen. »Wenn du es sagen willst, dann tu's, wenn nicht – es ist deine Entscheidung.«

Thomas trank einen Schluck Wein, da meldete sich Regines Mobiltelefon. Sie stand auf, um in ihr Zimmer zu gehen, blieb stehen und sah Thomas an.

»Nein, ich komme heute nicht. Wir haben was zu besprechen. Ja, wegen Manuel. Nein, heute bleibe ich hier ... dann bist du eben sauer, das kann ich auch nicht ändern. Gut ... bis morgen.«

Thomas ahnte, mit wem sie gesprochen hatte.

»Er ist beleidigt. Er will jeden Abend, dass ich komme, und dann sitzen wir doch nur vor der Glotze und gehen irgendwann ins Bett. Ich komme kaum noch zum Lernen.«

Also war doch nicht alles so großartig mit Thorsten. Die ersten Risse zeigten sich. Vielleicht war Regine deshalb bereit, ein Gespräch mit ihm zu führen. Dann sollte er sie auch über seine Zusammenarbeit mit Johanna ins Bild setzen.

»Frau Breitenbach und ich haben eine Art Arbeitsteilung verabredet. Sie versucht, bei den Dozenten mehr über Alexandra und ihre Kontakte in Erfahrung zu bringen, ich versuche es auf meine Weise bei den Studis und außerhalb der FH. Wir haben uns in ihrer Wohnung getroffen, gerade damit man uns nicht zusammen sieht. Jemand muss uns beobachtet haben.«

»Absichtlich oder zufällig?«

»Wenn ich an das Fiasko mit Vormwald denke, glaube ich nicht mehr an einen Zufall.«

»Das ist gewagt. Du hast mir gar nicht gesagt, weshalb der Haftprüfungstermin geplatzt ist.«

Thomas erläuterte ihr den Sachverhalt. Vormwald hatte den Termin beim Staatsanwalt in Wiesbaden beantragt, um Entlastungsgründe für Manuel vorzutragen und so die Untersuchungshaft aufzuheben. Der Staatsanwalt war einverstanden. Manuel war aus dem Untersuchungsgefängnis Weiterstadt zum Termin nach Wiesbaden gebracht worden, nur war Vormwald nicht erschienen. Er hatte weder eine Erklärung abgegeben noch sich entschuldigt. Der Staatsanwalt hatte daraufhin in seinem Büro nachgefragt, wozu er nicht verpflichtet war, worauf die Sekretärin erklärt hatte, dass Vormwald in der Schweiz sei, sie könne ihn nicht erreichen, und er komme erst am nächsten Tag zurück. In seinem Terminkalender sei der Termin nicht vermerkt. Deshalb habe Manuel selbst seine Verteidigung übernommen, was total in die Hose gegangen sei. Zu seiner Entlastung habe er nichts Neues vorgebracht, er habe lediglich immer wieder beteuert, dass er unschuldig sei und keinen Grund gehabt habe, Alexandra umzubringen. Den beschlagnahmten Wein habe er nie zuvor gesehen, das könnten seine Mitbewohner bezeugen, und niemand wisse, wie der Wein in die Wohnung gekommen sei. Das gelte auch für die bei ihm gefundenen Unterlagen.

»Hat ihm jemand geglaubt?«, fragte Regine, die entsetzt zugehört hatte.

»Natürlich nicht. Man entscheidet nach Verfahrensregeln und Paragraphen. Da es keine entlastenden Argumente gab, sah die Staatsanwaltschaft auch keine Veranlassung, nach einem anderen Täter zu suchen. Es gibt nichts, was Manuel entlastet. Sie haben ihn wieder nach Weiterstadt gebracht«, schloss Thomas trocken.

»Und ein neuer Haftprüfungstermin?«

»Frühestens nach weiteren zwei oder drei Monaten U-Haft und bei Erkenntnissen, die ihn entlasten könnten.«

Regine hielt sich sprachlos die Hand vor den Mund und sah Thomas an. Dann ließ sie die Hand sinken.

»Und was sagt Vormwald dazu?«

»Er hat völlig ungerührt argumentiert, dass es Manuels Schuld sei. Wäre er nicht vorgeprescht, dann wäre der Termin zwar geplatzt, er aber hätte wenig später einen neuen ansetzen können. Seiner Meinung nach hat Manuel alles verdorben. So habe ich das verstanden. Und jetzt bearbeitet er Manuel, damit er ein Geständnis ablegt, damit Vormwald auf Totschlag im Affekt plädieren kann. Eine ›saubere Lösung‹ nennt er das. Das war von Anfang an seine Absicht. Mindestens fünf Jahre gibt's dafür. Und wenn Manuel sich gut führe, könnten es auch weniger werden.«

»So redet er sich raus? Weshalb ist er nicht gekommen?«

»Darauf hat er nicht geantwortet. Ihm wird was anderes wichtiger gewesen sein. Ich glaube ihm nicht, dass sein Büro den Termin vergessen hat, das kann ich mir nicht vorstellen – bei einem Mord.«

»Würde das bedeuten, dass Manuel absichtlich zugeschlagen hat, wie du vorhin meintest?«

»Was weiß ich? Vormwalds Worte klingeln mir noch in den Ohren. Er geht mit dem Fall so gleichgültig um, als wäre bereits ein Urteil gesprochen. Ich finde das infam. Manuel mag einen Fehler gemacht haben, aber er hätte ihn auf den Termin vorbereiten müssen.«

Regine begriff langsam die Tragweite dessen, was Thomas durchblicken lassen wollte. »Wieso macht er das, wenn er sogar mit Manuels Vater bekannt ist?«

Thomas hatte als Antwort nichts als ein Kopfschütteln.

»Wie steht Manuels Vater dazu?«

»Das ist ein unergründlicher Mensch. Er lebt hinter einer Mauer, so kalt, so unnahbar, wie er sich gibt. Der hat darüber geredet, als wäre Manuel ein Problem, das gelöst werden müsste, und nicht, als wäre er sein Sohn. Sein Kommentar war ähnlich wie der von Vormwald, ich hab nur kurz mit ihm telefoniert, er hatte kaum dafür Zeit, er sagte zum Schluss, dass er sich lieber die Version des Anwalts anhören würde als meine ...«

»Wieso nimmt Manuel sich keinen anderen Anwalt?«

»Das wird er tun. Mein Vater ist gerade dabei und ...«

Regine lachte laut auf. »Schon wieder einer dieser Überväter? Sie werden's für uns richten, die Väter. Da fällt mir noch was anderes ein«, sagte sie, und das Lachen erstarb, »das ist auch über die Handtaschen von Florian gekommen.«

»Was haben die dauernd mit Florian zu tun?«

»Später, erst einmal das: Frau Breitenbach hat früher bei einem Consultingunternehmen gearbeitet, das für – so wie ich es verstanden habe – ökologisch fragwürdige Projekte Expertisen ausgestellt hat. Sie war dafür zuständig, die Projektbeschreibung so hinzubiegen, dass die Umweltauflagen oder Gesetze erfüllt wurden.«

»Und was heißt das?« Thomas verstand nicht, worauf Regine hinauswollte.

»Das weiß ich auch nicht. Die Handtaschen jedenfalls meinten, dass man ihr nicht trauen darf, sie sei falsch. Hier bei uns spielt sie die Umweltschützerin, macht auf Öko, erzählt uns, wie man seine CO_2-Bilanz senkt, in Wirklichkeit arbeite sie für die Industrie.«

»Worauf soll denn das wieder hinauslaufen? Jetzt schütten sie über ihr Dreck aus, und du trägst das weiter?«

»Hör auf, mich mit reinzuziehen. Immer suchst du einen Schuldigen. Ich habe keinem was gesagt, nur dir. Mit wem die Handtaschen außer mir darüber geredet haben, weiß ich natürlich nicht.«

Thomas lief um den Küchentisch. Mit Florian stimmte doch was nicht. Er würde ihn weiter beobachten müssen, er musste wissen, was er tat und mit wem er sich traf. Das alles sah ihm nach einer gezielten Rufmordkampagne aus, die sich gegen Johanna und gegen ihn richtete. Dahinter stand Florian. Was hatte er mit Alexandra zu tun gehabt, wo war die Verbindung?

»Ich bleibe heute hier«, sagte Regine in die Stille hinein. »Soll ich uns was zu essen machen?«

Zuerst wollte Thomas ablehnen, aber dann dachte er, dass ein gemeinsames Abendessen sie wieder zusammenbringen würde, und vielleicht hatte Regine noch mehr zu erzählen. Von Thorsten und seiner Eifersucht, von seinen Weinen zum Beispiel, oder was an der FH sonst noch an Gerüchten kursierte. Es war zu spät, heute noch nach Frankfurt zu fahren, um Florian zu beschatten. Er müsste ihm wie neulich nach Ende seiner Vorlesung folgen. Alles, was er bisher herausgefunden hatte, war, dass er sich mit Marquardt und Waller getroffen hatte, woraufhin sie gemeinsam zu einer Parteiveranstaltung gefahren waren. Das Thema des Treffens hatte er nicht ermitteln können. In solchen Kreisen wurde derart viel gekungelt, geschoben und gemauschelt, dass es alles hätte sein können, aber nichts, was unbedingt mit Alexandra zu tun haben musste. War es erfolgversprechender, wenn er sich vor der Wohnung der Handtaschen auf die Lauer legte und sich mit ihrem Leben beschäftigte?

»Soll ich was kochen?«, fragte Regine. »Ich habe zwei Rumpsteaks gekauft, schön mit Zwiebeln ...«

»Diene ich als Lückenbüßer, weil Thorsten heute nicht will – oder kann?«

»Nein, du dienst als kleinkarierter Scheißer, und ich würde dir die Steaks an den Kopf werfen, wenn ich dich nicht besser kennen würde. Hast du nicht zugehört? Ich habe ihm abgesagt. Ich wollte heute hier sein. Außerdem hatten wir Krach. Ich lasse mich von niemandem mehr rumkommandieren, weder von ihm noch von meinem Vater – und auch nicht von dir. Ich gehe nach dem Studium nach Australien und arbeite dort auf irgendeinem Weingut, am besten so weit weg wie möglich.«

»Das fände ich schade«, meinte Thomas versöhnlich. »Komm erst mal mit in die Pfalz, und dann sehen wir uns in der Nähe nach guten Weingütern um, wo man lernen und gleichzeitig Geld verdienen kann. Gut ausgebildete Önologinnen sind gesucht. Ganz bei uns in der Nähe ...«

Es war spät geworden. Bis Mitternacht hatte Thomas mit Regine am Küchentisch gesessen und ihr von seinen Bemühungen erzählt, mehr über Alexandras Lebensumstände zu erfahren und sich an mögliche Hintergründe für den Mord heranzutasten. Den Besuch in ihrer Wohnung hatte er genau so verschwiegen wie die Verfolgung Florians. Danach war Manuels miserabler Zustand ihr Thema, seine Labilität, seine Schwäche und mangelnde Widerstandskraft.

Als Regine eine Flasche aus dem Weinregal nehmen wollte, wunderte sie sich über vier Erste Gewächse von Schloss Schönborn.

»Hast du zu viel Geld? Die waren nicht billig.«

»Betriebsausgaben. Das soll ein Versuch werden, ich bin bei der Hektik noch nicht dazu gekommen. Ich werde die Weine öffnen, sie bleiben auf der Fensterbank, da verändern sie sich schneller, und ich beobachte und protokolliere ihre Entwicklung. Eine Woche sollen sie sich halten, wenn sie so gut sind, wie es heißt. Ein Wein, der nach einem oder zwei Tagen bereits den Geist beziehungsweise sein Aroma aufgibt, taugt nichts.«

»Darf ich mitmachen?«

»Ich habe gehofft, dass du mich das fragst.« Der Ärger darüber, dass sie ihre WG im Stich gelassen hatte, verflüchtigte sich. Er wollte sich nicht selbst das Vergnügen an seinem Experiment nehmen, und sie machten sich ans Entkorken der Ersten Gewächse. Achtunddreißig Einzellagen auf fünfzig Hektar verteilt gehörten zum Domänenweingut Schloss Schönborn. Vor sich hatten sie vier davon, und jeweils die besten mit sehr unterschiedlichen Böden: Der Rüdesheimer Berg Schlossberg wirkte frisch, wiesenhaft und leicht, etwas grasig, Thomas meinte, gelbe Pflaume zu riechen, Regine war mehr für Quitte zu haben. Dass dieser Wein vom letzten Jahr bereits jetzt seine Ecken und Kanten verlor, sprach für die Qualität.

Der Hochheimer Domdechaney kam von kalkhaltigem Lössboden. Regine gefiel er nicht so gut, sie glaubte, dass er im Holz ausgebaut war, was aber nicht der Fall war. Für Thomas war er reif und gut dosiert, ein angenehmes Gleichmaß zwischen Süße und Säure ließ ihn harmonisch wirken, und was Regine als Holzton wahrnahm, war für Thomas mehr ein Duft von Honig. Was ihm noch fehlte, war die deutliche Frucht.

Auf die musste er beim Hattenheimer Pfaffenberg auch noch verzichten, er wirkte relativ verschlossen, ein wenig moosig, dafür war er bereits im Ansatz salziger und mineralisch und frisch in der Säure, seine Tiefe deutete sich an. Es würde spannend werden, diesen Wein mehrere Tage zu begleiten.

Der Erbacher Marcobrunn, eine der besten Lagen des Rheingaus, blieb sehr verschlossen. Es war keine zwanzig Minuten her, dass Regine ihn entkorkt hatte. Aber er zeigte bereits seine Kraft, sein Volumen und eine Üppigkeit, die viel erwarten ließ. Morgen würden sie weiter probieren, obwohl Thomas den Pfaffenberg gern weiter getrunken hätte – und Regine den Marcobrunn …

Morgens um fünf Uhr klingelte Thomas' Wecker. Im Vergleich zu seinem jetzigen Leben war sein früheres BWL-Studium geradezu eine Erholung gewesen. Regine hatte ihn daran erinnert, dass Johanna Breitenbach zurück sei und heute ihre Vorlesung halten würde. Er wollte noch das zuletzt Besprochene wiederholen und sich auf das neue Thema vorbereiten. Sie hatte vor zwei Wochen über die Konkurrenz innerhalb der Arten und deren Bedeutung für die Population gesprochen und in diesem Zusammenhang über das Gesetz des konstanten Ertrags. Das hatte nicht unbedingt etwas mit Wein oder Weinstöcken zu tun. Er hatte das Gesetz so verstanden, dass Pflanzen neben der zu Selbstausdünnung auch die Möglichkeit haben, auf die Konkurrenz durch ihre eigene Art zu reagieren. Sie hielten nicht ihre Anzahl gleich, sondern lediglich die Biomasse. Das Gesetz besagte auch, dass unabhängig von der Ausgangsdichte ausgebrachter Samen der Ernteertrag in etwa gleich blieb. Bei geringerer Ausgangsdichte erhielt man wenige große Pflanzen, bei großer Ausgangsdichte viele kleine.

In der Betriebswirtschaftslehre war das Ertragsgesetz ein Modell, nach dem bei stärkerem Einsatz von Geld, Kapital oder Boden durch die Erhöhung nur eines der Faktoren zuerst Ertragszuwächse entstanden, von einer bestimmten Einsatzmenge an abnehmende und schließlich sogar negative Erträge.

Was bedeutete das für ihn? War noch mehr Einsatz für Manuel kontraproduktiv? Verscherzte er sich Sympathien und brachte die Dozenten und Studenten und auch die Behörden weiter gegen sich auf? Vielleicht durfte er nicht so viel unternehmen, sondern sollte gezielter vorgehen? Das hatte sein Vater ihm geraten. Er war neben Johanna Breitenbach der Einzige, von dem er volle Rückendeckung erhielt. Na ja, jetzt machte Regine vielleicht mit ...

Er merkte, wie er schon wieder abschweifte. Er konnte sich kaum noch aufs Studieren konzentrieren. Er würde erst

Ruhe finden, wenn Manuel wieder im Nebenzimmer klimperte, mit ihm im Hörsaal saß oder glücklich vom Pflanzen neuer Rebstöcke nach Hause kam.

Heute würde Johanna Breitenbach über das Zusammenleben verschiedenartiger Organismen sprechen, über *Synökologie*. Es war das Thema, in dem er mittendrin steckte. Es ging um Formen des Zusammenlebens, das war ihre WG, es ging um *Symbiose*, da fielen ihm Sechser und der Staatsanwalt zu ein, und bei *zwischenartlicher Konkurrenz* und *Koexistenz* dachte er nur an sein Verhältnis zu den Handtaschen und den Internationalen Weinwirtschaftlern. Das *ökologische Optimum* war die *reale Nische*. Schufen sie sich nicht gerade die ihre in der Pfalz? Über die *Räuber-Beute-Beziehung* sollte er ein andermal länger nachdenken, wenn er mehr über Alexandra wissen würde. Wer war Räuber, wer Beute? Um das zu entscheiden, war dieser Morgen wenig geeignet, viel besser hingegen, um endlich wieder mit Regine zu frühstücken. Zumindest waren sie zu zweit, sie würden auch bald wieder zu dritt hier sitzen. Es ging voran. Die furchtsamen und strafenden Blicke der Verkäuferin im Bäckerladen würden durch ihn hindurchgehen, sagte er sich und schwang sich aufs Fahrrad.

Im Hörsaal waren sechzig Studenten. Als Thomas den Mittelgang hinaufging, Regine an seiner Seite, erstarb das Summen der Stimmen, unzählige Augen verfolgten sie, als würden sie gleich eine Erklärung zur aktuellen Bewertung der Ereignisse abgeben.

Johanna Breitenbach, der die Woche in Südfrankreich gut zu Gesicht stand, präsentierte ihren Stoff in routinierter Weise. Thomas dachte an Regines Bemerkungen zu Johannas Vergangenheit. Sein Vertrauen zu ihr erschütterte das nicht, wohl aber hatten die Verdächtigungen seinen Verdacht Florian gegenüber genährt. Was nutzte ihm sein Geschwätz?

In der Pause, die Thomas bis zur praktischen Übung in den Kellereigebäuden in der Mühlstraße verbrachte, sprach er Johanna an. Sie hatte keine Zeit, und es schien sie auch wenig zu interessieren, was Thomas ihr mitzuteilen hatte, wie geheimnisvoll er auch tat. Am Ausgang standen zwei Personen, denen er um gar keinen Preis begegnen wollte: die Handtaschen. Die größere der beiden, aufgebrezelt, als ginge sie zu einem Blind Date, sah ihm entgegen und versuchte sich mit einem arroganten Blick.

Als Thomas geradewegs auf sie zuging und erst in Riechweite ihres ätzenden Parfüms stehen blieb, trat Unsicherheit in ihre Augen.

»Ihr habt das Gerücht in die Welt gesetzt, das mit mir und Frau Breitenbach?«

»Wenn du schon alles weißt, weshalb fragst du?« Steffi, von der Thomas annahm, dass sie bereits jetzt so aussah wie ihre Mutter, giftete ihn an: »Wie – duzt ihr euch nicht? ›Johanna!‹ Das klingt viel intimer.« Sie lachte hässlich. »Er geht jetzt schon mit alten Frauen. Hast du deinen Mutterkomplex nicht abgearbeitet? Tja – da hat der alleinerziehende Vater wohl was versaut. Wie wär's mit einem Therapeuten? Ich kenn da einen ...«

»Das kann nur eine Null sein, wenn du ihn kennst«, sagte Thomas gehässig. »Deine Magersucht ist ja ins Gegenteil umgeschlagen.« Er wusste, dass die Körperfülle ihr wunder Punkt war, sie versuchte sich mit jeder nur möglichen Diät. Wäre sie ihm nicht dumm gekommen, hätte er das nie gesagt. Er wandte sich zum Gehen.

»Florian hat es aufgebracht, nicht wir, falls dich das interessiert«, rief Steffi ihm nach.

Am Nachmittag kam der Anschiss, zuerst der von den Kommilitonen, mit denen er einen fiktiven Spritzplan gegen Mehltau hätte ausarbeiten und dem Auditorium vorstellen müssen. Er hatte es schlicht vergessen, die Aufgabe war in seinem Chaos untergegangen. Auch sein Vater war ärgerlich, da er die Bodenproben vergessen hatte. Schade, dass man sich nicht zerreißen kann, dachte Thomas und bemerkte mit Genugtuung, dass es ihm egal war.

Mit dieser Haltung ging er auf Florian zu. Es war ihm egal, ob er eine schlechte Bewertung seiner Klausur bekam oder nicht, die Prüfung würde er bestehen.

»Was haben Sie zu Frau Breitenbach und zu mir zu sagen? Was geht es Sie an, wo und zu welcher Zeit wir berufliche Fragen besprechen? Betreiben Sie Mobbing von Studenten und Dozenten? Es geht Sie einen Dreck an, wann und wo ich Dozenten treffe! Und was die nächste Klausur angeht, die werde ich von einem Rechtsanwalt prüfen lassen, falls Sie mir Schwierigkeiten machen. Ich werde mich beim Dekan über Sie beschweren.«

Florian blies sich auf. »Sie können mir sonst was erzählen, Herr Achenbach. Beziehungen zwischen Dozenten und Studenten werden bei uns nicht geduldet. Sie vernachlässigen Ihre Aufgaben. Ich empfehle Ihnen dringend, sich um Ihr Studium zu kümmern, statt den Detektiv zu spielen.« Mit diesen Worten wandte er sich ab.

Thomas verharrte einen Moment lang reglos. Hatte Florian die Verfolgung bemerkt? War er der Mann auf dem Foto an Alexandras Seite?

Thomas sah dem Dozenten nach, aber er entdeckte keine Ähnlichkeiten mit dem Mann auf dem Foto.

Auf dem Weg zum Parkplatz traf er Professor Dr. Marquardt. Sie gingen ein paar Schritte zusammen und blieben vor Manuels Auto stehen.

»Sie fahren den Wagen Ihres Freundes? Wie übersteht er die Haft? Gab es nicht einen Haftprüfungstermin? Bei uns wird viel darüber geredet. Sie wissen sicher am besten Bescheid.«

Endlich kam Thomas mal jemand nicht mit Vorwürfen, und er gab bereitwillig Auskunft.

»Wenn Sie so schlechte Erfahrungen mit dem Anwalt gemacht haben, wenn das Vertrauen zerstört ist, muss Herr Stern sich nach einem anderen Verteidiger umsehen. Es sollte jemand mit mehr Fingerspitzengefühl sein. Vielleicht war Dr. Vormwald für diesen Fall etwas zu hoch angesiedelt? Erfolg verdirbt die Moral.«

»Wie ist das gemeint?«

»Möglicherweise hat er sich nicht tief genug in den Fall eingearbeitet, er hat es sich zu leicht vorgestellt.«

»Aber deshalb lässt man keinen Haftprüfungstermin platzen.«

»Das ist bedauerlich, fürwahr. Ihr Freund wird erst nach einigen Monaten wieder einen Antrag stellen dürfen. Dann ist das Semester verloren. Ja, da verliert man eine Sekunde lang die Kontrolle«, fuhr Marquardt nach innen gewandt fort, »und alles ist hin. Der Rest des Lebens ist verspielt. Das Schicksal geht bestialisch mit uns um.«

Nicht das Schicksal ist die Bestie, dachte Thomas, der Mensch ist es.

Er fuhr hinauf in den Taunus zum Reitstall und zeigte dem Pferdeknecht ein Foto von Florian.

»Nein«, sagte dieser langsam. »Der war nie hier.«

»Sind Sie sich sicher?«

»Absolut. Das war jemand anderes. Er war älter.«

14

»Wie schön, dass wir das unerfreuliche Thema so ausführlich und abschließend besprechen konnten.« Der Dekan stand auf und umrundete seinen Schreibtisch, um Johanna die Hand zu schütteln. »Ich bin sicher, dass wir die Gerüchte damit aus der Welt geschafft haben. Es ist klar, dass Ihre Beziehung zum Weingut Achenbach ausschließlich geschäftlicher Natur ist. Der Vorwurf, dass Sie früher für Environment Consult & Partners gearbeitet haben, ist lächerlich. Das ist uns bekannt. Wir haben Kollegen, die gleichzeitig diverse Unternehmen beraten.«

»Es ist immer die Frage, in welchen Kontext eine Information gestellt wird.«

»Genau. Das gilt für Naturwissenschaften wie für Geisteswissenschaften. Derart dumme Anschuldigungen verflüchtigen sich meistens. Ansonsten wollte ich Ihnen längst gesagt haben, dass wir uns freuen, dass wir Sie bei uns haben.«

Nichts löst sich einfach auf, es verändert seine Form, seinen Aggregatzustand, dachte Johanna, aber wozu widersprechen? Es war eine Redensart, ihr Einwand hätte sich besserwisserisch angehört, gerade nach diesem harmonischen Gespräch. Sie war bereits aufgestanden.

»Ich bin Ihnen dankbar für Ihre Offenheit.« Plötzlich blieb sie stehen und blickte den Dekan an, sie runzelte die Stirn: »Etwas habe ich vergessen, was diese unselige Angelegenheit in einem ganz anderen Licht darstellt.«

»Und das wäre?« Der Dekan hätte die Unterredung offenbar lieber an dieser Stelle beendet.

»An dem Abend, als Thomas Achenbach bei mir war, bin ich auf den Balkon gegangen, es war ein schöner, lauer Sommerabend, ich sitze oft auf dem Balkon und arbeite. Mir fiel an jenem Abend ein Mann auf, der an einem Wagen lehnte und Thomas Achenbach fotografierte, als er zu seinem Auto ging. Als er wegfuhr, folgte ihm der Mann.«

Der Dekan stieß hörbar die Luft aus. »Sind Sie sicher? Sie schließen einen Zufall aus? Sie meinen, dass ihn jemand bewusst fotografiert und verfolgt hat?« Die Skepsis war deutlich zu vernehmen.

»Nach unserem Gespräch jetzt bin ich mir sicherer als vorher. Als ich aus Gigondas zurückkam, waren die Gerüchte über mich und Thomas Achenbach bereits in Umlauf. Ich sagte Ihnen eingangs, dass es sich bis zu Herrn Florian zurückverfolgen lässt. Ob er es aufgebracht oder lediglich aufgeschnappt hat, wäre interessant herauszufinden.«

»Weshalb sollte er das tun?«

»Jetzt, wo ich mir das noch einmal bewusst vor Augen führe, bleibt mir kein anderer Schluss, als dass er gezielt vorgegangen ist.«

Der Dekan wehrte sich gegen diese Hypothese. »Sie unterstellen eine böse Absicht. Weshalb sollte jemand so etwas Absurdes tun?«

»Weil jemand mich und Herrn Achenbach diffamieren will. Wir sind die Einzigen, die sich nicht mit der Version von Manuel Stern als Mörder Alexandra Lehmanns zufriedengeben.«

»Sie sind tatsächlich von seiner Unschuld überzeugt, Frau Breitenbach?« Dem skeptischen Ausdruck nach war es der Dekan nicht.

»Wirklich überzeugt davon ist nur sein Freund Achenbach. Er versorgt ihn mit allen Informationen, die sein Studium betreffen.«

»Das tun wir auch.«

»Sie?«

»Solange jemand nicht verurteilt ist, gilt die Unschuldsvermutung.« Der Dekan lächelte. »Das habe ich auch dem Staatsanwalt gesagt. Stern ist längst nicht exmatrikuliert. Wie kommen Sie zu der Annahme ...«

»Die öffentliche Meinung ist gegen ihn, auch die Studenten und Kollegen. Wenn es einen Täter gibt, beruhigt sich die Volksseele, man kann ruhig schlafen, die Gefahr ist gebannt, andernfalls ...«

»Sehr bedauerlich, aber so ist nun einmal die Realität. Anders wäre es auch mir lieber.«

»Ich habe gehört, dass für das Konzert bereits ein Ersatzpianist gesucht wird.«

»Dann stehen Sie hinsichtlich der Aufklärung unter beträchtlichem Zeitdruck ...«

»Falls Sie Einflussmöglichkeiten sehen, zögern Sie bitte die Neubesetzung des Pianisten so lange wie möglich hinaus. Stern übt im Gefängnis, er macht eine Art Trockenübung, wie mir Thomas Achenbach erzählte, auf einer aufgezeichneten Tastatur. Er hört dabei die Interpretationen anderer Pianisten über Kopfhörer, Konzerte von Lang Lang, Maurizio Pollini und Annerose Schmidt und spielt dazu auf dieser Tastatur. Der Junge ist ein Phänomen. Allerdings ist sein Gesundheitszustand katastrophal. Er magert ab. Nein, kein Hungerstreik, er isst einfach nichts mehr.«

»Es würde mich freuen, wenn er bald wieder frei wäre«, sagte der Dekan, und Johanna glaubte ihm, »zum einen wegen der Hochschule, zum anderen möchte ich gern sein Konzert hören, ich schätze Chopin sehr.« Er begleitete Johanna zur Tür, sie blieb erneut stehen. »Ist noch etwas? Ich habe gleich eine Sitzung.«

»Eine letzte Frage. Ist Ihnen bekannt, ob Professor Marquardt in Frankreich ein Weingut besitzt oder betreibt?«

Ratlosigkeit überzog das Gesicht des Dekans. »Er veranstaltet ein Seminar zu Frankreich, das ist meines Wissens nach seine einzige Verbindung dorthin. Wieso fragen Sie?«

»Ach, nur so ...«

Jetzt lächelte der Dekan. »Nein, Frau Breitenbach, bei Ihnen gibt es kein ›nur so‹. Wieso fragen Sie den Professor nicht selbst?«

Beim Wein ging es stets um Gegensätze und darum, sie zu harmonisieren: Süße und Säure, Mineralität und Frucht, Gehalt und Leichtigkeit, Schlankheit und Fülle, das Harte und das Weiche, das Feste, aus dem er entstand, die Flüssigkeit, zu der er wurde. Das alles lag im Wesen des Weins, eines Getränks, dessen Charakter das Feste prägte. Taunusquarzit war das vorherrschende Material der Weinberge an den Hängen um Lorch, wohin Johanna sich allein aufgemacht hatte. Sie wollte die hiesigen Weine kennenlernen, heute mal ohne Mentor, nicht mit Carl, nicht mit einem Studenten, der sich beweisen wollte oder musste, mit niemandem, der ihr sein Wissen vorführte, selbst wenn es in bester Absicht geschah. Sie wollte sich nicht einen Geschmack in den Kopf reden lassen, keine Aromen schmecken, auf die sie nicht selbst kam. Es kam auf ihre Empfindungen an. Laquai war ihr empfohlen worden, ein kleines Weingut am Anfang des Mittelrheintals. Weiter nördlich endete der Rheingau.

Über ihr lag Burg Ehrenfels, zur Linken auf einer winzigen Rheininsel der Mäuseturm. Seit 1858 war der ehemalige Zollturm des Mainzer Erzbischofs Hatto II. neugotisch wieder aufgebaut worden. Im 10. Jahrhundert hatte der gnadenlose Kirchenmann trotz einer Hungersnot die »Kornkammern des Herrn« für die Armen verschlossen gehalten. Als ihre Proteste andauerten, waren die Hungernden in eine Scheune gesperrt und diese angezündet worden. Als der Gottesmann die Sterbenden auch noch verhöhnte, überschwemmten der Sage nach die flüchtenden Mäuse aus der Kornkammer die Gemächer des Bischofs und trieben ihn in die Flucht. Hatto II. soll sich daraufhin auf eine winzige Insel geflüchtet haben, bis ihn die dortigen Mäuse bei lebendigem Leibe fraßen.

Wie schade, dass nur im Märchen das Leben gerecht war. Wem wünschte Johanna ein derartiges Schicksal? Vor einigen Jahren hätte sie diese Frage noch beantworten können. Beim Anblick des Rheintals aber vergaß sie die Frage. Es trug den Titel eines Welterbes zu Recht. Kaum hatte sie Assmannshausen passiert, präsentierte sich am jenseitigen Ufer die Burg Rheinstein, ihr folgte auf vorspringenden Felsen die Raubritterburg Reichenstein. Weiter flussabwärts war durch einen kilometerbreiten Steinbruch das linke Rheintal verwüstet, das braune Geröll und der nackte Fels verdarben sowohl den Besitzern der Burg Sooneck wie auch den Bewohnern gegenüber die Aussicht. Nach diesem Schandfleck verlangte die nächste Burg nach Aufmerksamkeit, und die Insel Lorcher Werth erschien links unterhalb der Uferstraße.

Mitten in Lorch, eingeklemmt zwischen der Uferstraße, einer Bahntrasse und steil ansteigenden Weinbergen, bog Johanna rechts in Richtung Wispertal ab. Beim Blick zur Seite sah sie die beiden Briefe auf dem Beifahrersitz, sie lagen seit zwei Tagen dort. Es war wie verhext, immer wieder vergaß sie, einmal geschriebene Briefe abzuschicken. Einer war an Frau Bernard in Gigondas gerichtet, der andere an Carl, sie hatte ihm seit Jahren nicht geschrieben. Aber bei dem, was sie ihm zu sagen hatte, wäre eine E-Mail verfehlt gewesen. Am Bahnhof fand sich bestimmt ein Briefkasten.

Erst als sie anhielt, um nach dem Weg zu fragen, erinnerte sie sich an den Ort. Sie war schon einmal hier gewesen, frühmorgens, genau vor dem weißen Fachwerkhaus mit rot abgesetzten Balken hatte sie gestanden, und ein Stück weiter in der Bäckerei hatte sie einen Milchkaffee getrunken. Das wiederholte sie jetzt. Die Briefe konnten warten. Der Kaffee war so gut wie damals, und als sie am Stehtisch neben dem Fenster einen Butterkeks in den Kaffee tauchte, stand ihr plötzlich eine ganz andere Szene vor Augen: Neben dem Fachwerkhaus gegenüber stand ein Neubau, dazwischen lag eine Einfahrt, und genau aus dieser Einfahrt war Alexandra gekommen – frühmorgens.

Alexandra hatte damals nicht zu ihren Studenten gehört, ihr Gesicht war ihr nicht vertraut. Zu jener Zeit, erinnerte sich Johanna, war sie auf Erkundungstour gewesen. Und Alexandra war dort durch die Einfahrt auf sie zugekommen, da war sie sich absolut sicher, an ihrer Seite ein Mann. Manuel Stern war es nicht gewesen, an seine Lockenpracht hätte sie sich erinnert.

Sie stürzte ihren Kaffee hinunter, die Tüte mit den Keksen steckte sie in ihre Handtasche und ging hinüber. Die Einfahrt war ein Torweg, er führte zu einem dahinter liegenden Neubau mit einem Klingelschild und einer Gegensprechanlage. Von den drei Namen kannte sie nicht einen, ein Namensschild war weiß. Johanna sah sich um. Der Hof war asphaltiert, nirgends standen Blumenkübel oder Blumenkästen mit den unverwüstlichen Geranien, es parkten lediglich zwei Autos mit hiesigen Nummern neben der Haustür an den Müll- und Wertstofftonnen. Als sich jemand aus einem Fenster beugte und etwas rief, eilte sie aus dem Hof – jedoch mit dem Gefühl, etwas vergessen zu haben.

Sie fuhr das Stück zurück zum Bahnhof, aber da fand sich kein Briefkasten. Ein Passant schickte sie zum Bürgeramt, und kaum hatte Johanna die Briefe dort eingeworfen, kehrte sie zu dem kleinen Hof zurück.

Möglicherweise war es eine wichtige Spur. Sie musste mit Thomas Achenbach sprechen. Möglicherweise wusste er, ob es eine Verbindung zwischen der alten Dame in Gigondas und Professor Marquardt gab und welche Bewandtnis es mit dem Weingut hatte. Johanna bereute es längst, Madame Bernard nicht danach gefragt zu haben.

Nach ihrer Rückkehr hatte sie Carl angerufen; er hatte im Guide Hachette zwar den Namen Meckling gefunden, aber keinen Marquardt. »Es gibt Lücken«, wie er gesagt hatte, »es werden nur Winzer aufgeführt, die ihre Weine zur Bewertung einreichen.«

Es gab noch einen weiteren Grund, Achenbach anzurufen oder ihn sogar herzubitten: Sie musste ihm sagen, dass er beobachtet wurde.

In Gedanken kehrte sie mit dem Telefon am Ohr in den Hof zurück. Sie betrachtete das Klingelschild. Das Weiß war nicht vergilbt, also war die Wohnung erst kürzlich frei geworden. So sehr Johanna sich das Gehirn zermarterte, so wenig erinnerte sie sich, mit wem Alexandra dort gestanden hatte. Manuel Stern kam keinesfalls infrage – und für einen Moment dachte sie an Markus und bedauerte, ihn neulich weggeschickt zu haben. Das Gefühl währte nicht lange, irgendwann musste Schluss sein, irgendwann musste man sich von liebgewordenen, neurotischen Angewohnheiten trennen. Außerdem erleichterte es die Annäherung an Carl.

»Suchen Sie etwas?«

Johanna fuhr zusammen, als sie die Stimme hinter sich hörte. Nach Luft schnappend drehte sie sich um und starrte entgeistert eine fremde Frau an, die nun ihrerseits erschrak.

»Verzeihung, ich wollte Sie nicht erschrecken. Bitte – aber als ich Sie sah, ich war gerade in der Küche«, sie zeigte zum Vorderhaus, wo im ersten Stock ein Fenster der Rückfront offen stand, »da habe ich gedacht, Sie suchen vielleicht jemanden. Ich wollte helfen.«

»Ich – heiße – Scholz«, sagte Johanna geistesgegenwärtig und streckte der Frau die Hand hin. Es schuf Vertrauen, sich mit Namen vorzustellen.

Die Frau ergriff ihre Hand. »Melchior, Elsa. Sie sind nicht von hier?! Das sieht man. Suchen Sie eine Wohnung, ja? Der Hausbesitzer, ihm gehört auch unser Haus, lebt in Koblenz. Aber ich habe Schlüssel, nur soll ich niemanden reinlassen, es sind noch Möbel der Vorgänger drin. Es sind zwei Zimmer, ein kleines, ein großes, eine winzige Küche und ein schönes Bad, alles mit Rundbögen.«

Die Frau redete ohne Punkt und Komma, von der Wohnung kam sie auf ihr eigenes Leben, beklagte sich über die dauernde Abwesenheit ihres Mannes, Pendeln und Montage seien kein Leben, dann redete sie von Lorch, seinen Bewohnern, den Nachbarn ...

Johanna überlegte, wie sie die Frau dazu bringen konnte, mehr über die Vormieter zu erzählen. Die Koinzidenz, wie sie es nannte, das Zusammentreffen von Alexandras Tod und dem Auszug der Vormieter lag auf der Hand. Der Rufton ihres Telefons gab ihr einen Grund, sich außer Hörweite zu begeben.

Sie informierte Thomas kurz über das Gespräch mit dem Dekan und ihren Aufenthaltsort. Er versprach, sobald er an der FH fertig sei, sich mit ihr in der Gaststätte von Laquai zu treffen.

»Achten Sie darauf, dass Ihnen niemand folgt! Fahren Sie so lange durch die Gegend, bis Sie einen möglichen Verfolger abgeschüttelt haben.«

»Weshalb, zum Teufel ...«

»Sie werden beobachtet. Sollten Sie die Vorsicht für überflüssig halten, dann tun Sie zumindest mir den Gefallen. Man dichtet uns eine Affäre an. Alles andere später.«

Bevor er weitere Fragen stellen konnte, beendete Johanna das Gespräch. Vor achtzehn Uhr würde er nicht hier sein. Sie hatte also genügend Zeit, sich ausführlich mit dem hiesigen Wein zu beschäftigen, ohne dass ihr jemand dazwischenfunkte. Die Nachbarin wartete, um weitere Einzelheiten loszuwerden, und es war ihr ein Vergnügen, wie sie sagte, Johanna die Adresse des Vermieters aufzuschreiben.

»Sie würden gut hierher passen, besser als die Leute, die vorher hier wohnten. Die kamen spät und verschwanden früh.«

Ohne Boden gibt es keinen Weinberg. Diese Binsenweisheit verbreiteten die Bodenkundler, denen sie in Geisenheim zugehört hatte. Mittlerweile besuchte sie Veranstaltungen von Kollegen, um ihren Horizont zu erweitern und das, was sie vermitteln wollte, in den richtigen Rahmen zu stellen. Der Boden, seine Art, seine Struktur und Beschaffenheit waren für den Wein ausschlaggebend, auf dieser Grundlage baute alles auf. Der Boden gab dem Weinstock Halt, seine Textur entschied über die Durchlässigkeit und Rückhaltefähigkeit für Wasser und Sauerstoff. Von der Farbe und der Größe der Gesteinspartikel hing die Fähigkeit ab, Wärme zu speichern und so das Wachstum zu unterstützen. Seine chemische Zusammensetzung machte ihn für die eine Rebsorte mehr, für die andere weniger geeignet. Hier ging es ausschließlich um Weißen Riesling, und der gedieh im Flachen wie am Steilhang in unterschiedlichster Ausprägung. Sein hoher Gehalt an Monoterpenen, den aromatischen Geschmacksstoffen, der zehnmal mehr betrug als beim mitteleuropäischen Welsch Riesling, machte ihn derart vielfältig. Wie er sich auf den felsigen Hängen oberhalb von Lorch entwickelte, oder was ein Winzer dort herausholte, hoffte sie heute zu erfahren.

Sie hatte längst bemerkt, dass einige Steillagen wiederbelebt wurden, ein arbeitsaufwendiger und teurer Prozess. Hier folgten die Reben der Höhenlinie, während sie sich an weniger steilen Lagen den Hang hinunterzogen. Nur wer an exzellenten Weinen interessiert war, stellte sich der Aufgabe, Steillagen zu bewirtschaften oder sie zu rekultivieren. Die nackten Hänge waren vor Kurzem erst rigolt worden, ein Verfahren, bei dem tiefes Pflügen das tief liegende Material mit dem der Oberfläche vermischte. Erst unterhalb des sogenannten Rigolhorizontes lag das kaum verwitterte Ausgangsgestein, hier der Taunusquarzit und etwas Schiefer.

Die Reblagen direkt am Rhein waren ideal. Der nach

innen gewölbte Steilhang wirkte als Hohlspiegel, in dem sich Wärme und Licht fingen, und der Rhein sorgte als Wärmespeicher für eine lange Reifezeit. Aber die Herbstnebel mussten bis um elf Uhr verschwinden, danach brauchten die Trauben Wärme statt Feuchtigkeit, andernfalls faulten sie. Dafür waren besonders die groß- und dichtbeerigen Sorten anfällig. Was ist der Weinbau nur für ein kompliziertes Geschäft, dachte Johanna, aber alles, wovon man nichts versteht, erscheint kompliziert.

Sie schlug einen schmalen Weg ein, der sie schnell aus dem Ort führte und den Hang hinauf brachte. Es war ein warmer Tag, fast zu warm für diesen Ausflug, sie kam rasch ins Schwitzen, aber sie genoss die Aussicht, sie freute sich auf die Weinprobe und auf das Wochenende, denn Carl hatte sich wieder angekündigt. Dann schaute sie zwei Männern zu, die am Hang einen Zaun oberhalb der kürzlich gepflanzten Rebstöcke zogen. Es stand immer eine Reihe auf einem etwa einen Meter breiten Absatz aus grauem Geröll, alle Setzlinge waren an Stöcken befestigt und durch Kunststoffhüllen gegen Verbiss durch Tiere geschützt.

»Der Zaun hält die Wildschweine nicht ab«, meinte ein alter Mann, der langsam heraufgekommen war, sich neben Johanna stellte und griesgrämig den Arbeitern zusah.

»Alles Polen. Deshalb kriegen unsere Leute keine Arbeit mehr. Der deutsche Wein wird nur noch von Polen gelesen, und von Rumänen. Es ist gar kein deutscher Wein mehr.«

»Ihre hässliche Jacke stammt aus China, und Ihre Billigjeans wurden auf Madeira genäht!«, blaffte Johanna zurück und ließ den Mann mit offenem Mund zurück. Sie hatte es satt, sich ausländerfeindliche Sprüche anzuhören. Wenn es darum ging, irgendetwas billiger zu kriegen oder Hungerlöhne zu zahlen, waren Ausländer gut genug, aber wenn sie die gleichen Rechte einforderten, sollten sie verschwinden. Johanna wandte sich brüsk ab und ging auf die Arbeiter zu, die freundlich grüßten. Es waren tatsächlich Polen, und sie bestätigten die Worte des Alten, dass der Zaun vor Wildschweinen schützen sollte. Undurchdringliches Gestrüpp, Brombeeren, Büsche und Bäume boten ihnen gleich nebenan ein ideales Biotop. Trotzdem gefiel es Johanna, wie sich die Natur den Hang zurückholte.

Sie kehrte ins Tal zurück, warf noch einen kurzen Blick in den Hof mit der leeren Wohnung und fuhr zum Restaurant.

Sie bestellte von allen Weinen nur ein Gläschen und bat darum, die jeweilige Flasche dazuzustellen. Der Winzer wollte sich dazusetzen, aber dann hätte Johanna wieder in der Erklärungsfalle gesessen. So probierte sie Riesling vom Schiefer-Löss-Boden, den sie als charmant und weiblich empfand, anders als der vom Schiefer, der ihr männlich und mineralisch vorkam. Die Rieslingauslese von achtzig Jahre alten Rebstöcken gefiel ihr ausnehmend gut, ein Weißwein mit dem Duft von tropischen Früchten und Honig, weich und warm. Der Silvaner und der Weißburgunder waren nicht ihr Fall, da kam ihr der Lorcher Pfaffenwies als aromatischer und seriöser Wein mehr entgegen.

»Sie haben ohne mich angefangen? Das geht aber nicht ...«

Johanna fuhr zusammen, als Thomas Achenbach unvermutet hinter ihr stand. Es war das zweite Mal an diesem Tag, dass sie derartig erschrak. Ihre Nerven waren dünn, aber ihre Schlagfertigkeit hatte nicht gelitten.

»Ich bin sogar ohne Sie fertiggeworden. Da staunen Sie, nicht wahr? Was wollen Sie über das Süße-Säure-Spiel dieser Weine wissen? Ich könnte Ihnen was zu ihrer Komplexität sagen, oder interessiert Sie die Struktur mehr? Was die Phenole und die Restsüße angeht ...«

»Ich trinke den Kaffee schwarz«, sagte er lachend und angelte nach einem Stuhl. »Wo wir uns derart häufig treffen, was halten Sie davon, wenn wir uns duzen?«

»Gar nichts!«, antwortete Johanna schärfer als gewollt und wiederholte es sogar, »gar nichts halte ich davon!«

Der Ernst, mit dem sie ihre Ablehnung vorgebracht hatte, ließ ihn aufhorchen. »Ist etwas passiert?«

Sein Gespür war gut, er hatte begriffen, worum es ging. Johanna fürchtete für einen Augenblick, dass sie zu schroff gewesen war, dabei mochte sie den Jungen, sie freute sich, ihn zu sehen, und in dem Hochschulbetrieb auf beiden Seiten des Rheins war er der Einzige, der inzwischen ihr ganzes Vertrauen genoss. In wenigen Worten berichtete sie von dem Gespräch mit dem Dekan und dem Gerücht, dass sie ein Verhältnis miteinander hätten.

»Die Rosa Handtaschen«, platzte Achenbach heraus, »das sieht ihnen ähnlich. Aber ich habe mich an Ihre Regeln gehalten, Frau Breitenbach. Ich habe meinen Wagen benutzt, ich bin zu Ihnen nach Bingen gekommen ...«

»... und dabei hat Sie jemand vor meinem Haus fotografiert. Die Handtaschen sind nur die Lautsprecher, den Text hat sich ein anderer ausgedacht.«

»Florian.«

Ein Achselzucken folgte. »Gehen Sie mal von folgender Voraussetzung aus. Wir beide«, sie bemühte sich um Abstand, obwohl sie sehr leise sprach, »wir beide ermitteln sozusagen in einem Mordfall, den alle Welt für gelöst hält. Nur Sie behaupten offen das Gegenteil, beschuldigen lautstark die Behörden, dass sie schlampig ermitteln, Sie legen sich mit der Kripo an, ziehen über den Staatsanwalt her, beklagen die Denkfaulheit Ihrer Mitmenschen und beschuldigen sie, sich zu Komplizen des Mörders zu machen. Wenn das nicht nur Ausdruck Ihres Wunsches ist, dass Manuel Stern unschuldig sein soll ...«

Johanna bemerkte, wie Achenbach für eine Entgegnung Luft holte, sie bremste ihn mit einer Handbewegung. »Ich weiß, dass Sie jetzt sagen wollen: Wenn Sie, Frau Breitenbach, nicht von seiner Unschuld überzeugt sind, dann lassen

Sie es sein. Nein. Ich bin nicht überzeugt, vielmehr haben Sie mich überzeugt. Sie geben mir das Vertrauen, das ich brauche, um Ihnen zu helfen – und natürlich Manuel«, schob sie vorsichtshalber nach. »Sie machen sich überall unbeliebt, ich weiß nicht, ob das zu Ihrer Strategie gehört, auf sich aufmerksam zu machen. Wollen Sie den Mörder aus der Reserve locken? Das ist der einzige Grund, den ich dafür sehen könnte. Das sieht der Mörder wahrscheinlich ähnlich und hält sich bedeckt. Das ist gefährlich.«

»Das ganze Leben ist gefährlich. Kommt man nicht schon schreiend auf die Welt? Ich glaube, dass der Mörder was unternehmen muss. Er ist beunruhigt.«

»Wir sind doch gar nicht weitergekommen.«

»Doch, sonst würde er uns nicht überwachen lassen.«

»Uns?«

»Ja, Frau Breitenbach, uns. Das Gerücht ist gegen uns gerichtet, viel stärker gegen Sie als gegen mich. Da der Mörder weiß, dass Sie mir helfen, geraten Sie mit in die Schusslinie. Sie würde man gegebenenfalls von der Hochschule weisen, nicht mich. Bei einem ruinierten Ruf wird der Lehrauftrag nicht verlängert, da machen die Kollegen gegen Sie Front.«

»Dann müssen wir zur Quelle des Gerüchts vordringen, zu dem, der es aufgebracht hat.«

»Das könnte von mir sein. In dem Zusammenhang wollte ich Sie um einen weiteren Gefallen bitten.«

»Mich weiter in der Schusslinie zu bewegen?«

»Nein, noch tiefer hinein.« Bei dem Lächeln, mit dem Achenbach ihr jetzt begegnete, konnte sie nicht Nein sagen. Wie sollte sie es bloß schaffen, sich auf Dauer junge, gut aussehende Männer vom Leib zu halten?

»Florian ist mit Chemie beschäftigt, Professor Marquardt auch. Die Handtaschen haben damit zu tun, und Alexandra Lehmann hat sich mehr heimlich damit beschäftigt.«

»Woher wissen Sie das schon wieder?«

»Man hört und sieht sich um«, sagte er vieldeutig.

Johanna fragte sich, woher er seine Informationen bezog. Irgendetwas verheimlichte er ihr. »Weiß die Polizei davon?«

»Natürlich nicht. Die hat ihren Mörder.«

»Und womit haben sie sich beschäftigt?«

Thomas tippte auf Genforschung. »Die ist im Weinbau wie überall ein brisantes Thema. Die Rechte ist dafür, die Liberalen auch, die sind sowieso für alles, was Geld bringt. Die Sozialdemokraten haben nie eine eigene Meinung, wie die Meerschweinchen, die rennen weg, wenn man mit dem Fuß auftritt. Nur die Linke ist dagegen, ansonsten verharrt sie im Gestern. Forschung zur Gentechnik wird von Konzernen betrieben und ist geheim, schon um Kritikern wenig Angriffsfläche zu bieten. Die Grundlagenforschung findet in den Universitäten statt, das könnte auch in Geisenheim sein, aber das glaube ich nicht.«

»Und was habe ich damit zu tun?«

»Was halten Sie davon, wenn Sie sich an unserer Forschung intensiv beteiligen, sozusagen Betriebsspionage betreiben?«

Johanna wehrte seinen Vorschlag ab. »Das wäre ein Vertrauensbruch! Schlagen Sie sich das aus dem Kopf.«

»Sie sollen keine Geheimnisse verraten, Frau Breitenbach, wir sollten nur wissen, wer an welchen Themen arbeitet und wer mit wem kooperiert, was da erforscht wird und worum es geht.«

»Lesen Sie die offiziellen Berichte der Forschungsanstalt, da steht alles drin!« Sie betrachtete die Gläser vor sich, nahm eines nach dem anderen, führte es zur Nase, roch genüsslich am Wein, ohne zu probieren, und stellte sie achtsam zurück. »Wie soll das vor sich gehen?«, fragte sie nach längerer Pause. »Niemand lässt sich in die Karten blicken.«

»Die Forschung hier hat sich gewandelt. Vor einem Jahrzehnt sollen sich die Professoren der Forschungsetats wegen die Augen ausgekratzt haben, heute arbeiten sie zusammen, alles ist interdisziplinär, fächerübergreifend. Soweit ich weiß, geht es um den Einfluss der Weinbergslage auf die Reife der Tannine, auf den Gehalt an Carotinoiden in den Trauben ...«

»Was sind Carotinoide?«

»Das sind natürliche Farbstoffe, das Gelb im Riesling zum Beispiel, es zählt auch zu den Terpenen, den Aromastoffen im Wein. Man erforscht Wasserstress-Signale an Reben, die wurden im Ultraschallbereich sogar hörbar gemacht, es geht um die Bedeutung von Aquaprorinen für den Wasserhaushalt der Rebe unter Umweltstress.«

»Was bitte sind Aquaprorine?«

»Das sind universelle intrinsische Membranproteine, die den Wassertransport in der Pflanze regeln. Dann wird geforscht über gentechnisch veränderte Mikroorganismen wie Hefen bei der Weinbereitung.«

»Wofür ist das wichtig?« Johanna war verwirrt und vom Wissen des Jungen beeindruckt. Er musste sich mit Haut und Haar ins Studium gestürzt haben, so engagiert wie für die Freilassung seines Freundes und den Aufbau des Weingutes. Sie spürte eine leichte Bitterkeit, als sie daran dachte, dass sie in ihrer Jugend ähnlich gewesen war. Und wie wenig war davon geblieben.

»Hefen sind wie Pilze überall«, setzte Achenbach seine Erklärung fort, »Hefen werden eingesetzt, damit hartschalige Beeren zum Beispiel leichter gepresst werden können, sie machen die Beerenhaut durchlässiger. Und dann das Desaster: Die Hefen kommen über Hefetrubdünger ins Freiland und verändern alle anderen Hefen – da zerreißen plötzlich alle Weinbeeren am Stock und laufen aus –, das sind Gefahren der Genmanipulation.«

»Eine Katastrophe.«

»Allerdings. Bei so komplexen Organismen wie Weintrauben und anderen phenolhaltigen Pflanzen muss man extrem vorsichtig sein. Also, wie ist es, steigen Sie ein? Denken Sie sich was aus, Umweltschutz und Agrogifte, Weinbau und Pestizide, Rückstandsforschung, was bleibt im Wein von den Spritzmitteln, oder Nanotechnologie? Über ihre Bedeutung für den Weinbau weiß ich nichts. Für jemanden wie Sie dürfte es nicht so schwer sein, ein Thema zu finden.«

Johanna war verärgert, dass ihr ein Student ein Arbeitsfeld zuwies. Nach außen zeigte sie ihre Skepsis, aber im Inneren erwog sie den Gedanken bereits. Es konnte ein Weg sein. Sie würde keine Geheimnisse verraten, die Loyalität der Hochschule gegenüber war ihr wichtig.

»Über Genforschung im Weinbau weiß ich nichts. In der Humanmedizin halte ich sie für sinnvoll, in der Landwirtschaft überhaupt nicht.«

»Lässt sich das trennen? Was die Wissenschaft einmal weiß, verwertet sie auch in anderen Zusammenhängen.«

»In der Landwirtschaft geht es den Konzernen darum, an jedem Reiskorn, an jedem Stück Brot, das wir essen, mitzuverdienen. Im Grunde wollen sie Gottes Rolle einnehmen und sich an der Schöpfung bereichern. Wir werden dann nicht nur mit Schreien geboren, wie Sie es sagten, sondern auch mit einem Schuldenkonto bei Monsanto, Nestle und anderen Verbrecherorganisationen.«

Thomas zuckte zurück. »Das ist aber bitter. Solche Töne habe ich von Ihnen noch nie gehört. Glauben Sie an einen Gott?«

»Nein, aber manchmal muss man das so sagen.«

»Bleibt uns bei Ihrer Weltsicht überhaupt eine Chance?« Es war so leise und so vorsichtig gesagt, dass Johanna die harten Worte leidtaten. Sie hatte sich mal wieder in Rage geredet und damit ins Abseits manövriert. Thomas hatte sich richtig erschrocken. Johanna stöhnte innerlich. Durfte sie nie sagen, was sie wirklich dachte?

Sie wischte den Gedanken beiseite. »Gut, ich kümmere mich um die Forschung, und ich werde auch herausfinden, wer in der besagten Wohnung gewohnt hat.«

»Das bringt mich auf eine Idee: Die Polizei hat in Alexandras Wohnung DNA-Spuren gefunden, die niemandem zugeordnet werden können. Da könnte Sechser doch die Wohnung, die Sie heute entdeckt haben, auch untersuchen und sehen, ob sich die DNAs gleichen.«

Johanna war wieder mit sich versöhnt, es war ein ständiges Auf und Ab ihrer Gefühle. »Leider sind Sie die ungeeignetste Person, um ihn dazu zu bewegen. Außerdem haben wir es bei der Polizei mit deutschen Beamten zu tun und nicht mit einem Profilerteam wie im US-Fernsehen. Wieso sollten die losreiten, nur weil ein Student sagt, an dieser oder jener Ecke in Lorch ist das Mordopfer gesehen worden? Ermittlungen kosten Geld, die müssen angeordnet und genehmigt werden. Auch Sicherheit wird zur Privatsache wie alles hier, wo der Staat sich auflöst und seine Verantwortung in Konzernhände legt.«

»So sehen Sie das?«, fragte Thomas wieder. »Solche Sprüche höre ich sonst nur von meinem Vater.«

»Ein kluger Mann«, murmelte Johanna. »Sie haben erzählt, dass er Chef-Einkäufer eines Weinimporteurs war – für französische Weine. Falls er noch über seine alten Kontakte verfügt, kann er herausfinden, wem das Weingut Domaine Grande Vallée in Gigondas gehört. Angeblich ist es im Besitz einer Kapitalgesellschaft. Nur – wer verfügt über das Kapital?«

»Er hilft uns bestimmt. Aber Sie sehen aus, als hätten Sie noch etwas in petto.«

»Wurde bei Ihrer Hausdurchsuchung nicht eine grüne Schlegelflasche sichergestellt?«

»Ja, aber davon gibt's viele.«

»Sie wissen, von welchem Weingut sie stammt? Man hat mir in Gigondas einen Riesling aus einer grünen Schlegelflasche angeboten ...«

»Hieß das Weingut zufällig Altensteineck?«

15

Es war sehr hilfreich, dass Thomas die Bodenproben an der FH analysieren lassen konnte. Wie man sie entnahm, hatte er während der Lehrzeit gelernt. Dazu hatte er einen Bohrstock und einen Schonhammer sowie einen Abdrehhebel benutzt, mit dem er den Stock in die Erde trieb. In der Pfalz hatte er mit Manuel noch vor dessen Verhaftung einen Plan der ausgewählten Flächen gezeichnet, sich die Geräte besorgt und jeweils bis zu fünfzehn Einzelproben gezogen, je nach optischer Bodenbeschaffenheit, die sie dann vermischt hatten, wobei sie auf die Trennung in Ober- und Unterboden geachtet hatten, denn die Probe musste repräsentativ für den Standort sein und durfte nicht an Fahrspuren oder am Rand der Lage gezogen werden. Die Verdichtungen des Bodens ihrer Weinberge würden sie später prüfen; dass er ohnehin zu dicht war, sah man bereits am Bewuchs. Die Prüfung des Bodengefüges wie auch der Wasserdurchlässigkeit hatten sie sich für das nächste Frühjahr vorgenommen. Aber auch der Spätherbst war dazu noch geeignet.

Alle abgelieferten Proben waren gekennzeichnet, sodass sie eine genaue Analyse ihrer Weinberge vorliegen hatten und ihnen damit eine wichtige Entscheidungsgrundlage zur Verfügung stand, ob dort die richtigen Rebsorten wuchsen oder ob sie neue pflanzen mussten.

Damit ihm am Abend in der Wohnung die Decke nicht auf den Kopf fiel, lenkte Thomas sich mit Arbeit ab. Er trug die Ergebnisse der Proben in Messtischblätter ihrer Weinberge ein. Eine feste Regel, wo Riesling die besten Ergebnisse erzielte, gab es nicht, es war die Rebsorte, die das Terroir am besten ausdrückte, obwohl ihm noch die Worte eines Winzers im Ohr klangen, dass Riesling immer die Hand des Winzers zeige und weniger das Terroir. Zwei Menschen, drei Meinungen, so war es meistens ...

Am Nachmittag des folgenden Tages war der Staatsanwalt zu einem weiteren Treffen bereit. Thomas war heilfroh, dass man ihn überhaupt vorließ, und er hatte sich vorgenommen, sich nicht von seinen Gefühlen mitreißen zu lassen und auch nicht fordernd aufzutreten.

»Stelle ihm was in Aussicht«, hatte sein Vater ihm beim Wochenendbesuch geraten, »biete ihm die Lösung, mit der er sich profilieren kann. Gönne ihm die Lorbeeren für Manuels Freilassung, Hauptsache ist, der Bengel kommt raus.«

Der Staatsanwalt war von Thomas' zugänglichem Wesen offensichtlich überrascht. Auf Thomas' Besorgnis wegen Manuels schlechter Gesundheit versicherte er, dass die Anstaltsleitung informiert sei und Manuel unter Beobachtung stünde. Gleichzeitig wies er Thomas erneut darauf hin, dass es immer schwerer würde, einen Mord aufzuklären, je länger die Tat zurückliege.

»Das war beabsichtigt, deshalb wurde Ihnen Manuel als Täter geliefert – und deshalb wurde auch die Haftprüfung torpediert!«

Der Staatsanwalt hörte halb amüsiert, halb interessiert zu. »Der Jugend gehört das Vorrecht, neue Denkräume zu betreten.« Und auf Thomas' kryptische Andeutungen bezüglich der Beteiligten verwarnte er ihn eindringlich, ihm keine Informationen den Fall betreffend vorzuenthalten, wollte er sich nicht selbst strafbar machen.

»Noch einmal mache ich mich nicht lächerlich. Beim nächsten Mal liefere ich Ihnen konkrete Ergebnisse, und dann werden sie Manuel entlassen. Deshalb möchte ich Sie um einen Gefallen bitten.«

Er schilderte dem Staatsanwalt so anschaulich wie möglich Manuels Schwierigkeiten, auf den Papptasten zu spielen, und bat ihn um die Erlaubnis, Manuel ein Keyboard mit internem Sound ins UG bringen zu dürfen. Er sitze wie damals Beethoven am Flügel, die Noten vor sich, und höre nichts. Ein USB-fähiges Keyboard hätte er zu Hause, aber das könne man programmieren, und das sei ja wohl verboten. Er nannte ihm den Termin für das Konzert und dass es bis dahin noch vieler Übungsstunden bedürfe, schließlich sei Manuel kein verurteilter Mörder und bis dahin bereits entlassen.

»Sie scheinen der Einzige zu sein, der an Sterns Unschuld glaubt«, meinte der Staatsanwalt, wobei Thomas den Eindruck gewann, dass etwas wie Zweifel in dem Gesicht des Mannes ihm gegenüber aufkeimte. »Stimmt Sie das nicht nachdenklich?«

»Nein.« Thomas sah sein Gegenüber offen an.

»Auch der Vater hat seine Zweifel …«

»Der kennt seinen Sohn gar nicht, der hat sich nie für ihn interessiert, sondern nur für die eigene Karriere.«

Es gab im Präsidium natürlich IT-Spezialisten, die der Staatsanwalt konsultieren würde, und wenn das Keyboard den Anforderungen genügen würde, dürfe Herr Stern es benutzen. Thomas solle das Gerät bei ihm abliefern. Der Staatsanwalt war im Bilde, dass Manuel einen neuen Verteidiger hatte, er hielt es für eine sinnvolle Maßnahme, wie er vorsichtig durchblicken ließ.

Im Hochgefühl eines Etappensieges verließ Thomas die Staatsanwaltschaft. Es war zu spät, nun noch nach Geisenheim zu fahren, lieber würde er Florian abpassen und ihn beobachten. Johanna Breitenbachs Bitte bezüglich des Weingutes in Gigondas hatte er längst an seinen Vater weitergegeben, also hatte er Zeit, und allein in der Wohnung zu hocken, würde schrecklich sein. Gleichzeitig kam ihm die Verfolgung und Beobachtung Florians lächerlich vor. Er sollte sich besser auf die Klausuren vorbereiten. Aber der Gedanke an die leere Wohnung war ihm unerträglich.

Nein – solange der Verdacht gegen Florian nicht ausgeräumt war, würde er ihm folgen.

Der Dozent wohnte in einem Mehrfamilienhaus im Frankfurter Westend im ersten Stock. Thomas kannte den Weg bereits. Er sah das Licht in der Wohnung verlöschen, dafür wurde es im Treppenhaus hell, und Florian trat vor die Haustür und ging zu seinem Wagen. Thomas folgte ihm in Richtung Innenstadt.

Florian fuhr schnell und aggressiv. Das Ziel war heute ein anderes als in der letzten Woche. Heute war es die »Florida Lounge« in Bahnhofsnähe. Der Dozent fuhr langsam daran vorbei und parkte in einer Nebenstraße, Thomas quetschte sich in Sichtweite in eine frei werdende Parklücke, stieg aus und rannte hinter Florian her. Der Türsteher begrüßte Florian mit Handschlag, ob ein Schein den Besitzer wechselte, war nicht zu erkennen.

Thomas wurde nach einem abschätzenden Blick eingelassen, kaufte einen Verzehrbon und setzte sich an die Bar. Er machte sich klein, um nicht durch seine Größe aufzufallen. Die Mädchen, die sich auf der Tanzfläche darstellten, waren nicht sein Geschmack: zu schrill, sehr blond, hochhackig und ziemlich gewöhnlich, zu viel Osteuropa, einfach von allem zu viel. Unter Männern wurden diese Mädchen »Hühner« genannt, alles zukünftige Superstars und Topmodels, für Klum und Bohlen aufgebrezelt. Er selbst hätte keinen coolen Spruch parat gehabt, um bei einer von ihnen zu landen, und für längere Gespräche war der Laden ungeeignet, bei jedem Satz darum zu bitten, den Ohrstöpsel des MP3-Players aus dem Ohr zu nehmen, war ihm zu blöd.

Florian hingegen genoss den Anblick der tanzenden Mädchen, spielte den Pfau, schlug Rad, und im Halbdunkel spielte er den Grapscher. Er tat all das, was sich an der FH von allein verbot. Die Ältere war Britney Spears großzügig nachempfunden, die Jüngere stammte aus Silicon Valley, und beide hatten nichts gegen die flinken Hände des Chemikers. Thomas verzog sich mit einem falschen Cocktail in eine Ecke, von wo aus er Florian beobachtete.

Eine Stunde später schleppte Florian die Braut aus dem Silicon Valley in Richtung Ausgang. Thomas folgte dem Paar in gebührendem Abstand nach draußen. Jetzt war klar, dass zwischen Alexandra und Florian nichts gelaufen sein konnte, wenn er auf diese Art Mädchen stand, die ihren Frust vom Regale-Einräumen im Drogeriemarkt hier abtanzten und vom weißen Mazda Coupé träumten. Sie waren zwar alle so blond wie Alexandra, aber sie gehörte einer anderen Klasse an. Florian fiel von diesem Moment an als Mörder aus, die Spur war kalt. Oder hatte er sie erschlagen, weil sie ihn nicht rangelassen hatte? Als Chemiker konnte er sicher gut seine Spuren verwischen.

Thomas schaute auf die Uhr. Es war spät, zu spät, um Johanna Breitenbach von seiner Beobachtung zu berichten. Ob sie mitbekommen hatte, dass Alexandra bestattet worden war, in irgendeiner fränkischen Kleinstadt? An der FH war gesammelt worden, und die Handtaschen waren zur Beerdigung gefahren. Er erinnerte sich daran, was Johanna neulich über Alexandra gesagt hatte:

»Es gibt Menschen, die schämen sich ihrer Herkunft.«

»Ich glaube, ihr Vater war Fahrer bei einem Weinspediteur.«

»Wenn sie so war wie von Ihnen beschrieben, wird sie ihm kaum nachgeeifert haben«, hatte Johanna gemeint. »Aber sicher hatte sie eine Vorstellung von ihrer Zukunft.«

»Und was für eine«, hatte er daraufhin geantwortet und erst weitergesprochen, als Johanna ihn aufgefordert hatte. »Sie hatte reich werden wollen, erfolgreich und einflussreich, sie wollte wichtig erscheinen, auffallen, gesehen werden, deshalb hat sie Manuel in Restaurants geschleppt. Sie glaubte, dass sie dann dazugehörte – nur wozu? Als Chief Assistant bei einem internationalen Weinimporteur hätte sie sich wohlgefühlt.«

Die ehemalige Dreißig-Mann-Firma, der sein Vater angehört hatte, wäre zu popelig gewesen. Sie würde den australischen Markt betreut haben und nach Australien geflogen sein, und alle hätten es gewusst.

»Wer bescheiden ist, ist selbst schuld.« Die Maxime Alexandras klang Thomas noch immer in den Ohren. Jetzt lag sie irgendwo in Franken unter der Erde. Er fühlte seinen Widerwillen gegen sie schwinden und das Mitleid wachsen, je weiter ihr Tod zurücklag. Er gähnte, er war hundemüde, am vergangenen Wochenende hatten sie wie verrückt geschuftet. Eine Arbeitskraft fehlte. Bis eben hatte ihn der Jagdtrieb wach gehalten, aber der erlahmte nun. Ich habe eine Spur verloren, sagte er sich. Sie hat mich nicht zum Mörder geführt.

Florian erreichte seinen Wagen, wo er dem Mädchen, anders konnte man die Kleine nicht nennen, die Beifahrertür aufhielt. Das Ding ist gelaufen, sagte sich Thomas, ich kann nach Hause fahren. Beim Überqueren der schmalen und auf beiden Seiten zugeparkten Straße sah er drei Typen auf seinem, viel mehr auf der Motorhaube und dem Kofferraum von Manuels Wagen sitzen. Er schaute zweimal hin, dann begriff er. Da saßen keine drei Typen mit Kapuzen, da saß Ärger, der stank bis hierher. Einer der drei trat auf die Motorhaube, sie bog sich durch und machte die anderen auf Thomas aufmerksam, sie mussten auf ihn gewartet haben. Die Gesichter unter den Kapuzen waren nicht zu erkennen. Der auf der Motorhaube hielt einen Schraubenzieher in der Hand.

In dieser Straße standen größere und neuere Wagen zum Demolieren. Warum mussten diese drei Idioten sich gerade seinen aussuchen? Thomas wischte sich den Schweiß von der Stirn. Er sah sich um, ob vielleicht Polizei oder andere Hilfe in der Nähe war.

»Runter da«, schrie er und rannte los. Die Gestalten rutschten provozierend langsam vom Wagen, einer zog noch einmal den Schraubenzieher der Länge nach durch den Lack, dann rannten sie wie auf ein Zeichen los, nur um unvermittelt kehrtzumachen. Nebeneinander kamen sie auf Thomas zu. Als er begriff, wie die Falle funktionieren sollte, war es fast zu spät. Instinktiv wandte er sich nach rechts zwischen den parkenden Wagen hindurch. Das war seine Chance, es konnte ihm jeweils nur einer nach dem anderen auf den Bürgersteig folgen.

Als sich die erste Kapuze plötzlich Thomas allein gegenüber sah, zögerte der Typ. Thomas war verwirrt, er hatte mit dem Schwung des Angriffs gerechnet und hob den linken Arm zu früh, um den Schlag zu blocken, daher traf ihn die Faust seines Gegners an der Schläfe, und in seinem Kopf knallte es dumpf, ein heißer Schmerz zuckte ihm durchs Gesicht, er hatte die kurze Sensation einer Lähmung. Als er an die Stelle fasste, war sie warm und klebrig, seine Hand voll Blut. Der Gegner triumphierte, er grinste siegessicher, aber der Blick zu seinen Kumpanen machte ihn unaufmerksam, so abgelenkt fehlte ihm der sichere Stand, was es Thomas leicht machte, ihn mit einem Fußfeger umzuwerfen, und noch im Fallen traf ihn Thomas' Faust am Kopf. Er knallte so heftig gegen den nächsten Wagen, dass er benommen liegen blieb. Da war die zweite Kapuze in Reichweite.

Zwei Gegner musste man trennen und dann jeden einzeln bekämpfen. Das hatte er mit seinem chinesischen Meister trainiert. Die Kapuze stürzte auf ihn zu, wollte ihn packen – und lief mit seinem Solarplexus in Thomas vorschnellenden Fuß. Mit einem Laut, als würde er sich übergeben, knickte er ein. Dank, Meister Yakumi, dachte Thomas, Dank, und er verbeugte sich im Geiste, unterbrochen vom wütenden

Schrei des ersten Angreifers, der sich aufgerappelt hatte, ihn von hinten packen wollte und nun von Thomas' Rückhand an der Nase getroffen wurde. Als er die Hände vors Gesicht riss, schlug Thomas mit der Linken zu, denn sein rechtes Handgelenk schmerzte nach dem Schlag so fürchterlich, dass er es für gebrochen hielt.

Die dritte Kapuze zögerte, der Mann war der Gefährlichste, der Stärkste und vor allem der Intelligenteste. Er sah seine beiden Komplizen auf dem Pflaster liegen, sah den Kreis der Schaulustigen näher rücken und sich schließen und begriff die Situation nicht. Er hatte wohl nicht mit einem Gegner gerechnet, der sich wehrte. Er sah Thomas dumm an, duckte sich – und hielt ein Messer in der Hand.

Meister Yakumi, dachte Thomas, was hast du uns beigebracht? »Steh tief und leicht. In der Atmung liegt die Kraft. Sei des Sieges sicher. Benutze die Kraft deines Gegners!« Thomas hörte sich selbst diese Worte sprechen, sein Gegner hatte sie gehört, er stutzte, dann war nur das Messer zwischen ihnen. Thomas hatte keine Angst. Er war so ruhig, als sei das hier eine Trainingsstunde, und glaubte zu schweben.

Aus den Augenwinkeln bemerkte er, wie sich einer der am Boden liegenden Männer aufrappelte. Es verbot sich, auf einen Liegenden einzuschlagen oder ihn zu treten, den Messerstecher im Auge behaltend und sich schnell die Jacke ausziehend wartete Thomas, bis der Angreifer sich am Kühler eines Autos hochgestemmt hatte, dann erst trat er ihm wieder die Beine unter dem Körper weg. Wohin er fiel, sah Thomas nicht mehr, denn der Messerstecher griff an. Seine Hand war da, die Klinge war hell, kam auf ihn zu, der von unten geführte Stoß ging ins Leere, die Hand verfing sich in der herumgewirbelten Jacke, damit war die Deckung offen, und Thomas rechter Ellenbogen krachte ihm seitlich gegen das Kinn, sein Knie traf den Unterleib, und er stürzte auf ihn. Das Messer rutschte mit einem Scheppern unters nächste Auto.

Thomas war sofort wieder auf den Beinen und hätte beinahe in einer spontanen Geste die Hand ausgestreckt, um dem Messerstecher aufzuhelfen, als er dessen Augen sah, diese stumpfen Augen voller Hass. Der galt nicht ihm, der galt wahrscheinlich einem beschissenen Leben und allen, die darin vorkamen. Von irgendwoher näherte sich eine Polizeisirene. Da war auch der Angreifer auf den Beinen, rannte zwei Schaulustige um, durchbrach den Ring der Gaffer und verschwand.

Thomas suchte benommen in den Jackentaschen nach seinem Mobiltelefon.

»Das habe ich schon erledigt«, meinte eine große junge Frau mit schulterlangem dunkelblondem Haar und einem rauen Akzent, den Thomas für osteuropäisch hielt. Sie trat aus dem Ring der Gaffer heraus und lächelte ihn an, besorgt, aber auch bewundernd, und hielt ihm ein Taschentuch hin.

Thomas starrte sie an, nahm das Taschentuch mit der linken Hand, wusste nichts zu sagen, dann sah er die beiden Gestalten am Boden. Hatte dieses Mädchen mit dem feinen Gesicht etwas mit denen zu schaffen? Als er sein »Danke schön« murmelte, kam sie vorsichtig näher, nahm ein zweites Taschentuch und bedeutete ihm, sich herunterzubeugen, damit sie ihm das Blut aus dem Gesicht wischen konnte. Das Tuch war aus Stoff und hatte einen gehäkelten Rand.

Er sah ihre blauen Augen, ihren feinen Mund, er sah die Hände, wie sie seinen Kopf langsam drehten.

»Ich habe alles gesehen«, sagte sie leise und tupfte vorsichtig um die Wunde herum. »Ich kann ein Zeuge sein.«

Die Wortwahl ließ ihn grinsen, als Nächstes nahm er ihren Geruch wahr, das erfrischende Parfüm, schlicht in der Komposition, nicht teuer, nicht aufdringlich, aber schön. Da packte ihn jemand von hinten, riss ihm die Arme auf den Rücken, ein zweiter Mann in Uniform warf ihn gegen den nächsten Wagen und trat ihm die Füße auseinander, sodass er breitbeinig mit der Brust gegen die Fahrertür fiel. Dann wurde er abgetastet. Vor Überraschung vergaß er zu protestieren.

Das aber tat das Mädchen für ihn. Sie ging handfest dazwischen, schlug mit ihrer Handtasche zu, zerrte an den Uniformen und beschimpfte die Polizisten. Andere Schaulustige mischten sich ebenfalls ein und hielten die Angreifer fest, die sich davonmachen wollten, und klärten die Beamten über die wahren Schuldigen auf. Jetzt reagierte Thomas, langsam wich der Druck, die Spannung fiel von ihm ab. Die beiden Polizisten hatten Angst, sie waren etwa in seinem Alter.

»Ich bin angegriffen worden, von denen da!«

»Er lügt«, schrie eine der Kapuzen, »er ist mit dem Messer auf uns los, er hat angegriffen, wir haben uns nur verteidigt!«

»Das stimmt nicht«, fuhr das Mädchen dazwischen. »Ich habe alles gesehen.« Sie bückte sich und zeigte auf das Messer unter dem Auto. »Da ist das Messer, damit hat ihn der andere, der weg ist, angegriffen.«

»Wer glaubt denn schon so 'ner Polenfotze«, tobte sein Komplize verächtlich los, die Kapuze war ihm vom rasierten Kopf gerutscht. »Aber dich kriegen wir auch noch, du Schlampe, dann nehmen wir dich ran.«

Die Polizisten hatten ihn losgelassen und wussten nicht, was sie tun sollten.

»Das ist Diskriminierung von Ausländern, Beleidigung, Bedrohung. Sie müssen die Schläger festnehmen! Die haben auch den Wagen beschädigt.«

»Wollen Sie nicht endlich einen Arzt rufen?«, fragte das Mädchen. »Sie sehen doch, wie der blutet, und der andere da am Boden auch.«

Einer der Polizisten langte unter dem Auto nach dem Messer.

»Vorsicht, Fingerabdrücke!«, rief Thomas, was ihm einen bösen Blick einbrachte. Damit ließ sich leben, solange die Abdrücke nicht verwischt wurden. Als ein weiterer Polizeiwagen eintraf, fand sich ein Pärchen, das die Worte des Mädchens bestätigte und sich ebenfalls als Zeugen anbot. Eine andere junge Frau drängte durch die Schaulustigen und packte das beherzte Mädchen mit dem glatten Haar und dem feinen Gesicht am Arm, um sie wegzuzerren, und redete in einer unbekannten Sprache hektisch auf sie ein. Thomas hielt sie für die Freundin. Dann kam ein Notarztwagen der Feuerwehr. Der Arzt untersuchte Thomas kurz, verpflasterte ihn unter den kritischen Blicken des Mädchens und riet, morgen spätestens die aufgeschlagene Augenbraue nähen zu lassen. Dann betastete er Thomas' dick geschwollenes Handgelenk; er hielt es nicht für gebrochen, aber er stellte es mit einer Bandage ruhig.

Bei einem der Angreifer bestand Verdacht auf Gehirnerschütterung, er war mit dem Kopf gegen das Auto geknallt, und ein Auge war zugeschwollen, dem anderen blutete die Nase. Der Drogentest fiel bei den Kapuzen positiv aus. Mittlerweile war die Zahl der Zuschauer bis auf fünfzig Personen angewachsen. Bevor man in mehreren Polizeiwagen abfuhr, bestand Thomas darauf, dass von Manuels Wagen eine Lackprobe genommen wurde, um sie mit den Spuren an dem Schraubenzieher zu vergleichen, den einer der beiden wieder in die Hosentasche gesteckt hatte. So blöd wie die konnte man gar nicht sein.

Auf der Wache gaben die Kapuzen an, dass Thomas sie angegriffen habe und sie den dritten Mann erst tags zuvor in einer Kneipe in der Bahnhofsgegend kennengelernt hätten. Dann, das war der Gipfel der Unverschämtheit, erstatteten sie gegen Thomas Anzeige wegen Körperverletzung. Erst nach intensiver Befragung und nach der Konfrontation mit mehreren Zeugenaussagen ließen sie sich dazu herab, zu erklären, dass der Messermann jedem von ihnen fünfzig Euro dafür geboten hätte, »einem arroganten Studentenwichser was auf die Fresse zu hauen«. Bei hundert Euro hätten sie zugestimmt. Nach einem Grund dafür hätten sie nicht gefragt. Aber sie hätten nichts getan, der Student sei wie ein Irrer auf sie losgegangen. Bei ihnen sei es reine Notwehr gewesen. Nur nebenbei bekam Thomas mit, dass beide aktenkundig waren, der eine wegen Diebstahls, der andere hatte wegen Körperverletzung im Jugendgefängnis gesessen. Mittlerweile war er volljährig.

Thomas bestritt ihre Behauptungen, alles war widersprüchlich, und er gab an, den Mann mit dem Messer nie zuvor gesehen zu haben. Seine Fingerabdrücke müssten an dem Messer sein, er würde ihn auch der Tätowierung wegen jederzeit wiedererkennen. Einen Grund für den Überfall konnte er nicht angeben. Was er dachte, behielt er für sich. Als ihm einer der Polizisten einen Kaffee brachte und er zur Ruhe kam, wurde ihm klar, dass ihn nur die dicht geparkten Autos gerettet hatten, allen dreien gleichzeitig wäre er nie gewachsen gewesen. Ihn interessierte der Angreifer mit dem tätowierten Arm. Das war seine neue Spur.

Wie die Kapuzen hergekommen waren, in wessen Auto, wo sie sich getroffen hatten und woher sie den Dritten kannten, interessierte die Polizisten zwar, aber bevor die Befragung fortgesetzt werden konnte, erschien ein Rechtsanwalt auf der Wache und verbot den Kapuzen jede weitere Aussage. Wer hatte ihn geschickt, da beide nicht telefoniert hatten? Woher wusste er, dass sie hierhergebracht worden waren? Gab es wieder einen heimlichen Beobachter der Szene? Thomas notierte den Namen des Anwalts. Das lief ihm zu glatt und zu geplant ab.

Zum Umfallen müde betrat Thomas seine Wohnung. Auf dem Heimweg hatte er auf der Autobahn mit dem Einschlafen gekämpft, der Kopf tat weh, und ohne die CD von

Blumio, dem rappenden Japaner aus Düsseldorf, wäre seine Laune weit unter den Gefrierpunkt gesunken. Seine alte Kölner Clique fehlte ihm, die Jungens, in deren Mitte er sich stark fühlte, auf die er sich verlassen konnte und mit denen er die Kapuzen reichlich aufgemischt hätte. Jetzt hoffte er, dass Regine zu Hause war, trotz seiner Müdigkeit brauchte er jemanden zum Reden. Aber die Wohnung war leer, der Anblick des leeren Kühlschranks niederschmetternd. Er dachte an die grauenvolle Nacht zurück, an das Mädchen mit den schönen Augen – und an die drei Schläger.

Er würde sie alle wegen versuchten Mordes anzeigen, dann würden die beiden Heinzelmännchen ihre Kapuzen schon abnehmen und ausspucken, wer der dritte war.

Soll ich eine Flasche Wein öffnen und mich betrinken oder mir lieber einen Tee machen?, fragte sich Thomas und entschied sich für Tee. Regine hatte immer etwas im Haus. Er dachte an das Mädchen. Beherzt war sie gewesen, auf die Drohung hin hatte sie nur gelacht. Dass sie in Jeans und Jeansjacke so zerbrechlich gewirkt hatte, lag an den elend hochhackigen Stiefeln, diesen Tick hatten anscheinend alle Osteuropäerinnen. Aber Angst hatte sie keine, das imponierte ihm. Ihre Augen waren nah gewesen, als sie ihm das Blut von der Stirn getupft hatte, wasserblau, klar und schön, wie ihr Gesicht auch, so schmal, so besorgt und die Lippen so nah …

Er goss den Tee auf und fischte den zerknautschten Zettel mit ihrem Namen und der Telefonnummer aus der Hosentasche und strich ihn glatt. Auch er trug Blutflecken wie seine Jacke. Kamila Szymborska. Wo kam sie her? Kamila – das gefiel ihm. Er würde sie morgen anrufen. Oder war das zu aufdringlich?

Gedankenverloren starrte er aus dem dunklen Küchenfenster und sah auf der Fensterbank darunter die Flaschen von Schönborn. Sollte er sie jetzt wieder probieren? Dann käme er von diesem Horrortrip runter.

Die Weine waren bedeutend besser als gestern, sie waren jetzt erst da, alle hatten durch den Kontakt mit Luft gewonnen. Diese Rieslinge gehörten in eine Kategorie, an der sie sich orientieren mussten.

Alle vier hatten sich entwickelt, der Berg Schlossberg zeigte ein für den Riesling typisches Aroma, und auch seine Mineralität war deutlicher. Auch der Pfaffenberg wirkte ruhiger, dicht und geschmeidig, und die Säure verlor die Spitzen. Der Marcobrunn aber brauchte noch immer etwas Zeit. Es wäre schade, so einen Wein zu öffnen und gleich zu trinken, nur die Verkäufer hatten etwas davon. Diese Weine, obwohl weiß, sollten dekantiert werden, besonders wenn sie so jung waren wie diese. Der Marcobrunn wird sich bei der nächsten Probe erst richtig zeigen, sagte sich Thomas, spülte die Gläser nur aus und schleppte sich zerschlagen ins Bad.

Seinem Vater würde er nichts von dem Überfall erzählen, der würde sich nur sorgen. Wozu ihn beunruhigen? Er besprach sich besser mit Johanna Breitenbach, sie war mit allem vertraut, sie kannte die FH. Verdammt, wer hatte die drei Kapuzen geschickt?

Beim Blick in den Badezimmerspiegel glaubte er, einen Fremden vor sich zu sehen, so entstellt wie er war, und wusch sich vorsichtig das Gesicht. Unschlüssig blieb er dann vor Manuels Tür stehen – und trat ein.

Am Fenster stand der Schreibtisch, daneben das Klavier, in der Ecke lehnte hochkant das neue Keyboard. Darauf durfte Manuel im Gefängnis nicht spielen, es war USB-fähig, wie es hieß, man konnte wer weiß nicht was darauf speichern, es funktionierte ähnlich wie ein Rechner. Aber in dem Fall, sagte sich Thomas, wird jede Datei mit der Zeit ihrer Erstellung und Bearbeitung gekoppelt. Hatte Manuel es nicht an jenem Wochenende eingeweiht? Dann musste die Zeit gespeichert sein.

»Treffen wir uns im Backshop vom Supermarkt in Oestrich?«, fragte Thomas Johanna auf dem Weg zur Bibliothek. »Nach der Sensorikveranstaltung brauche ich einen Kaffee.«

Eine Stunde später standen Johanna Breitenbach und er am runden Tisch vor dem Fenster. Thomas berichtete vom Überfall.

»Wer kommt auf so eine niederträchtige Idee?« Die Dozentin war zutiefst entsetzt. »Drei Leute, um Sie zu verprügeln, und dann noch das mit dem Messer? Das war ein Mordversuch.«

»Das sehe ich anders. Es war ein Ausrutscher. Der Angriff mit dem Messer war nicht geplant. Der Typ ist durchgedreht und hatte Angst.«

So gelassen sah er es selbst nicht. Er hatte kaum geschlafen, war morgens zum Arzt gegangen, hatte sich seine Verletzung attestieren und die Wunde nähen lassen. Der nächste Schock war, dass seine letzte Klausur verschwunden war. Der Dozent ließ nicht mit sich reden, Thomas würde sie wiederholen müssen, er hatte nur noch eine Chance. Auch sein Vater meckerte mit ihm. Auf den Einwand, dass sich alles sofort normalisieren würde, wenn Manuel aus dem Gefängnis käme, hatte er nur mit den Achseln gezuckt und »Wann?« gefragt. Thomas vermutete, dass er zwar von Manuels Unschuld überzeugt war, nur nicht davon, dass man ihn freisprechen würde. Nur Johanna Breitenbach war es.

»Und ich dachte, Regine sei wieder mit von der Partie«, sagte Thomas kleinlaut, er machte keinen Hehl aus seiner Enttäuschung. »Sie sperrt sich. Jetzt kriegt sie neben dem Druck von ihrem Alten auch Druck vom neuen Freund. Wir hatten drüben in der Mühlstraße in der Kellerwirtschaft einen Kurs. Es ging um neue Filter, dafür hat sie ein Händchen, aber ihr eigener ist verstopft.«

Der Vergleich ließ Johanna Breitenbach schmunzeln, sie riet Thomas, Verständnis zu zeigen. »Mit Druck erreichen

Sie am wenigsten. Es ist für Ihre Mitbewohnerin eine schwierige Lage, nach allem was ich weiß.«

»Zweifeln Sie an meinen Worten?«

»Seien Sie nicht so empfindlich.«

Thomas murrte, er grummelte, dass er noch viel empfindlicher sein müsste, um seine Umgebung richtig wahrzunehmen. Das galt aber weniger für den üblen Geruch ringsum, vor dem er sich ekelte. Auf dem Stuttgarter Bahnhof roch es so, und auch in Frankfurt wurde das, was hastende Menschen sich aus Tüten in den Mund stopften, auf diese Weise behandelt. Es war der Gestank von billigem, angebranntem Käse oder einem Käseersatzstoff, mit dem sich auch Sägespäne überbacken ließen.

»Ich hätte Regine gebraucht, besonders letzte Nacht, nach dieser Schlägerei. Ich wollte reden, und sie war nicht da, Manuel sowieso nicht. Ich hasse es, allein zu wohnen.«

»Sie haben es auch ohne Ihre Mitbewohnerin geschafft, außerdem haben Sie sich recht gut geschlagen, so wie Sie es mir berichtet haben.« Johanna betrachtete das Pflaster über der Augenbraue.

»Was nutzt mir das? Regines Vater hält es für eine Schnapsidee, Geld für ihr Zimmer in Geisenheim auszugeben, wo sie in Hochheim genug Platz haben. Das Geld ist gestrichen, Regine soll ausziehen. Und ihr neuer Freund ist genau so eine Nullnummer, der sollte den Vater heiraten.«

»Bietet ihr die Wohnung so viel Freiheit, dass sich dafür das Opfer lohnt? Jetzt hat sie den Freund, der gibt ihr Bestätigung und Zuneigung, die kriegt sie weder von Ihnen noch von Herr Stern.«

Thomas ließ ihre Argumente nicht gelten. Zurzeit ließ er gar nichts gelten, er hätte um sich schlagen können, so wie gestern.

»Sie müssen da durch, Thomas, das nimmt Ihnen niemand ab«, sagte Johanna Breitenbach. »Setzen Sie Ihre Wut in Kraft um. Das können Sie. Und Ruhe hilft, beobachten, begreifen, Schlüsse ziehen.«

Er hätte etwas mehr Zuspruch erwartet. »Haben Sie was über die Wohnung in Lorch herausgefunden?«

Thomas beobachtete, wie Johanna Breitenbach an ihrem Pappbecher mit dem Milchkaffee nippte, und er fand, dass sie heute besonders gut aussah. Er hatte sich einen Pott aus Porzellan geben lassen. Essen aus Tüten und Schachteln verabscheute er genauso wie Kaffee aus Pappbechern. Seiner Dozentin machte es anscheinend nichts aus.

»Ich bin mit dem Vermieter in Koblenz verabredet, in einem persönlichen Gespräch erfährt man immer mehr als am Telefon. Ich werde ihm sagen, dass ich die Wohnung mieten will, so kann ich möglicherweise erfahren, wer der Vormieter war. Hat Ihr Vater sich um das Weingut in Gigondas gekümmert? Haben Sie ihn danach gefragt?«

Thomas erzählte, dass Philipp zwei Winzer und einen Négociant aus Burgund darauf angesetzt hatte. Auch der Prokurist aus seiner ehemaligen Firma würde sich darum kümmern. Was ihm jedoch Sorgen mache, sei die Hetze gegen ihn und Manuel im Internet, das sei Mobbing in Reinkultur, eine regelrechte Rufmordkampagne. Alle gratis zugänglichen sozialen Netzwerke würden dafür genutzt, Facebook, Twitter und studiVZ und die von Studenten und in der Weinbranche genutzten Plattformen und Blogs.

»Für die ist unsere Wohngemeinschaft sogar offiziell die Mörder-WG. Ich glaube, dass die Rosa Handtaschen dahinterstecken. Sie haben Hilfe von Jungen mit flinken Fingern, die sich im Netz auskennen.«

»Lässt sich das nicht klären?«

»Habe ich bereits versucht, aber die arbeiten mit temporären IP-Adressen, und da komme ich nicht weiter. Mittlerweile ist das ein Selbstläufer. Fotos gibt es auch, von Manuel und seinem Auto, von Alexandra, von unserer Wohnung und natürlich von mir als dem ›Öno-Detektiv‹

und dem ›besten Freund des Mörders‹. Die machen einen Fotoroman daraus.«

Das berührte Johanna Breitenbach nicht sonderlich. »Da müssen Sie durch, Thomas, wenn Sie es ernst meinen. So ist das heutzutage. Seien Sie froh, dass man nicht mit Fingern auf Sie zeigt. Außerdem ist das nur virtuell. Um es laut zu sagen, fehlt diesen Leuchten der Schneid. Sie verstecken sich hinter ihren Laptops und iPhones der vierten Generation. Vor der Wirklichkeit, vor dem, was sich anfassen lässt, haben alle die Hosen voll.« Johanna trank den kalten Rest vom Milchkaffee. »Richten Sie bitte Ihrem Vater aus, dass an der FH nächste Woche die Betriebsleitertagung statt-findet. Er muss sich schleunigst anmelden.«

»Kann ich da nicht hingehen?«, fragte Thomas, der sei-nem Vater die Fahrt hierher ersparen wollte.

»Seit wann sind Sie der Betriebsleiter?«

Einen Moment lang erwog Thomas, wie er Johanna die Zurechtweisung zurückgeben konnte. Er blickte durch die Scheibe des Supermarkts nach draußen. Ein Mann dort auf dem Parkplatz brachte ihn davon ab und auf etwas ganz anderes.

»Kennen Sie das Spiel ›Ich sehe was, was du nicht siehst‹?«

Johanna Breitenbach sah ihn verständnislos an. »Natür-lich.«

»Dann drehen Sie sich bitte auf keinen Fall um. Da steht jemand und fotografiert den Supermarkt.« Während er dies sagte, rührte er mit dem Plastiklöffel weiter in seinem Kaf-feepott. »Was gibt es an diesem bekloppten Backshop zu fotografieren – außer uns? Wir stehen in Blickrichtung sei-nes Objektivs. Hätten Sie Lust auf eine Weinprobe? Gehen Sie zu Ihrem Wagen und fahren Sie zu Künstler nach Hoch-heim. Er ist wirklich ein Künstler. Wir treffen uns vor der Kellerei. Regine wollte auch kommen, doch die können wir wohl abhaken.«

»Und was haben Sie vor?« Johanna neigte den Kopf in

Richtung des Fotografen. »Wollen Sie wieder jemanden verprügeln?«

»Nur zu gerne. Vielleicht ist es der Fotograf von neulich. Nein, die Straßenkämpfe reichen mir, ich brauche nur seine Autonummer, den Rest soll die Polizei machen. Ich glaube, mit dem Staatsanwalt kann ich inzwischen umgehen. Er wird neugierig.«

Thomas tat, als binde er seinen Schuh zu, und schlich gebückt aus dem Supermarkt. Neben dem Automaten zur Flaschenrückgabe gelangte er in die angrenzende Lagerhalle und von dort aus ins Freie. So konnte er den Mann mit der Kamera umgehen. Der sah sich verständnislos um, als Johanna allein aus dem Supermarkt kam. Er steckte die Kamera weg, folgte Johanna kurz und ging dann unschlüssig zu seinem Wagen. Thomas notierte die Nummer: Sie begann mit MZ – das stand für Mainz. Eine weitere Spur …

16

Nach außen hin wirkte das Weingut auf Johanna wie alle anderen Rheingauer Weingüter ziemlich verschlossen, trotz des schönen Bewuchses seiner Fassade und des einladenden Rundbogens. Wollte sich niemand in die Karten beziehungsweise in die Fässer blicken lassen? Durfte keiner wissen, was wirklich in den Kellern geschah, und nur das zu sehen beziehungsweise zu riechen und zu schmecken bekommen, was eingeschenkt wurde? Unsinn – Johanna wehrte sich gegen ihre paranoiden Gedanken. Sie ließ sich von den Geschehnissen und Achenbach zu sehr beeinflussen. Sicher entsprang ihr Eindruck nur der überkommenen Bauweise des 17. und 18. Jahrhunderts.

Als Manuel Sterns Wagen mit Achenbach hinter dem Lenkrad neben ihr parkte, sah sie das Ausmaß des Lackschadens. Die gesamte linke Seite war vom vorderen Kotflügel bis zur Heckleuchte aufgekratzt, der Schraubenzieher war sogar ins Blech eingedrungen. Die Reparatur würde teuer werden, Manuel Stern würde es kaum kratzen. Sein Geld nutzte ihm momentan allerdings ziemlich wenig, im Gegenteil, es wurde als möglicher Grund für die bestehende Fluchtgefahr gewertet. Johanna erinnerte sich, wie sie vor vielen Jahren nach einer Protestaktion im Kaiserstuhl festgenommen und eingesperrt worden war. Das dumpfe Scheppern der hinter ihr zugeschlagenen Zellentür würde sie niemals vergessen – genauso wie das Gefühl des Ausgeliefertseins. Die Polizisten hatten sie am nächsten Tag wieder entlassen, aber Manuel war seit Wochen hinter Gittern.

Vor dem Tor warteten sie auf Regine. Sie hatte Thomas angerufen, sie wollte unbedingt mitkommen, die Gelegenheit, Künstlers Weine zu probieren, durfte sie sich nicht entgehen lassen. Mit hochrotem Kopf kam sie angetrabt.

»Thorsten wollte nicht kommen?«, fragte Thomas provozierend.

»Manchmal bist du ein arrogantes Ekel«, zischte sie. »Und ich werde nicht ausziehen, und wenn ich Teller spülen gehe – bevor ich dir diese Unart abgewöhnt habe.«

»Geht nicht, ist angeboren«, meinte Thomas trocken und breitete die Arme aus, um die Damen zum Gehen zu bewegen. »Man wartet auf uns.«

»Männer kann man nicht umerziehen«, sagte Johanna vermittelnd, »hören Sie auf den Rat einer erfahrenen Ehefrau.«

»Das merke ich gerade«, antwortete Regine halb ernst, halb im Spaß, und es schien, als spräche sie aus jüngerer Erfahrung.

Thomas begrüßte als Erster den Winzer und den Önologen, dann stellte er ihnen Johanna vor. »Wie schade, dass Sie beide Ihr Studium in Geisenheim längst abgeschlossen haben, sonst hätten Sie das Vergnügen gehabt, von dieser großartigen Dozentin unterrichtet zu werden.« Er berichtete kurz von ihrer gemeinsamen Arbeit auf dem Weingut in der Pfalz.

Regine und Künstler kannten sich vom Sehen, Hochheim war klein, und Regine wurde rot, als sie dem Winzer die Hand gab. Sicher kannte der Winzer den Vater und wusste, was von seinem Wein zu halten war. In seiner bescheidenen, aber auch bestimmten Art nahm er Regines Besuch als Kompliment.

Die beiden ehemaligen und die beiden aktuellen Geisenheimer verstanden sich sofort, auf dem gemeinsamen Hintergrund fanden sie eine Ebene, eine Sprache und eine identische Werteskala. Es geschah das, was Johanna Thomas prophezeit hatte, sie fühlte sich ausgeschlossen. Sie musste zuhören und konnte fragen, dieser Nachmittag war für sie eine sensorische Übung in Verbindung mit einer Vorlesung.

Während sie in anderen Kellern viel Edelstahl gesehen hatte, waren hier die Gärfässer aus Holz, es waren Halb-, Stück- und Doppelstückfässer in bestem Zustand, die auch eine temperaturkontrollierte Gärung zuließen. Die vier Experten hatten sie rasch vergessen, sie sprachen von Gärfehlern, pH-Werten, von durchgegorenen Weinen und Restsüße. Beim Gang durch die Keller drehte sich ihr Gespräch um die gute Lagerfähigkeit des Hochheimer Rieslings, denn die hiesigen Weine ließen sich dank ihrer Kraft und Fülle viele Jahre lagern. Johanna hörte zu, sie fragte sich allerdings, ob diesen praktizierenden und den angehenden Önologen die Arbeit nie langweilig wurde.

Wieder an der Erdoberfläche, vielmehr in einer großen Halle, wurde der Boden zum Thema, man diskutierte die recht unterschiedlichen Lagen hier an der Mündung des Mains in den Rhein.

»... eine von Lösslehm geprägte und aus tertiären Sedimenten gebildete Bodenstruktur, mit Mergeln durchsetzt ...«, hörte Johanna jemanden sagen. Dann wieder war die Rede von kalkhaltigen Böden, ideal für Spätburgunder, wo ein guter Wasserhaushalt garantiert war. Was es in diesem Zusammenhang mit den Quellhorizonten auf sich hatte, entzog sich ihrem Verständnis, Geologie war nicht ihr Thema. Erleichtert folgte sie in den großen Probenraum. Bei Duft und Geschmack konnte sie wieder mitreden beziehungsweise sich auf ihr eigenes Urteil stützen.

Auf dem großen runden Tisch an der Seite des Raums standen acht Flaschen und die entsprechenden Gläser. Johanna bemerkte, wie Regine im Laufe des Gesprächs mehr Selbstsicherheit gewann. Thomas hatte sich ihr gegenüber anfangs noch etwas spröde gezeigt, aber auch ihn nahm die

Situation gefangen, beide fühlten sich als Kollegen ernst genommen und weniger als Studenten betrachtet. Es war etwas, das Johanna in dieser Branche immer wieder bemerkte, dass die Winzer, obwohl Konkurrenten, sich selten die Augen auskratzten. Wenn man jemanden wie Regines Vater zum Nachbarn hatte, war höfliche Distanz angebracht, und auch in den großen Handelshäusern war der Umgang härter, aber hier und heute fühlte sie sich wohl, sie fühlte sogar etwas wie Stolz darüber, wie *ihre* Studenten sich behaupteten.

Zum Erstaunen aller begann Künstler die Verkostung mit zwei Spätburgundern, beides Erste Gewächse der Lage Reichestal, der erste von 2007, der zweite von 1999 – ein spannender Vergleich. Beide Weine waren ähnlich und doch verschieden, der ältere war fein, weich und dichter, auch stärker im Duft, er zeigte mehr Eleganz. Dafür stand der Jüngere am Anfang seiner Entwicklung, er hatte schon Feuer und Kraft, die Ecken und Kanten würde die Zeit abschleifen. Ihr Volumen erreichten die Weine durch eine lange Vegetationsperiode bei gleichmäßigen Temperaturen, die Nord-Süd-Ausrichtung der Reben verschaffte ihnen mehr Licht.

Die trockenen Rieslinge danach waren stark genug, sich nicht von den Roten stören zu lassen. Der Riesling »Herrenburg« war ein zeitloser Genuss, der »Stein«, obwohl mineralisch und salzig, war ihr zu glatt und zu voll. Die Spätlese danach war in sich gegensätzlich und doch harmonisch.

Es erstaunte Johanna, dass sie in diesem Kreis mit den genannten Begriffen im Ohr, dem Duft in der Nase und dem Süße-Säure-Spiel im Mund gut umgehen konnte. Sie beugte sich zu Thomas, da ihr ein Gedanke durch den Kopf schoss, vom Geschmack des jetzt probierten Weins hervorgerufen, eine verblasste Erinnerung.

»Ich erinnere mich gerade an den Namen des Weißweins, den ich in Gigondas probiert habe. Er hieß Altensteineck! Ist das der, der auch bei der Hausdurchsuchung beschlagnahmt wurde?«

»Habe ich das nicht gesagt?« Thomas war ganz woanders, nickte nur kurz, ärgerlich darüber, bei einer so heiklen Angelegenheit wie einer Weinprobe gestört zu werden.

Das empfand Johanna als ein wenig zu prätentiös für sein Alter und wandte sich wieder dem Wein zu, aber sie war jetzt unkonzentriert, sie dachte an die alte Dame in Gigondas.

»Die eigene Zunge ist der beste Berater«, sagte der Winzer in die Irritation hinein, »ich möchte niemandem den Geschmack auf die Zunge erzählen.«

Johanna kannte das Phänomen: Jemand sprach von grünem Apfel, und sofort schmeckte jeder grünen Apfel. Bei Kiwi war es ähnlich, gelbe Früchte – selbstverständlich, und Mirabelle? Was sonst? Ach, könnten es nicht vielmehr florale Noten sein, gelbe Blüten, Veilchen? Vielleicht ...

»Riesling zeigt deutlich die Lage, auf der er wächst«, fuhr der Önologe fort, »er zeigt den Boden, seine Beschaffenheit und das Alter der Reben. Er zeigt es, wenn er durch große Mengen überfordert wird, so wie in früheren Zeiten, und auch den schlechten Jahrgang mit einer spitzen, strammen Säure.«

Weiß Erd, Stielweg und Domdechaney folgten, Letzterer ein Wein, der gut zwanzig Jahre altern und dabei gewinnen konnte. Der Hochheimer Kirchenstück war wunderbar, Johanna merkte zwar die Unterschiede, doch sie zu beschreiben war ihr unmöglich. Die Krönung war die Hochheimer Hölle, ein Wein zwischen Alter und Jugend, zwischen Frische und Eleganz, zwischen Reife und Bewegung. Er gefiel Johanna am besten, und auch ihre Begleiter waren begeistert. Wie sollte sie nach dieser Probe heil auf die Fähre und rüber nach Bingen kommen? Oh, sie konnte über die Mainzer Brücke fahren und die Autobahn benutzen.

»Geht es Ihnen nicht gut?«, fragte Thomas, als sie zu den Autos gingen. Es war spät geworden, und Regine hatte sich nach einem kurzen Abschiedswort rasch davongemacht.

»Nein, es ist nichts mit mir«, antwortete Johanna.

»Sie kennen die Technik nicht«, widersprach Thomas. »Ich habe während der Probe bereits gemerkt, dass Sie zu viel trinken.«

»Ich ekle mich eben vor dem Ausspucken ...«

»Seien Sie vorsichtig, zu viel Alkohol macht krank. Wir dürfen nicht alles trinken, was wir in den Mund nehmen, obwohl es heißt, die Leber wüchse mit ihren Aufgaben.«

»Sehr witzig.«

»Ich nehme Sie mit, Sie können bei uns übernachten, so dürfen Sie nicht mehr ans Steuer. Regine hätte nichts dagegen.«

»Besten Dank! Sollen wir den Gerüchten weiter Vorschub leisten? Wir haben genug Ärger. Ich nehme mir ein Hotelzimmer, in Wiesbaden ...«

»Da müssten Sie trotzdem fahren. Gehen Sie in die ›Rebe‹, ich bringe Sie eben hin, es ist gleich um die Ecke. Morgen früh haben Sie das Auto schon vor der Tür.«

Johanna ließ sich überreden, Thomas' Worte klangen nur noch besorgt und nicht mehr überheblich, der Junge war ja so vernünftig.

Nach dem Ende der Vorlesungen in Bingen fuhr Johanna nach Koblenz, um sich mit dem Hausbesitzer wegen der Wohnung in Lorch zu treffen.

»Wenn Sie mehr in Bingen sind als im Rheingau, was nützt Ihnen dann die Wohnung?« Der gemütliche Mittfünfziger schraubte an einer alten Espressomaschine herum. Eigentlich gehörte sie ins Museum, wie alles in diesem altmodischen Büro, in dem bereits der Vater Versicherungen verkauft hatte. »Klar, die Fähre kostet Zeit und Geld, und Sie müssten häufiger als jetzt übersetzen, wenn Sie in Lorch wohnen würden. Aber was geht es mich an – bei diesen Referenzen. Verbeamtet sind Sie nicht?«

»Das wäre nichts für mich. Lehrverträge hingegen ver-

schaffen mir die nötige Bewegungs- und Meinungsfreiheit.«
Johanna war dieses Thema unangenehm. Irgendwann kam
es mit allen Arbeitgebern zu Differenzen, und so konnte sie
rechtzeitig gehen.

»Ab wann wäre die Wohnung frei? Ich müsste sie renovieren lassen.«

»Das lässt der Vormieter gerade machen, obwohl er das
nicht nötig hätte«, sagte der Hausbesitzer. »Die Wohnung
war nur ein Jahr lang vermietet. Die Maler kommen dieser
Tage. Eigentlich wird ja beim Einzug renoviert. Man weiß
nie, wie der Mieter die Wohnung gestalten will.«

Endlich war der Moment gekommen, die Frage zu stellen,
um die es Johanna ging. »Wer hat da gewohnt? Warum
ziehen die nach einem Jahr wieder aus?«

»Mieter war die Chem-Survey GmbH, heute muss ja alles
englisch sein, eine Firma, sie hat es für sich als Apartment
genutzt und Geschäftsfreunde untergebracht. Das ist netter
und allemal billiger als ein Hotel.«

»Was haben die produziert?«

»Produziert?« Der Hausbesitzer schüttelte etwas ratlos
den Kopf. »Nichts, soweit ich weiß, die kümmern sich mehr
um Forschungsaufträge, um Entwicklung im Bereich der
Chemie. Ich verstehe davon nichts. Jedenfalls haben sie
pünktlich Miete bezahlt. Aber bevor die renovieren, sollten
Sie mal mit denen reden, ob man die Wohnung nicht gleich
nach Ihren Wünschen gestaltet. Oder wollen Sie alles in
Weiß?«

Der Vermieter holte den Ordner mit dem Mietvertrag
und diktierte ihr die Adresse der Chem-Survey in Mainz.
Woher kannte sie den Namen, wo hatte sie ihn schon
gehört? Johanna reckte sich, so weit es ging, aber sie konnte
nicht lesen, wer den Vertrag unterschrieben hatte. Sie versuchte es anders.

»Wer ist mein Ansprechpartner, mit wem soll ich sprechen?«

»Fragen Sie nach Frau Schultz, sie ist recht zugänglich. Und in Lorch sprechen Sie mit Frau Melchior, sie zeigt Ihnen die Wohnung, ich informiere sie. Sie wohnt gegenüber.«

Beim Hinausgehen dachte Johanna daran, dass sie gar nicht nach der Miete gefragt hatte. Die war ihr auch egal, sie musste wissen, wer hinter der Firma stand, ein weiteres Steinchen ihres Puzzles oder des Freskos. Möglicherweise passte es. Manuels Vater war doch auch in der Chemiebranche? Und seit Thomas erzählt hatte, dass es in Alexandras Wohnung DNA-Spuren gab, die niemandem zugeordnet werden konnten, war der Verdacht entstanden, dass beim Renovieren Spuren beseitigt werden sollten. Handelsregister wurden bei den Amtsgerichten geführt. Darüber käme sie an die Besitzer von Chem-Survey. Oder sollte sie einfach anrufen?

Telefonisch hatte man ihr keine Auskunft geben wollen, sie sollte beim Amtsgericht vorbeikommen oder einen schriftlichen Antrag stellen, und bei Chem-Survey meldete sich ein Anrufbeantworter. Für die Fahrt nach Mainz war es zu spät, sie müsste es morgen zwischen ihre Termine schieben oder Thomas darum bitten. Aber das war ihr nach ihrem Ausrutscher bei der Verkostung peinlich. Jetzt musste sie schleunigst an die Hochschule, sie musste sich mehr als bisher mit ökologischem Weinbau beschäftigen, wenn sie in der Branche weiter Fuß fassen wollte.

Im Foyer traf sie auf Professor Marquardt. Im Gegensatz zu ihr ging er erfreut auf sie zu.

»Sie machen sich rar, Frau Kollegin«, sagte er, »dabei schätze ich Ihre charmante Gesellschaft. Waller und Vormwald übrigens auch. Seit unserer Begegnung in der Wine-Bank hat man Sie nicht mehr zu Gesicht bekommen. Dabei gäbe es vieles zu besprechen. Meinen Sie nicht?« Er hielt ihr die Hand hin.

Johanna war nicht klar, was er meinte. Sie betrachtete kurz seine Finger. Hände und Finger waren ihr immer wichtig gewesen, sie sagten ihr etwas über den Menschen, mehr als die Augen. Die konnten besser lügen. Er hat die Finger eines Menschen, der zugreift, sagte sie sich, der sich zu nehmen versteht, der nichts wieder loslässt, was er einmal gepackt hat.

»Mich interessiert natürlich brennend, wie es mit unserem armen Studenten weitergeht. Er sitzt noch?«

Diese Frage empfand Johanna als höhnisch. »Das wird Ihnen Ihr Freund Dr. Vormwald doch sicherlich erzählt haben, Herr Dr. Marquardt.«

Marquardt rümpfte die Nase. »Befreundet? Das wäre zu viel behauptet. Befreundet – ja gut, so wie man in diesen Kreisen eben befreundet ist. Es geht um Vertretung in einzelnen Fällen und juristische Beratung. Wie ich gehört habe, ist seine Haftprüfung geplatzt? Wie ist es dazu gekommen?«

Wenn jemand sie ausfragen wollte, stellte Johanna sich dumm. »Soweit ich weiß, handelt es sich um ein zeitliches Missverständnis, und dann hat der arme Student, wie Sie ihn nennen, sich taktisch unklug verhalten. Er hat Ihrem Freund das Mandat entzogen.«

»Ja, das war das Dümmste, das er tun konnte. Wer vertritt ihn jetzt?«

»So nah bin ich nicht an der Sache dran.«

»Stehen Sie nicht in Kontakt mit seinem Wohngenossen, diesem umtriebigen Achenbach?«

Es hatte den Anschein, als seien die Gerüchte auch bei Marquardt angekommen. »Nein, er ist für mich nur ein Student, der Kontakt besteht zu seinem Vater.«

»Dieser Achenbach macht sich unbeliebt, kaum jemand hat mehr ein gutes Wort für ihn übrig. Anfangs hatte jeder Verständnis für ihn. Aber er übertreibt. Haben Sie mitbekommen, wozu er sich verstiegen hat?« Ohne auf eine Antwort zu warten, sprach Marquardt weiter, jetzt bedeutend leiser. »Er zeigt überall ein Bild herum, von Alexandra Lehmann auf einem Reiterhof. Ich finde es geschmacklos, besonders der Toten gegenüber. Jeder wusste von dem gespannten Verhältnis der beiden. Da ist noch eine weitere Person auf dem Bild, und dieser Mini-Derrick fragt jeden, ob er die Person kennt. Haben Sie das Bild gesehen?«

Johanna verneinte, ohne sich in Ausflüchte zu retten. Konnte es dieselbe Person sein, mit der sie Alexandra in Lorch gesehen hatte?

»Vielleicht haben Sie mäßigenden Einfluss auf ihn. Können Sie nicht die geschäftliche Beziehung zum Vater nutzen? Er gefährdet sein Studium, schwänzt Klausuren, kommt nicht zu den Übungen, lässt seine Arbeitsgruppe im Stich . . .«

»Sie überschätzen meine Möglichkeiten, Herr Dr. Marquardt«, unterbrach ihn Johanna und wunderte sich, wie gut der Professor informiert war. »Ich habe das Weingut unter energetischen Gesichtspunkten analysiert, und jetzt gebe ich meine Vorschläge ab, das ist alles.«

»Dann wissen Sie auch nichts von Umständen, die Manuel Stern entlasten könnten? Gibt es nichts, keinen Hinweis auf seine Unschuld, irgendeinen Verdacht, dem man noch nicht nachgegangen ist? Wäre es möglich, dass Achenbach recht hat und Stern den Mord gar nicht verübt hat? Ein geheimnisvoller Dritter als Täter?«

Das waren für Johanna zu viele Schwenks und zu viele Fragen auf einmal. »Im Moment geht es mehr um die Frage, wer den Überfall auf Thomas Achenbach in Auftrag gegeben hat.«

Marquardt zeigte sich erschrocken, er wusste offenbar nichts davon, und Johanna erzählte ihm, was sie wusste.

»Drei Mann hat er verprügelt? Wer hätte ihm das zugetraut?« Marquardt schüttelte ungläubig den Kopf, aber er hatte eine Erklärung für den Überfall parat. »Das wird eine Sache unter jungen Männern gewesen sein. Drogengeschäfte vielleicht? Nimmt er Drogen? Sagten Sie nicht, dass es vor einer Russen-Diskothek stattgefunden hat? Wundert mich, dass er dort verkehrt. Da geht es nur um Drogen oder Mädchen. Oder Achenbach hat die Angreifer beleidigt, Sie wissen ja, Frau Kollegin, wie anmaßend er sein kann. Heutzutage ist die Toleranz genauso niedrig wie die Schwelle zur Gewalt. Jeder Anlass ist recht.«

»Ein Angriff mit dem Messer ist keine Kleinigkeit mehr«, entgegnete Johanna ärgerlich. »Es wird eine Anzeige wegen versuchten Mordes geben. Zwei Täter wurden gefasst.«

Jetzt war der Professor wirklich beunruhigt. »Schlimme Dinge, sehr schlimm. Wer weiß, in was dieser Stern seinen Freund noch hineinzieht, wo anscheinend beide so unbeherrscht sind. Ist es nicht schrecklich, dass zwei junge Leben bereits jetzt ein Ende gefunden haben, das eine physisch, das andere sozial? Stern ist für sein Leben gebrandmarkt.«

Johanna ließ sich ihr Erstaunen über sein gestelztes Nachfragen und die dummen Kommentare nicht anmerken. Was wollte Marquardt? Wollte er reden, wollte er ihr etwas ganz anderes sagen?

Es gab für Johanna eine gute Möglichkeit, ihn zu bremsen. Sie würde Vormwald zitieren. »Totschlag oder Mord im Affekt – wie das heißt – dafür gibt es bei mildernden Umständen, die sich aus der schweren Kindheit von Manuel Stern ergeben, fünf oder sechs Jahre Gefängnis, bei guter Führung und entsprechenden Auflagen nur vier oder fünf ...«

»... wenn er sie übersteht«, bemerkte Marquardt in seiner überheblichen Art. »Kinder reicher Leute, besonders die sensiblen, haben es nie leicht. Im Gefängnis herrscht ein ausgeprägtes Klassenbewusstsein. Erpressung, Notzucht, er ist ein hübscher Bengel, er kann sich nicht wehren, er ist das typische Opfer.«

»Sie sagen es in einer Weise, als hätten Sie keinerlei Mitgefühl, Herr Professor Dr. Marquardt.« Diese Debatte wollte Johanna nicht fortsetzen. Dafür stellte sie eine Frage, deren Beantwortung sie brennend interessierte. »Was ich

Sie bereits seit Langem fragen wollte: Stichwort Gigondas, Herr Kollege. Wir haben diese Weine miteinander probiert, ganz ausgezeichnet. Hat einer von Ihnen, Sie oder Herr Waller oder Vormwald, dort ein Weingut?«

»Ich?«, sagte Marquardt. »Wieso ich? Das waren Wallers Weine. Man muss doch nicht gleich ein Weingut besitzen, wenn einem die Weine dieser Appellation zusagen.« Der Professor schüttelte erstaunt den Kopf, dann aber gewann ein Lächeln in seinem Gesicht die Oberhand. »Wenn Sie so fragen ... Ein Weingut hätte ich da unten schon sehr gerne ... aber – was bringt Sie zu der Vermutung?«

Johanna ließ sich schnell eine plausible Erklärung einfallen, sie war zu voreilig gewesen. »Einer Ihrer Kollegen, ich glaube, es war Herr Florian, hat es mal beiläufig erwähnt, wenn ich mich recht erinnere.« Die Ausrede gefiel ihr. Sie würde beide gegeneinander ausspielen. Florian mit seinen Bunga-Bunga-Partys, wie Thomas sie in Anlehnung an Berlusconis Sexspiele nannte, konnte ruhig einen Denkzettel vertragen. Außerdem konnte sie behaupten, sich verhört zu haben. Bis dahin wusste Thomas' Vater hoffentlich mehr.

Der Hörsaal hatte sich gefüllt, Johanna entschuldigte sich damit, sich einen Platz sichern zu müssen, und ließ Marquardt stehen. Der folgte ihr nachdenklich, ging dann in sich gekehrt nach unten und setzte sich mit einem todernsten Gesicht an den Rand der zweiten Reihe, begrüßte fahrig einen Kollegen und drehte sich verstohlen nach Johanna um. Thomas und Regine saßen flüsternd im Publikum, es war klar, dass ein Thema wie die Umstellung von Betrieben auf ökologischen Weinbau ihn ganz besonders interessierte. Nur sah es nicht so aus, als würde er mit Regine gerade darüber reden.

»Die Veränderung hin zu einer ganzheitlichen Methode beginnt im Kopf!«
Der erste Satz des Redners gefiel Johanna, er traf exakt

ihre Einstellung. Jede Veränderung begann als innere Auseinandersetzung allem gegenüber, dem man begegnete. Auf die jeweilige Haltung kam es an, ob dem Menschen oder der Natur gegenüber.

Diese Auseinandersetzung führte dem Redner zufolge zu einer anderen Wahrnehmung und damit auch zu einer anderen Wahrnehmung des Bodens als eines lebendigen Raums, eines komplexen Organismus. In vielen Weinbaugebieten – und nicht nur in Deutschland – sei er flurbereinigt, betoniert, verdichtet und totgespritzt – als Folge der industrialisierten Produktion. Diesen Boden gelte es wiederzubeleben. Er sei einzigartig, so der Redner, und damit sei er die Grundlage jedes Terroirgedankens, der längst seinen Weg von Frankreich hierhergefunden habe.

Die Erde war ein lebendiger Organismus – eigentlich eine Binsenweisheit, wie Johanna dachte –, daher musste man ihm geben, was er benötigte, und keinesfalls alles, was nicht der Produktion oder einem direkten Ergebnis diente, mit Herbiziden und Fungiziden totspritzen. Pflanzenschutz, sagte der Referent, hieß nicht, Krieg gegen das zu führen, was man als Schaderreger ansah, sondern die Pflanzen zu stärken, ihre Abwehr, ihr Immunsystem, damit sie sich selbst wehren konnten, und dazu gehörten natürliche Düngung, Belüftung und Begrünung. Eine wesentliche Voraussetzung dazu allerdings war eine genaue Beobachtung. Aus dem Wissen folgte die Umstellung, die auf einen Teil beschränkt beginnen sollte, um Erfahrung zu sammeln und Reaktionen wie Unterschiede wahrzunehmen.

Waren früher die ersten Ökowinzer aus der Ökologiebewegung gekommen, begleitet vom Spott über Graswurzelrevolutionäre in Wollsocken und Latzhosen, so kamen die Erneuerer heute wegen der Suche nach Qualität. Wer einen lebendigen Wein wollte, brauchte erst einmal einen lebendigen Weinberg.

Alle Betriebe waren inzwischen beim sogenannten integrierten Weinbau angelangt, was dem Düngemittelgesetz wie auch dem Pflanzenschutzgesetz entsprach, es war also nichts Neues. Neu aber war die Einbeziehung des Umfeldes der Weinberge, die Gestaltung der Umgebung, die Schaffung neuer Räume ...

Johanna warf einen Blick zur Seite und sah, wie Thomas aufstand und sich anschickte, den Hörsaal durch die obere Tür zu verlassen. Regina sah sich entschuldigend um, irgendwie schien sie verzweifelt.

»... die Flurbereinigung, die wir lange als Heilmittel zur Produktionssteigerung angesehen haben, wird mittels Hecken und Bäumen rückgängig gemacht. Mit Lebensbäumen und Nistkästen zieht wieder Leben in die Monokultur Weinberg ein. Es ist klar, dass diese Methoden nicht nur auf Gegenliebe stoßen ...«

Johanna war unruhig, sie machte sich Sorgen um Thomas, Marquardt stand ihm nicht wohlwollend gegenüber, und der Junge hatte bei dem Überfall einfach nur Glück gehabt. Das mit dem Foto schien Marquardt zu beunruhigen.

»... zu den energetischen Aspekten gehört, dass wir den Blick auf die gerechte Entlohnung der Menschen richten. Familienbetriebe, die bei sechzig bis siebzig Arbeitsstunden pro Person und Woche ihren Riesling dann für zwei bis drei Euro die Flasche verkaufen, verbrauchen letzten Endes ihre Substanz ...«

Das betraf sicher viele Winzer, aber Regine bezog es wohl auf den häuslichen Betrieb, dachte Johanna und sah zu ihr hin. Sie saß da mit gesenktem Kopf. Dafür reckte Marquardt den Hals, starrte Thomas hinterher und sagte etwas zum Kollegen neben sich. Die Worte des Redners rauschten an Johanna vorbei, sie beobachtete den Professor, der den Hörsaal durch die untere Tür verließ. Er hatte es ziemlich eilig.

»... und wer will seinen Betrieb schon an die Nassauische Sparkasse abtreten? Der Selbstmord von Erwein Graf Ma-

*tuschka-Greiffenclau sollte uns alarmieren. Ihm hat es nicht
an Können als Winzer gefehlt, ihn haben die Kosten der
Liegenschaft des Schlosses Vollrads in den Konkurs getrieben ...«*

Der Redner hat recht, dachte Johanna, aber sie schweifte
mit ihren Gedanken wieder ab. Was hatte Thomas ihr ver-
heimlicht? Wer war auf dem Foto, das er herumzeigte, und
warum berührte das den Professor? Hoffentlich tat Thomas
nichts Unüberlegtes, das ihn den Studienplatz kosten könnte. Sollte sie sich einmischen? Nein, dann wäre nach außen
hin ihre Parteilichkeit klar, und Gerüchte hätten neuen
Nährboden.

»... *legt man gleiche Maßstäbe an, so hätte das Staats-
weingut Kloster Eberbach längst geschlossen werden müssen.
Allein dem Land Hessen werden jährlich 307 000 Euro als
Zinsen überwiesen. Wie soll das Weingut solche Beträge er-
wirtschaften, seine Kosten tragen und den Kredit tilgen? Aber
so ist es, wenn ein Ministerpräsident sich auf Kosten der
Steuerzahler ein Denkmal setzt. Der Verkauf von immer mehr
Wein zu immer höheren Preisen und die Entlassung von
immer mehr Mitarbeitern zeigen uns keinen Weg aus der
Krise. Glücklicherweise sind wir hier vom österreichischen
Wahn, uns von Stararchitekten neue Keller bauen zu lassen,
verschont geblieben, der Rheingau wurde nicht zum Bolly-
wood des Weins, an dem wir uns in spätestens zehn Jahren
übersehen haben ...«*

Johanna rutschte unruhig auf ihrem Platz hin und her.
Wenn nun die Maler anrückten und mögliche Spuren in der
Lorcher Wohnung beseitigten? Oder hatte sie sich verrannt
und jemanden, der zufällig dort herumgelaufen war, mit
Alexandra verwechselt? Sie zermarterte sich den Kopf darüber, wen sie damals gesehen hatte. Sie nahm jetzt nur noch
Bruchstücke des Vortrags auf. Es war ihr wichtig, dass an-
stelle von Schwefel im Bio-Weinbau immer häufiger und
auch mit Erfolg Backpulver oder besser gesagt Natrium-

bikarbonat verwendet wurde, weil es außen auf der Pflanze blieb und nicht in den Saftstrom gelangte. Aber die Frage, in welcher Beziehung Florian und Marquardt zueinander standen, beschäftigte sie im Moment mehr. Was hatte der Professor damit gemeint, dass es Manuel Sterns größter Fehler gewesen sei, den Anwalt zu wechseln?

»... nur die innovativen Betriebe sind der Garant für das Überleben kleiner und mittlerer Weingüter, der Familienbetriebe. Nur was ist Qualität? Zehn unterschiedliche Weine können alle großartig sein, nur werden sie individuell ganz unterschiedlich erlebt. Und das ist von der Mode und weniger von der Qualität abhängig. Pinot Grigio hat seinen Hype erlebt, aber Grauburgunder mochte man nicht. Der hatte sich während der Italien-Welle bei uns längst von der Uniformität hin zur Individualität bewegt. Vom Barriquegeschmack kommt man glücklicherweise auch wieder weg, und jetzt erlebt der Riesling seine Renaissance. Die Öko-Winzer müssen jetzt den Sprung vom Weinberg in den Keller wagen, auch da hat sich Uniformität breitgemacht. Es ist klar, dass man einer Spontangärung nicht vertraut, wenn man die natürlichen Hefen abtötet, wo nur noch ein einziger Klon, tausendfach vermehrt, uns uniforme Weine liefert. Und das begreifen allmählich auch die Großproduzenten.

Also lautet die Frage: Welchen Wein will ich machen – einen Industriewein, den handwerklichen oder den eines Künstlers ...«

Der Redner war längst noch nicht zum Schluss gekommen, doch sie hielt es hier nicht mehr aus. Sie nickte den Studenten neben sich freundlich zu, die halbe Reihe musste ihretwegen aufstehen, sicher wurde es bemerkt, dass gerade sie den Hörsaal verließ. Vor der Tür traf sie auf Regine. Offensichtlich hatte sie sich mit Thomas abgesprochen.

»Was haben Sie vor?«, fragte Johanna. »Wo ist Thomas hin? Wieso hat er den Vortrag verlassen? Es ist doch sein Thema. Ich hoffe, dass er ...«

Regine druckste heute zum ersten Mal nicht herum, sie schaute Johanna offen in die Augen. »Ihr Thema ist es auch, Frau Breitenbach. Thomas trifft sich mit Manuels neuem Rechtsanwalt. Es sieht so aus, als hätte Vormwald die Haftprüfung absichtlich verpatzt. Manuel hat berichtet, dass er ihm vorher gesagt hat, was er vor dem Staatsanwalt sagen soll, daran hat er sich gehalten. Vor den Folgen hat er ihn nicht gewarnt. Und jetzt tut er, als ob ...«

»Das weiß ich«, unterbrach Johanna. »Wo ist Thomas hin?«

»Er will herausfinden, wer die Kapuzen auf ihn gehetzt hat. Er meint, dass der Auftraggeber auch den Anwalt auf die Polizeiwache geschickt hat.«

»Ich hoffe nur, dass Thomas nichts Unüberlegtes tut. Wollen Sie nicht weiter zuhören?«, fragte Johanna. »Ich finde es sehr spannend.«

»Es ist nur bedingt mein Thema. Mich interessiert die Chemie, die Mikrobiologie, Genforschung, alles was klein ist«, sie lachte verschmitzt, »und was so groß ist wie Maschinen. Weshalb das so ist? Ich habe immer schon gern gebastelt.«

Die Gelegenheit durfte Johanna nicht ungenutzt lassen, ihr kam eine Idee. »Wie gut kennen Sie Herrn Florian?«

»Den Chemiedozenten? Was wollen Sie wissen?«

»Alles. Befasst er sich mit Genforschung?«

»Nein. Das habe ich anfangs auch gedacht, das ist Marquardts Domäne, das und Pflanzenschutz, dazu konventionelle Spritzmittel. Er hat eben nur zugehört, um sich mit Gegenargumenten zu bewaffnen. Darüber hinaus interessiert er sich für alles, was die Forschungsanstalt treibt. Aber er steigt nicht selbst ein, er schickt seine Studenten vor, so wie Alexandra. Ich habe mich umgehört. Ab und an hat er über Gentechnik geredet, hat sie erwähnt, er findet's unverantwortlich, da nicht mitzutun. Neulich hat er sich höllisch darüber aufgeregt, dass in der Schweiz und in Frankreich die Freilandversuche mit genetisch veränderten Rebstöcken verwüstet worden sind. Man glaubt, dass es Studenten dieser Forschungseinrichtungen selbst waren, sie haben die Rebstöcke abgehauen. Marquardt nannte das unverantwortlich, Vernichtung von gesellschaftlichem Wissen und öffentlichen Ressourcen, sieben Jahre Forschung seien für die Katz, na, Sie kennen dieses Geschwätz ...«

»Und was halten Sie davon?«

»Genauso wenig wie Sie! Sie sind auch nicht dafür, nach allem, was man über Sie weiß.«

Einen Moment lang wollte Johanna nachfragen, was man denn noch über sie wusste, aber sie beließ es bei der Frage, was das Ziel dieses Freilandversuches gewesen sei.

»Es geht immer um Geld. Angeblich ging es um Resistenzbildung gegen Mehltau und gegen die Reisigkrankheit. Das Genom der Kartoffel ist einfach aufgebaut, wie bei allen einjährigen Pflanzen. Sind sie aber mehrjährig und bilden auch noch Phenole, das sind Tannine und Aromen des Weins, wird es kompliziert. Bei einer Selektion wird ausgesucht, bei Genen wird Artfremdes eingesetzt. In den neunziger Jahren gab es Versuche in der Anstalt für Rebenzüchtung in Geilweilershof. Da wurden Gene in den roten Dornfelder eingebracht, zum Nachweis einer Farbveränderung. Dann sollte Riesling widerstandsfähiger gegen Mehltau gemacht werden, um weniger Spritzmittel einsetzen zu müssen und so Kosten zu sparen. Vielen Winzern wäre das recht, sie argumentieren, dass Australier und Chilenen nicht schlafen, und die würden nicht von überholten Gesetzen behindert ... Aber es geht um Geld, wie ich sagte, darum, an jedem Rebstock zu verdienen. Wissen Sie, wie viele Millionen davon in Europa wachsen?«

»Nein«, sagte Johanna.

»Ich auch nicht«, sagte Regine, und beide lachten lauthals, bis laute Schritte im Foyer ihr Gelächter unterbrachen. Professor Marquardt kam hereingestürmt.

»Jemand hat mir auf dem Parkplatz zwei Reifen zerstochen! Vorne und hinten. Eine Unverschämtheit. Wenn ich den Kerl erwische ...«

Johanna blickte Regine forschend an und hatte den Eindruck, dass ein Ausdruck von Befriedigung über ihr Gesicht huschte. Hatten beide denselben Gedanken, dass Thomas ...?

Das Lamento des Professors ging weiter. »Die Verrohung der Sitten ist kaum noch erträglich. Sogar an der Hochschule reißen Sitten ein, wie man sie am Frankfurter Bahnhof vermutet. Bei den neuen Studenten, die mit den Gepflogenheiten unserer Branche wenig vertraut sind, ist das kaum verwunderlich. Mit den Quereinsteigern und der Studienreform hat das Niveau in jeder Hinsicht nachgelassen. Haben Sie jemanden den Hörsaal verlassen sehen?«

»Nein. Aber ich hoffe für Sie, dass die Polizei den oder die Täter findet, Herr Professor Marquardt.« Johanna sah ihn so betroffen wie möglich an. »Nicht wahr, Regine?«

Der Professor blickte lauernd von einer zur anderen. Es war offensichtlich, dass alle drei an dieselbe Person dachten.

»Die Polizei ist schon hierher unterwegs, das lasse ich nicht auf sich beruhen.« Wütend wandte er sich ab.

Kaum war er außer Sichtweite, grinste Regine hämisch. »Was auch immer auf dem Parkplatz geschehen ist, zumindest kann er Thomas nicht mehr folgen.«

»Wissen Sie mehr? Was hat er vor?«

»Das fragen Sie ihn am besten selbst«, sagte Regine und wandte sich ab. »Entschuldigung, ich muss jetzt wieder rein, der Vortrag ist wichtig für uns ...«

Für uns? Johanna sah ihr nach. Hatte sich da zwischen Thomas und ihr eine Entwicklung vollzogen, die ihr entgangen war?

17

Den neuen Anwalt in Wiesbaden hatte ihnen der Kölner Staatsanwalt empfohlen. Er hatte Manuel bereits aufgesucht, und allein schon wegen seines konzentrierten Zuhörens und der qualifizierten Fragen machte er auf Thomas den Eindruck eines wirklichen Verteidigers. Den Gedanken eines Komplotts des oder der wahren Mörder gegen Manuel Stern wies er nicht gleich von der Hand und hielt die Verfolgung einiger Spuren für sinnvoll. Da er passionierter Weintrinker war, ergaben sich auch persönliche Themen. Dennoch behielt Thomas' Vorsicht die Oberhand.

»Mehr sage ich Ihnen nicht. Ich ermittle weiter und liefere Ihnen Informationen. Es gibt noch andere Spuren, denen wir nachgehen.«

»Wer ist *wir*?«

»Frau Breitenbach, Johanna, meine Verbündete unter den Dozenten. Sehr korrekt, die Dame. Die Hochschulleitung, beziehungsweise die Leitung des Fachbereichs, wie es offiziell heißt, ist unparteiisch; für sie gilt Manuel als unschuldig. Man versorgt ihn mit Informationen zum Studium. Er darf den Anschluss nicht verloren haben, wenn er entlassen wird.«

»Sie sind felsenfest davon überzeugt, dass er entlassen wird?«

»Na klar, auch wenn ich der Einzige sein sollte. Glaube versetzt nicht nur Berge, er biegt auch Gitterstäbe auseinander.«

Dem Anwalt gefiel das Bild, er wurde jedoch wieder ernst, als er die nächsten Worte hörte.

»Sie, Herr Rechtsanwalt, nutzen den legalen Weg, ich den illegalen.« Thomas hob abwehrend die Hände. »Ich weiß, was ich tue, ich kann es verantworten, und was ich für meinen Freund mache, ist meine Sache. Sie müssen mich zur Not rauspauken. Morgen erfahren wir, wer hinter der Firma steht, die in Lorch die Wohnung gemietet hat, und Sie können dann die Renovierung der Wohnung verhindern, damit die Polizei die dortigen Spuren sichert. Alexandras DNA kennt man, wenn jetzt in der Wohnung dieselben DNA-Spuren gefunden werden, wie in ihrer ...«

»... dann sagt uns das gar nichts«, unterbrach ihn der Anwalt, »weil wir sie niemandem zuordnen können. Es gibt keine Namen.«

»Doch, vier! Allerdings könnte ich von zweien aus dem engeren Kreis meiner Verdächtigen, wenn sie in der Mensa essen, die Löffel besorgen, so was habe ich schon einmal gemacht. Dabei handelte es sich allerdings um die Fingerabdrücke auf einem Champagnerglas.«

»Spielen Sie häufiger den Detektiv? Ich glaube, wir kommen über die Hintermänner des Überfalls weiter.«

»Das sollen gefälligst die Bullen machen, dieser Kommissar Sechser, der kriegt Geld dafür. Ich könnte ihn heiß machen. Ich habe noch was anderes am Köcheln. Der Wein, der bei uns beschlagnahmt wurde und der in Alexandras Magen war, stammt von einem Weingut namens Altensteineck. Keiner von uns dreien kannte den Wein. Frau Breitenbach hat ihn auf einem Weingut vorgesetzt bekommen, wo eine alte Frau lebt, deren Mädchenname Marquardt ist. So heißt auch der Professor, der mit Alexandra zusammengearbeitet hat. Damit kommen wir zu den Unterlagen aus Manuels Schreibtisch. Keiner weiß, wie die Papiere aus der Forschungsanstalt dorthin gelangt sind. Um welche es sich handelt, wird Ihnen der Staatsanwalt sagen. Und dann ist da noch was mit den Keyboards, das eine mit internem Sound, das andere ist USB-fähig.«

»Dann erklären Sie mir mal ...«

»Das eine hat Manuel im Knast, das andere bringe ich dem Kommissar zur Untersuchung. Das Problem ist nur, dass wir uns nicht leiden können. Wenn ich was sage, geht er hoch, er wird sich der Sache nur annehmen, um mir zu beweisen, dass ich unrecht habe. Gleichzeitig stecke ich das dem Staatsanwalt, der fragt nach, und dann schwärze ich Sechser an, dass er nicht korrekt ermittelt und ihm Beweismaterial vorenthält.«

»Leben Sie gern gefährlich?«

»Im Gegenteil. Uns fehlt ganz einfach ein Pianist für die Hausmusik.« Thomas erklärte dem Anwalt den Hintergrund. »Allein deshalb muss Manuel raus. Er muss spielen, auf den Auftritt im Kloster freut er sich seit einem Jahr, darauf hat er hingearbeitet. Andernfalls gibt er auf – dann hätte der Mörder erreicht, was er wollte.«

Dann kam die nächste Frage. »Wieso haben Sie Probleme mit dem Kommissar? Er müsste Ihnen dankbar sein.«

Thomas verzog das Gesicht. »Er mag keine Studenten, vielleicht weil er nicht studieren durfte, weil er bei 'ner Demo mal was auf die Glocke gekriegt hat, was weiß ich. Oder er kann Leute nicht riechen, die ihre Rechte kennen und sich nicht einschüchtern lassen.«

»Ach – ich habe noch was vergessen.« Thomas stand an der Bürotür mit der Klinke in der Hand. »Manuel hat mir erst jetzt gebeichtet, dass Alexandra unsere Wohnungsschlüssel hatte. Daran sieht man, wie durcheinander er ist, oder er klinkt sich aus der Wirklichkeit aus. Seien Sie bitte so nett und fragen die Bullen mal, ob ihnen unsere Schlüssel untergekommen sind.«

Sie hatten sich in einer Teestube verabredet. Kamila Szymborska! Thomas hatte den Zettel mit ihrem Namen und seinem Blut vor sich liegen und musterte die Gäste. Die Teestube war ein Hippieladen. Auf dem wackligen Regal über der Kaffeemaschine stand eine Fahne Jamaikas neben einem Foto vom früheren äthiopischen Kaiser Haile Selassie, der Junge hinter dem Tresen trug Rastalocken, eine Rastastrickmütze in Rot, Gelb und Grün hing einsam am Kleiderhaken, und aus den Lautsprechern kam natürlich Reggae. An der Bar lehnten zwei Farbige oder Afro-Deutsche und flüsterten, drei Latinos saßen an einem Tisch, aßen und kicherten, als hätten sie Dope geraucht. Neben ihnen hockte ein blasses Pärchen mit Grabesgesichtern und machte gerade Schluss. Ein total uncooler Laden, kaum der richtige Ort für einen guten Anfang. Die Straße vor der »Florida Lounge« war auch nicht besser gewesen. Ob es ein Anfang wird, fragte sich Thomas und auch, wieso Kamila ihn hierherbestellt hatte. Weil sie gleich nebenan bei einer polnischen Spedition als Disponentin arbeitete, wie sie gesagt hatte, oder gefiel ihr der Laden wirklich? Die Musik und der Tee jedenfalls waren super.

Die Songs von Burning Spear beruhigten ihn nicht, er fühlte sich zittrig, ihm war flau im Magen. Seit ihrer Begegnung hatte er ein Bild von Kamila im Kopf und fürchtete, dass die zweite Begegnung es zerstörte. Er hatte sie als schön in Erinnerung, als zart und freundlich und wach – ach Quatsch, sagte er sich, mach dir nichts vor. Du hast sie bei Nacht gesehen, mitten in dem Chaos. Auf all den Stress um dich herum und deine Ziele lässt sich keine Frau ein. Aufs Land kommt sowieso keine mit. Wie sollte ich das auf die Reihe kriegen, ich komme ja jetzt kaum noch klar – und dann noch eine Freundin?

Er dachte an die Weinflaschen auf dem Küchenfenster und das Protokoll. Gestern war der Wein am besten gewesen, jeder auf seine Art, richtig gute Terroirweine, vielschichtig, reif und fruchtig, mineralisch, alle Eigenschaften traten deutlicher hervor, auch der Marcobrunn war zur Höchstform aufgelaufen. Thomas hätte stundenlang an den Weinen herumschnüffeln können, aber die Zeit fehlte. Er hatte die Arbeitsgruppe zwei Mal ausfallen lassen, die Klausur war noch nicht wieder aufgetaucht, das Mobbing von Seiten der Handtaschen ging weiter, glücklicherweise wollte die Mehrheit der Studenten davon nichts mehr wissen. Dann wollte er zum Weingut Wegeler, der Geheimrat J interessierte ihn, ein Wein, der jedes Jahr ähnlich sein sollte – ach, was er sonst noch alles wollte. Am liebsten schlafen oder auf den Trecker oder Kamila treffen? Am liebsten würde er da weitermachen, wo sie vor dem Mord aufgehört hatten. Glücklicherweise hatte Regine sich eingekriegt und ihren Thorsten vor die Konsequenz gestellt, sie zu akzeptieren, auch mit ihren beiden Jungs, wie sie sich ausdrückte, oder sich nach einer anderen umzusehen. Ihr Vater hatte mit seiner Weigerung, die Miete für die »Mörder-WG« zu bezahlen, das Fass zum Überlaufen gebracht. Es war spannend, nahestehenden Menschen dabei zuzusehen, wie lange sie sich etwas gefallen ließen, dumm nur, wenn man selbst beteiligt war …

Als Kamila plötzlich vor ihm stand, schlug Thomas das Herz bis zum Hals. Sie war größer, als er sie in Erinnerung hatte. Sie war schöner als das Bild in seinem Kopf, und damit, dass sie ihn anstrahlte, hatte er nicht gerechnet. Mit weichen Knien stand er auf. Das war kein guter Anfang, sich so zu verknallen, dabei sah man ziemlich blöd aus. Sie gaben sich die Hände, sahen sich an und wussten vor Befangenheit nicht weiter.

Da zog sie die Hand zurück, legte die Finger an seine Wange und drückte den Kopf leicht zur Seite.

»Tut es noch weh? Ist es genäht?«

Thomas war ihr dankbar für die Initiative, er hätte kein Wort herausgebracht. Verdammt, was ging da bei ihm ab?

»Am nächsten Tag«, krächzte er.

»Wie bitte?« Kamila lachte schon wieder.

»Genäht«, sagte Thomas und wies linkisch auf den freien Stuhl. Er konnte sich gar nicht sattsehen, sie sah wirklich viel besser aus als in der schrecklichen Nacht. Ihre Augen, die ihn neugierig anblickten, waren schöner – Kamilas Augen – war das ein Name für einen Wein? Ach, Kitsch war das, und doch schlug sein Herz, dass sie es hören konnte. Jetzt war ihm die Szene vor der »Florida Lounge« peinlich. »Ich bin kein Schläger«, sagte er und meinte, sich verteidigen zu müssen. »Ich habe mich noch nie geprügelt.«

»Dafür kannst du es aber ziemlich gut.«

»Sport, Karate, Tai-Chi, das mache ich seit Langem, aber nie ernst, so wie neulich. Wirst du Anzeige erstatten, wegen Beleidigung? Sogar die Polizisten haben die Worte gehört, ich habe dafür gesorgt, dass sie ins Protokoll aufgenommen wurden.«

»Wem nutzt das? Mir nicht – und dir auch nicht. Warum sind sie auf dich los?«

»Das ist eine lange Geschichte.«

»Dann erzähle sie mir. Ich habe Feierabend. Du nicht?«

Beim Anblick ihres Lächelns konnte er unmöglich Nein sagen. Wie ließ sich die Geschichte einigermaßen wahrheitsgemäß rüberbringen, ohne Kamila abzuschrecken? Wer wollte sich mit einem Typen einlassen, der bis zum Hals in irgendeinem Schlamassel steckte und in Verbrechen verwickelt war? Und was wusste er von ihr?

Das Bestellen eines Tees und die Auswahl der Sorte aus dem reichhaltigen Angebot gaben Thomas Zeit, sich den Einstieg zu überlegen. Eigentlich hatte er die Fragen stellen wollen, aber er erzählte von Manuel und ihrer WG. Mit Kommentaren zu Alexandra hielt er sich zurück, doch Kamila verstand die Botschaft. Vom Weingut sprach er nicht, denn welche Frau würde sich mit einem Bauern einlassen?

Kamila ist anders, sagte er sich, doch bei dem Gedanken

klangen ihm die Worte seines Vaters im Ohr: »Ja, natürlich, am Anfang sind sie immer anders, und am Ende ist alles wie immer.« Thomas nahm sich vor, es langsam angehen zu lassen, er dachte daran, wo er sie getroffen hatte.

Sie stammte angeblich aus einem Dorf in der Nähe von Wroclaw, Breslau zu Deutsch, wo ihre Eltern einen Hof bewirtschaftet hatten, bis einige Jahre nach dem Fall des Eisernen Vorhangs das von ihnen gepachtete Land an einen westlichen Agro-Konzern verkauft worden war. Ihren Teil verloren sie aufgrund obskurer Gesetze und gekaufter Anwälte, eine legale Enteignung mit einer minimalen Entschädigung. So hatten alle Familienmitglieder irgendwo Arbeit suchen müssen. Ihr Vater hielt sich seitdem mit einem Reparaturbetrieb für Landmaschinen über Wasser. Sie hatte man zu ihrem Onkel und der Tante nach Frankfurt geschickt, und in der Spedition, in der beide arbeiteten, war auch sie jetzt beschäftigt.

»Wir begehen weder Umsatzsteuerbetrug noch verschieben wir geklaute Autos in den Osten«, sagte sie. »Der Job ernährt mich, heute muss man nehmen, was man kriegt.«

Aber sie schleppe sich da täglich hin, im Grunde sei die Arbeit sterbenslangweilig. Deshalb hatte ihre Freundin sie neulich mit in die »Florida Lounge« geschleppt, da gäbe es »Typen zum Aufreißen«, die auf Polinnen stünden und die sogar heiraten würden. Sie erzählte von ihrer »Heimat«, sprach von ihren Geschwistern, vom Heimweh, von den Problemen mit den Deutschen, ihrer Unfreundlichkeit und ihrer ewigen Nörgelei.

»Du nörgelst nicht?«, fragte sie plötzlich und sah Thomas entwaffnend an.

»Es ist mir nicht bewusst«, sagte er. »Mir geht es eigentlich ganz gut, nur dass Manuel im Knast hockt und ich für alles viel zu wenig Zeit habe.«

»Das ist auch deutsch«, sagte sie. »Für das Wichtige habt ihr nie Zeit. Willst du lieber gehen?«

»Nein, nein«, sagte Thomas schnell und fasste erschrocken nach ihrer Hand, wie um sie festzuhalten. Als er es merkte, wurde er rot und zog die Hand zurück.

Sie bestellten einen Salat und ein Baguette und redeten, als hätten sie nie zuvor einem anderen Menschen aus ihrem Leben erzählt. Aber um sein Weingut schlug Thomas einen Bogen, obwohl ihre Herkunft seine Chancen beträchtlich erhöhte. Doch das Landleben konnte ihr genauso gut zum Hals heraushängen wie die Spedition. Womöglich war ihr auch eine gute Partie lieber als ein Student. Gegen zehn Uhr fuhr Thomas sie nach Hause.

»Ich finde dich wahnsinnig nett«, sagte sie zum Abschied und hielt ihm die Wange hin. »Was machst du am Wochenende?«

»Da bin ich in der Pfalz und werde arbeiten müssen.«

»Ich weiß, keine Zeit, das hatten wir schon.« Es war offensichtlich, dass sie ihm nicht glaubte. »Aber sei bei deiner Verbrecherjagd bitte vorsichtig.« Dann gab sie ihm einen Kuss.

Nach dieser Begegnung fürchtete Thomas sich besonders vor der leeren Wohnung. Aber überall brannte Licht. Für eine Sekunde flammte die Hoffnung auf, dass Manuel freigelassen worden war, doch auch Regines Anwesenheit war ein Lichtblick. Sie packte ihre Umzugskartons im Flur aus. Sie war endgültig zu Hause ausgezogen.

»Wo der Kram hin soll, weiß ich nicht, aber in Manuels Zimmer stelle ich nichts, damit ja nicht der Eindruck entsteht, er könne nicht jederzeit wiederkommen.«

Zum ersten Mal seit Langem konnte sich Thomas wieder richtig freuen, er drückte Regine so, wie er es sich bei Kamila nicht getraut hatte.

»Hast du mal daran gedacht, bei uns einzusteigen? Ich hätte da einen Plan: Du kümmerst dich um die Maschinen und das Büro. Manuel pflanzt, übernimmt das Labor und züchtet Reben, ich mache die Kellerarbeit. Drei Geisenheimer, das muss was werden, die junge Elite des deutschen Weinbaus auf dem Weg nach oben – wie du im Zorn gesagt hast. Qualität ist ihr Motto. Mein Vater übernimmt den Verkauf.«

»Ich denke, der will praktisch arbeiten?«, warf Regine ein.

»Zuerst holen wir Manuel raus, und dann machen wir das Studium fertig. Du kriegst Ärger, wenn du weiter so schlampst.«

»Den habe ich längst. Also – das Controlling machst du auch! Das mit der FH wird sich ändern, gleich morgen geht's los.« Thomas ging in die Küche, wo die Probeflaschen auf der Fensterbank standen. Er sah die Notizen von gestern durch. »Hast du Lust zum Probieren?«, rief er über die Schulter.

Regine raschelte im Flur mit den Kartons. »Wenn ich jetzt noch was trinke, bin ich morgen mit dem Auspacken noch nicht fertig.«

»Du sollst nicht trinken, du sollst probieren. Bei Künstler hast du auch mitgemacht.«

»Witzbold! Da hatte ich es auch nicht weit bis zum Bett.«

»Hier hast du es noch näher. Außerdem geht's um Schloss Schönborn ...«

Der Name »Waller« sagte Thomas nichts. Auf ihn war die Firma Chem-Survey GmbH im Handelsregister eingetragen, der Mieter der Wohnung in Lorch. Wiesbaden lag von Mainz aus auf dem Weg nach Geisenheim. Da konnte er bei Sechser vorbeifahren und auch den Staatsanwalt nerven. Das Keyboard lag im Wagen, und der stand neben einer Litfasssäule. Als Thomas aufblickte, hatte er ein gelb-blaues Plakat vor sich, »Chemie sichert Wachstum« lautete die Überschrift über dem Hinweis auf eine Informationsveranstaltung, das Thema war die Bedeutung der Chemieindustrie für die Region. Seine Augen blieben an dem Foto und dem Namen des Gastredners hängen: Waller! Das war kein Zufall mehr, Waller als Gastredner der Chemieindustrie, Waller als Inhaber der Firma Chem-Survey, und Chemiedozent Florian hatte auch mit dieser Aufsteigerpartei zu tun, wie Johanna ihm gesteckt hatte. Jetzt musste er sie doch anrufen, möglicherweise wusste sie mehr.

Kommissar Sechser war überrascht und keineswegs erfreut, Thomas zu sehen, und er beäugte misstrauisch den in Packpapier eingewickelten Gegenstand unter seinem Arm.

»Ein Bügelbrett?«

»Ein Beweismittel, Herr Hauptkommissar. Es dient zur Entlastung von Manuel Stern.«

Thomas war dicht an Sechser herangetreten, damit er zu ihm aufsehen musste. Er liebte es, ihn damit zu ärgern. Dann trat er zwei Schritte zurück, wickelte das Keyboard aus und überreichte es mit einer Verbeugung.

»Ich habe noch mehr dabei, aber sehen Sie sich das Teil erst einmal an. Es ist ein sogenanntes USB-fähiges Keyboard, es funktioniert wie ein Computer. Es wurde am Samstag vor dem Mord an Alexandra Lehmann geliefert, Lieferschein ist vorhanden, am Sonntagabend nach dem Streit hat mein Freund es ausgepackt, das Ding angeschlossen und darauf gespielt. Das müsste der interne Computer aufgezeichnet haben, so wie es jeder Rechner aufzeichnet, wenn eine Datei angelegt und verändert wird. Experten dafür haben Sie ja, wie ich vom Staatsanwalt erfuhr.«

»Da haben Sie sich was Feines ausgedacht.«

»Wollen Sie mir unterstellen, dass ich Beweise manipuliere oder fälsche? Wiederholen Sie das vor Zeugen?«

»Warum, junger Mann, sind Sie uns gegenüber so feindlich eingestellt? Was haben Sie für ein Verhältnis zum Staat?«

»Erstens geht Sie das nichts an, und zweitens gehört inzwischen Misstrauen zur ersten Bürgerpflicht. Drittens tragen Sie ständig eine Waffe, Sie dürfen Menschen erschießen. Viertens sind Sie dem Staat gegenüber verpflichtet und nicht uns Bürgern, fünftens, und das ist das Schlimmste, was ich Ihnen persönlich ganz übel nehme, haben Sie meinen besten Freund zu Unrecht eingesperrt. Reicht Ihnen das?«

»Das hat der Staatsanwalt angeordnet. Ich nicht.« Sechser guckte irritiert. »Und was haben Sie mir noch mitgebracht?« Thomas' Direktheit verunsicherte ihn.

»Eine Autonummer. Es gibt da jemanden, der mich verfolgt und beobachtet, seit ich bei Johanna Breitenbach in Bingen war. Sie können die Nummer überprüfen oder es lassen, rauskriegen tue ich es irgendwann sowieso.«

Sechser blickte neugierig auf den Zettel mit der Nummer. »Wer hat Sie, wie Sie es sagen, verfolgt? Woran haben Sie es bemerkt?«

»Das waren nicht zufällig Sie?«

»Das hätten Sie kaum bemerkt.«

»Tatsächlich? Angeblich gibt es Fotos von mir und Frau Breitenbach, über uns werden Gerüchte ausgestreut, als ob ich was mit ihr hätte. Ich weiß, wer sie verbreitet, aber nicht, wer sie aufgebracht hat. Wer uns beobachtet, will wissen, was ich herausfinde. Ich bin auch überfallen worden.«

»Was ist das wieder für eine abgefeimte Story?«

»Ich bin von drei Männern angegriffen worden, einer wollte mich niederstechen.«

Der Kommissar lachte. »Sie haben eine blühende Phantasie.«

»Lesen Sie mal die Berichte Ihrer Behörde richtig und ziehen dann Ihre Schlüsse, Herr Hauptkommissar. Mein Anwalt, der auch der von Manuel Stern ist, plädiert auf versuchten Mord. Ich trete im Prozess als Nebenkläger auf. Bei zehn Jahren Knast vor Augen werden diese Knalltüten uns schon stecken, wer sie geschickt hat.«

»Die haben lediglich Autotüren zerkratzt«, sagte Sechser und blickte auf seinen Rechner.

»Alles falsch. Lesen Sie mal richtig. Die haben auf Manuels Auto gesessen und mir aufgelauert. Als ich kam, haben sie Manuels Auto zerkratzt, um mich zu provozieren. Ich bin hinterhergerannt, dann griffen sie mich an. Dafür gibt's Zeugen.«

Sechser, der noch immer auf den Bildschirm starrte, runzelte verblüfft die Stirn. »Sie haben drei Mann niedergeschlagen?«

»Leider nur zwei, der Dritte ist verduftet. Aber Ihre Kollegen haben sein Messer, mit Fingerabdrücken. Selbst ist der Mann, Herr Sechser, wo Sie mir keinen Personenschutz zubilligen.« Thomas ärgerte sich, dass er erst jetzt begriff, dass Sechser sich mit Ironie und Zynismus besser provozieren ließ als mit Aggressivität.

»Wir wollen die Angelegenheit nicht auf die lächerliche Ebene schieben.« Die Augen des Kommissars klebten weiter am Bildschirm.

»Da bin ich ganz bei Ihnen, wie man zu sagen beliebt, Herr Sechser.« Thomas hatte plötzlich eine Idee, das Gespräch lief besser als erwartet. Der Kommissar biss an. »Wer hat eigentlich die Analyse des Mageninhalts vorgenommen? Nehmen Ihre Nekromanen derartige Untersuchungen vor?«

Sechser verstand den Begriff nicht. »Nekromanen? Sie meinen Rechtsmediziner? Bei komplizierten Fällen helfen Institute.«

»Nicht zufällig Professoren aus Geisenheim, weil es um Wein geht, diesen Riesling, den Alexandra angeblich getrunken hat?«

»Reden Sie mit dem Verteidiger von Stern, der gibt Ihnen vielleicht Auskunft.«

Sechsers Telefon unterbrach sie, er meldete sich mit Titel und Namen, zog einen Block heran und machte Notizen.

»... wie kommen Sie darauf? ... und woher kennen Sie ... in Lorch? Nein ... wir arbeiten nicht auf Bestellung ... wenn Sie wüssten, wie wenig Personal ... unschuldig? Unsere Gefängnisse sind voll von … anders? Ja, der Fall liegt … gewiss … wenn Sie gerade in … ja, warum kommen Sie nicht her? Einer Ihrer Studenten … das wäre nett, ich habe von Ihnen … keine Zeit? In Bingen, so, so … werde ich ihn fragen … wenn Sie mehr wissen? Bestens … wir werden sehen … ja, Ihnen auch …«

Sechser hatte aufgelegt. »Sie haben tatsächlich eine Verbündete, diese Frau Breitenbach, von der Sie sprachen. Wieso haben Sie mir nichts von der Wohnung in Lorch erzählt?«

Thomas, der nach der Erwähnung von Lorch sofort gewusst hatte, wer an der Strippe war, gähnte. Die Nacht war wieder kurz gewesen. »Ich rede nur über Sachen, von denen ich was weiß, und dass ein Herr Waller die Wohnung gemietet hat, war für mich bedeutungslos, bis ich vorhin das Plakat gesehen habe. Alle in diesen Fall verwickelten Personen, angefangen mit Alexandra, haben irgendwas mit Chemie zu tun.«

»Frau Breitenbach meinte, dieser Waller sei ein Freund von Professor Dr. Marquardt, und der wieder kennt den ehemaligen Anwalt Ihres Freundes.«

»Und – werden Sie die Wohnung nun untersuchen?«

»Ich sagte bereits Ihrer Frau Breitenbach, dass wir nicht auf Bestellung arbeiten …«

»… aber wie auf Bestellung Unschuldige einsperren!« Thomas stand auf. Mit dem Kommissar war nichts anzufangen, er musste mit dem Staatsanwalt reden. Der logierte ein Stockwerk tiefer.

Auf dem Flur entdeckte Thomas ein Hinweisschild zur Toilette. Beim Händewaschen und dem Blick in den Spiegel fand er sich mit dem Bart, obwohl er täglich daran herumschnippelte, viel zu grimmig. Doch er fühlte sich so, es entsprach genau seinem inneren Zustand. Er war müde, seit Wochen schlief er nicht mehr richtig, immer riss ihn der

Wecker aus dem Schlaf, und wieder stand etwas Wichtiges an, ob in der Pfalz oder in Geisenheim – und nichts tat er richtig. Mit dem Staatsanwalt würde er ab heute anders umgehen: höflich und bittend statt fordernd und beleidigt. Jetzt würde er seinen Trumpf ausspielen. Florian war endgültig draußen, aber zwischen Waller, Marquardt und Vormwald lief etwas. Alexandra hatte bei Marquardt studiert und war vor Wallers Wohnung gesehen worden. Marquardt hatte Vormwald als Verteidiger vorgeschlagen. Dann gab es noch die Verbindung nach Gigondas über den Wein und eine zweite zwischen Stern und Vormwald. Aber der rote Faden fehlte. Thomas zog seinen Kamm durchs Haar und wusch sich das Gesicht. Das kalte Wasser machte seinen Kopf klar.

Als ihn der Staatsanwalt mit seiner rostigen Stimme begrüßte, die ihn an die von Manuels Vater erinnerte, kam ihm eine Idee. Herr Stern hatte auch mit Chemie zu tun, und zwar an höchster Stelle. Verabscheute Manuel nicht gerade seines Vaters wegen diese Industrie und fühlte sich zum naturnahen Weinbau hingezogen statt zur chemischen Kriegsführung? Aber Krieg war ein bombensicheres Geschäft.

Der Staatsanwalt riss ihn aus seinen Überlegungen. »Ihr Freund macht uns Sorgen. Er magert weiter ab. Dabei büffelt er wie ich damals vor dem Staatsexamen, und auf Ihrem Keyboard spielt er sich die Seele aus dem Leib, das jedenfalls wird mir berichtet. Seit dem Haftprüfungstermin spricht er auch nicht mehr. Sie sind der Einzige, den er an sich heranlässt. Vom Umgang mit seinem neuen Verteidiger weiß ich nichts, den treffe ich später. Das Debakel mit dem Haftprüfungstermin bedaure ich.«

»Man hätte Manuel warnen können.«

»Dazu bin ich nicht da.«

»Sind Sie als Anwalt des Staates nicht dazu da, Unschuldige zu schützen?«

»Derartige Fragen werden in der juristischen Fakultät diskutiert, nicht hier. Ich möchte Sie bitten, Ihren Einfluss auf Herrn Stern geltend zu machen, damit er das durchsteht.«

Thomas sprach ruhig, er vermied jede Anklage, jeden Protest und alle Vorwürfe, auch wenn er sie für gerechtfertigt hielt. Er versuchte, Fakten, Personen und Ereignisse in Beziehung zu setzen und zu zeigen, welche Spuren zu verfolgen die meiste Aussicht auf Erfolg hatten. Er machte auch keinen Hehl aus dem, was er nicht wusste, wobei er die Beziehung zwischen Vormwald, Waller, Marquardt, Florian und Manuels Vater betonte.

»Ihr Hauptkommissar Sechser weiß das alles. Wenn er sich veranlasst sähe, die Auftraggeber des Anschlags und die der Überwachung zu ermitteln, wären wir ein Stück weiter! Ach, die Wohnung habe ich vergessen. Wer, wenn nicht jemand, der die Aufklärung des Falls verhindern will, kann dahinterstecken? Wer sollte ein Interesse haben, mich verprügeln zu lassen? Wozu die Gerüchte? Wenn Sie mir versprechen, weiter zu ermitteln und diese Fragen zu klären, dann wirke ich auf Manuel ein.«

Der Staatsanwalt lachte. »Ihre Naivität ist erfrischend. Wir sind keine Instanz, die Versprechungen macht, und Deals liegen nicht in meinem Ermessen. Wir ermitteln.«

»Es wäre schön, wenn Sie es täten, Herr Staatsanwalt. Und was ist mit Ihrem Wohlwollen?«

»Sie lassen wohl nie locker?«

»Nein, Herr Staatsanwalt! Wir beißen uns fest. In meiner Familie haben alle sehr gute Zähne.«

Die Stimmung hatte sich verändert, sie war noch schlechter geworden. Als Thomas sich in der Mensa zu seinen Studienkollegen setzte, fühlte er sich wie ein Fremdkörper. Niemand war ihm zugewandt, keiner bezog ihn ins Gespräch mit ein, Fragen wurden sowieso nicht gestellt, die Stühle rechts und links blieben leer. So sehr er den Hals auch reckte, Regine war nirgends ausfindig zu machen. Er hätte sich gern mit ihr besprochen. Er wollte seinen Plan auf die Spitze treiben, sich noch offensichtlicher als Köder anbieten. Er musste so tun, als ob er seinem Ziel näher sei, als alle glaubten.

Die Rosa Handtaschen, heute wie Zwillinge angezogen, in Rock, Bluse, Pumps und den Sommerblazer lässig über der Schulter, als hätten sie bereits wichtige Stufen der Karriereleiter erklommen, traten durch die breite Tür. Die hoch erhobenen Köpfe stützte das Bewusstsein, besonders wichtig zu sein. Den männlichen Studenten hatten sie längst signalisiert, dass für sie nur Alphamännchen in Betracht kamen. An Alexandra reichen sie längst nicht heran, bemerkte Thomas, weder in der Ausstattung noch in dem vor sich hergetragenen Selbstbewusstsein. Ihre Überlegenheit war ein *fake*. Thomas nahm sein Essenstablett, ging hinüber, verfolgt von Blicken, und setzte sich zu ihnen, was von den Handtaschen mit einem lautlosen Naserümpfen quittiert wurde. Um einfach aufzustehen und sich woanders hinzusetzen, fehlte ihnen der Mut. Dass Thomas sie anlachte und sich vertraulich herüberbeugte, verunsicherte sie noch mehr.

»Ich habe gute Nachrichten«, sagte er voller Überzeugung und war sicher, dass seine Worte noch an diesem Nachmittag die Runde durch die Hörsäle machen würden. »Ich komme gerade von der Staatsanwaltschaft in Wiesbaden. Die Sache steht kurz vor der Aufklärung. Manuel wird demnächst entlassen, ihr könnt euch vorstellen, wie froh ich darüber bin. Es ist endlich klar, er ist unschuldig.«

»Dummes Zeug, das erzählst du seit Wochen«, meinte Steffi abfällig und fummelte weiter an ihrem Mobiltelefon herum, während Henriette bei Thomas' Anblick ein Gesicht zog, als hätte sie in Hundekot getreten.

»Du laberst rum, Achenbach, wir wissen, was von deinen Sprüchen zu halten ist.«

Thomas wandte sich ungerührt dem Vanillepudding zu. Die beiden brauchten Zeit, das Gesagte zu verdauen.

Kurz danach kam die Frage, leise, fast geflüstert. »Wenn er es nicht war – wer war es dann?«

»Das darf ich nicht sagen, da ich dem Staatsanwalt die entscheidenden Hinweise gegeben habe. Es hat mit dem Überfall von vorgestern zu tun ...«

»Ach, wo du dich in Frankfurt mit Asozialen geprügelt hast?«, fragte Henriette.

»... und mit Alexandras Vorliebe für Chemie. Eure Lügengeschichte aus der Bild-Zeitung ist geplatzt. Jetzt steht ihr ziemlich blöd da. Falls ihr noch was sagen wollt – ich geb euch gern die Telefonnummer vom Hauptkommissar oder vom Staatsanwalt. Besser ihr geht auf ihn zu, als dass ihr vorgeladen werdet, weil ihr bewusst Informationen zurückhaltet. Ich habe euch als Zeugen genannt. Hier, die Rufnummern.« Er schob den entsetzten Studentinnen einen Zettel zu.

»Schönen Gruß auch an Florian. Der ist wegen seiner Bunga-Partys auch noch dran. Ich wusste gar nicht, dass er auf Teenies steht. Für den seid ihr viel zu alt. Und wenn ihr die Lügen über Manuel und mich bei Facebook nicht rausnehmt, zeigen wir euch an.«

»Das kannst du gar nicht.« Henriette gab sich wieder überlegen, Steffi kicherte, um ihre Angst nicht zu zeigen.

»Und ob ich das kann!«

Thomas brachte sein Tablett zum Transportband, befriedigt darüber, dass sein Plan funktionierte, und verließ die Mensa über die Terrasse. Linkerhand blieb er in den Büschen stehen, von wo aus er den Haupteingang im Blick hatte. Nach kaum zwei Minuten waren die Handtaschen unterwegs. Aufgeregt rannten sie zu Florians Büro, und als sie es abgeschlossen vorfanden, telefonierten sie, anscheinend erfolglos, dann suchten sie Marquardts Büro auf, wo sie genauso steif und ratlos vor der abgeschlossenen Tür verharrten. Um das zu sehen, war Thomas ihnen gefolgt. Damit waren die Beziehungen klar, aber noch fehlten die Inhalte. Was verband sie miteinander? Hatte Alexandra etwas begonnen, was die beiden jetzt fortsetzten?

Er jedenfalls eilte zum Hörsaal, in dem die Vorlesung über Wassermanagement stattfand. Das Thema konnte in Zukunft für ihr Weingut wichtig werden.

In seiner Einleitung stellte der Vortragende noch die Folgen des Klimawandels mit extremen Wetterphänomenen heraus wie lokale Starkregen oder extreme Dürre. Nach dem Bundesbodenschutzgesetz sei künstliche Bewässerung seit dem Jahr 2002 erlaubt. Es gehe aber nicht um das Vollpumpen der Trauben mit Wasser, um höhere Gewichte und Verkaufserlöse bei Trauben zu erzielen, sondern darum, gefährliche Schwankungen auszugleichen, die Rebstöcke unter Stress setzen würden, was sich in der Qualität zeige. Die Weinrebe benötige je nach Sorte für ein gesundes Wachstum circa vierhundert Millimeter Niederschlag. Wichtig sei in diesem Zusammenhang die Analyse des Bodens, seine Fähigkeit, Wasser zurückzuhalten, zu speichern oder zu leiten. Das hatte Thomas sich für das nächste Jahr vorgenommen.

Eine schematische Darstellung vom Aufbau einer Tropfbewässerungsanlage wurde gezeigt, und wo Winzer ihr Wasser beziehen konnten und wie es sich transportieren ließ. In dem Zusammenhang kam die Rede auf Wasserqualität und den Nitratgehalt. Fünfzig Milligramm pro Liter im Trinkwasser galten als Grenzwert. Bei der Bewässerung war er kein Thema, er wurde einfach bei der Düngerberechnung einkalkuliert. Technische Einrichtungen wurden vorgestellt wie auch Modelle, denn Israel war aufgrund seines Klimas führend auf dem Gebiet. Die Rede war von druckkompensierenden Schläuchen und elektrischen Membranventilen, die das Signal zur Öffnung von einem Computer erhielten. Nötige Investitionen wurden kalkuliert, Kosten, die als sehr hoch schockierten, dann aber bei einer Anlage, die auf den Betrieb von dreißig Jahren ausgelegt war, sich relativierten.

Nach fünf Minuten bereits war Thomas wieder in die Welt des Weinbaus eingetaucht. Er dachte nicht mehr an Kapuzen oder Staatsanwälte, die Rosa Handtaschen saßen in einem anderen Hörsaal, Florian und das Scheusal Vormwald befanden sich auf einem anderen Planeten, und er selbst war endlich auf der Erde angekommen, auf seiner Erde, auf der er, sein Vater und Manuel Weinstöcke pflanzen wollten. Doch als die Vorlesung beendet war und er sich im Strom der Zuhörer nach draußen treiben ließ, kam die Wirklichkeit umso härter zurück. Es wurde Zeit, dass der Fall Manuel Stern und Alexandra Lehmann zu einem Ende kam. Sie konnte nicht wieder zu neuem Leben erweckt werden, aber zumindest konnte Manuels Unschuld bewiesen werden.

Regine betrat eine Stunde nach ihm die Wohnung. Sie aßen zu Abend: Fettuccine mit viel Knoblauch und Pilzen, und das Gefühl, zu Hause zu sein, stellte sich wieder ein. Als Regine sich über die chauvinistischen Seiten ihres neuen Exfreundes ausgelassen hatte, wurde sogar ihr das zu viel, und sie schlug vor, die Dauerweinprobe der Ersten Gewächse fortzusetzen.

Die Weine waren jetzt vier Tage offen, alle Eigenschaften waren noch vorhanden, auch wenn sie verblassten, waren sie trotz des Abstiegs gut trinkbar. Sollte man einen besonderen Riesling genauso wie einen großen Bordeaux dekantieren?

»Es kommt auf sein Alter an, aber wir werden es ausprobieren«, sagte Regine zufrieden, »wie alles andere auch.«

18

Der Raum war bis auf den letzten Platz besetzt, Johannas Vorlesungen wie auch ihre Vorträge außerhalb des vorgeschriebenen Lehrplans waren gut besucht. Sie freute sich über das Interesse. Sogar Kollegen waren erschienen, um sich über die Maßnahmen zur Senkung des CO_2-Ausstoßes zu informieren. Darüber freute sie sich am meisten, denn es signalisierte ihr, dass sie in diesem Kreis akzeptiert war. Manche der Lehrkräfte arbeiteten schon mehr als zwanzig Jahre hier und würden bis zur Pensionierung bleiben, ohne dass die Qualität der Lehrinhalte darunter litt, was man von der Umstellung von Diplom- auf Masterstudiengänge nicht behaupten konnte. Ähnlich verhielt es sich mit dem Unsinn der Pfälzer Landesregierung, der FH die Landesmittel zu streichen, um sie in einen von ihr kontrollierten Lehrbetrieb zu investieren. Da hatte die Pfälzer Wein-Lobby geschraubt, getrieben von Engstirnigkeit und persönlichem Ehrgeiz.

Den Stromanschluss für ihr Laptop fand Johanna an der Wand hinter sich in der rechten Ecke. Sie schaltete es ein und wartete, dass der Rechner hochfuhr, dann verband sie ihn mit dem Beamer, der die Bilder ihrer Präsentation an die Wand projizieren würde. Sie klickte das Feld »Eigene Dateien« an und wollte zur Datei »Frankreich« wechseln – da war keine Datei »Frankreich«. Ihr wurde heiß. Sie suchte in anderen Dateien, sie nahm das Suchprogramm zur Hilfe, doch was sie auch tat, eine Datei »Frankreich«, in der sie die Präsentation gespeichert hatte, fand sich nicht. Zu der Hitze kam noch ein Schuss Übelkeit dazu, sie blickte auf und sah in vierzig wartende Gesichter. Jetzt brach ihr der Schweiß aus. Sie blamierte sich nicht nur vor Studenten, die Blamage vor den Kollegen wog fast schwerer. Dabei war sie den Vortrag und die Präsentation vorhin extra noch einmal durchgegangen und hatte gesehen, dass alles in der richtigen Reihenfolge war. Hatte sie die Datei dabei gelöscht? Vorsichtshalber sah sie im »Papierkorb« des Rechners nach – der war absolut leer, den musste ein Fremder ebenfalls gelöscht haben. Ihre Gedanken überschlugen sich, das Auditorium wartete. Thomas saß in der ersten Reihe und hatte bemerkt, dass etwas nicht stimmte. Er kam zu ihr.

»Jemand muss meinen Vortrag auf dem Rechner gelöscht haben«, flüsterte sie.

»Dann sprechen Sie eben frei, anschaulich und in Bildern. Zeigen Sie es der Bande, Sie können das. Tun Sie, als ob Sie das so geplant hätten. Gönnen Sie dem Löscher nicht die Genugtuung.« Er zwinkerte ihr zu und ballte die Faust.

Was hatte der Junge an sich, dass er ihr immer wieder Mut machte, dass sie durch ihn Zuversicht gewann? Thomas lächelte sie an, und sie fühlte sich sicher.

»Es gibt eine Weinregion in Europa, die sich bereits im Jahr 2003 Gedanken über ihre Klimabilanz machte.« Mit diesen Worten begann Johanna ihren Vortrag. »Im Anschluss daran wurde ein Klimaplan entwickelt, der für künftige Generationen vorsorgt. Ich spreche von der Champagne, inzwischen ist auch Bordeaux gefolgt. Nur – wo bleibt Deutschland? Der Plan, den uns unsere französischen Nachbarn voraushaben, die andererseits in der Frage der Atomenergie ganz hinten sind (der Seitenhieb musste sein), umfasst eine Reihe von Forschungsprogrammen und Entwicklungsprojekten. Mehr als vierzig Aktionen wurden begonnen. Viele von ihnen überschneiden sich mit Maßnahmen in unserem Land wie zum

Beispiel Wärmedämmung an Gebäuden, energiesparenden Anlagen, Praktiken beim Weinbau und der Weinbereitung sowie der Verwendung anderer Flaschen und einer Optimierung der Transportwege ...«

Johanna sah zu Thomas hin, seine Anwesenheit motivierte sie, und sie sprach weiter ...

Das heftige Klopfen auf die Tische nach anderthalb Stunden belohnte sie für ihren Vortrag. Kollegen kamen nach vorn, um ihr die Hand zu schütteln. Erst jetzt bemerkte sie, dass sowohl Professor Marquardt wie auch Florian bis zum Schluss zugehört hatten. Aber sie hatten weit auseinander gesessen und verließen den Hörsaal, als hätten sie sich nichts zu sagen.

Thomas wartete neben ihrem Auto und fragte sie, ob sie nach Bingen fahre, dann käme er mit. »Morgen ist Freitag, da verschwinden alle nach dem Mittagessen. Ich bin auch weg, Regine kommt endlich mit.«

Johanna sah ihm an, wie er sich darüber freute. »Auch mein Besuch ist überfällig«, sagte sie, »ich habe Ihnen meine Vorschläge noch nicht gezeigt. Es kommt so viel dazwischen.«

»Sie kommen zur Siegesfeier, wenn wir Manuel draußen haben.«

»Zeichnet sich was Konkretes ab?«

»Der Staatsanwalt hat angebissen, jetzt muss Sechser den Hintern hochkriegen, das heißt ermitteln, da hat auch Ihr Telefonat mitgeholfen, und das freut mich. Aber wir reden besser bei Ihnen weiter, ja?«

Sie hatten sich abgesprochen, nach Verlassen der Fähre auf zwei verschiedenen Wegen zu Johannas Wohnung zu fahren. Sie war schneller zu Hause und beobachtete vom Balkon aus Thomas' Ankunft. Sogar von hier oben war die Schramme an der Fahrerseite zu sehen. Aber gefolgt war ihm heute niemand. Sie bereitete eine große Kanne Tee zu, dann setzten sie sich an den Tisch ihres kleinen Wohnzimmers. Es war Zeit für die nächsten Schritte, und es hatte den Anschein, als kämen die Dinge ins Rollen. Da musste jeder weitere Schritt gut überlegt sein.

Johanna zog einen Stapel ungeordneter Papiere aus ihrer Aktentasche, während sie darüber sprachen, wer die Frankreich-Datei gelöscht haben könnte, und kamen zu keinem Ergebnis, auch nicht bezüglich der Frage, wer Johanna öffentlich in Verlegenheit hatte bringen wollen. Sie erinnerte sich, ihr Zimmer eine knappe Viertelstunde lang verlassen zu haben, während ihr Laptop eingeschaltet war. Nur in dieser Zeitspanne konnte es geschehen sein, sonst machte ein Passwort den Zugang unmöglich.

Thomas fand den Prospekt eines Weingutes zwischen Johannas Papieren, zog ihn heraus und blätterte darin. Neben den üblichen Flaschen waren Fotos vom Weingut und Steillagen am Rhein abgedruckt, daneben eine Reihe kleiner Fotos vom letzten Weinfest.

Johanna unterbrach ihren Satz, als sie bemerkte, dass er sie fragend ansah. »Was ist? Haben Sie etwas entdeckt?« Sie beugte sich über den Tisch, um zu sehen, welches Bild seine Aufmerksamkeit erregt hatte.

»Haben Sie mir das hier aus einem besonderen Grund vorenthalten oder haben Sie's übersehen?« Thomas schob ihr den Prospekt zu. »Haben Sie eine Lupe? Wenn mich nicht alles täuscht, dann ist Alexandra da drauf. Neben ihr auf dem mittleren Foto steht unser geschätzter Professor. Den anderen Mann kenne ich nicht.«

»Sie sind jünger«, sagte Johanna fast ein wenig schuldbewusst und stöhnte. »Ich brauche wohl eine Lesebrille.« Die Erkenntnis war nicht neu, jedoch verschob sie den Besuch beim Augenarzt seit geraumer Zeit. Sie holte die Lupe und beugte sich mit ihr vor dem Auge über besagtes Foto.

»Ich habe mir den Prospekt gar nicht angeschaut, ich muss ihn bei Laquai eingesteckt haben. Sie haben wirklich bessere Augen. Das sind Alexandra und Dr. Marquardt! Ich weiß auch, wer der Mann daneben ist, obwohl ich ihn nur ein einziges Mal gesehen habe. Das ist der Mann, der die Wohnung in Lorch gemietet hat. Es ist Waller.«

»Alle zusammen? Zeigen Sie her.« Thomas griff nach der Lupe und dem Prospekt, er riss ihn Johanna fast aus der Hand. »So sieht er aus? Was hatte der mit Alexandra zu tun?«

»Wieso fragen Sie mich das? Fragen Sie ihn.«

»Sie haben bestimmt einen Internetzugang – wie blöd von mir, dass ich nicht früher darauf gekommen bin. Ich hätte längst nachsehen sollen ...«

Die Homepage vom Chem-Survey war schnell gefunden. Da fand sich ein besseres Foto von Waller, strahlend, selbstbewusst, Respekt und Vertrauen einflößend, ein Mann, dem man die »integrierten und nachhaltigen Problemlösungen«, von denen auf der Seite gesprochen wurde, zutraute. Das eigentlich Interessante war das Aufgabengebiet von Chem-Survey: Es sollte eine Plattform zur Unterstützung von Forschern der Chemiebranche sein. Chem-Survey wollte Wissenschaftlern helfen, Partner in der Industrie für die Weiterentwicklung ihrer Ideen zu finden, um sie zur Patentreife zu entwickeln. Ein anderes Feld war die Verwaltung eben jener Patente für die Erfinder. Ein Rechtsanwalt, spezialisiert auf Patentrecht, stand auch für die ersten Beratungen honorarfrei zur Verfügung. Der Name einer Kanzlei war angegeben.

Thomas fand ihre Homepage mit den Kontaktdaten in Frankfurt und rief dort an.

»Nein, für Rechtsberatung ist Herr Dr. Vormwald zuständig. Er ist morgen wieder im Hause. Sollen wir zurückrufen?«

Thomas legte einfach auf. »Vormwald!«, sagte er nur.

»Ach ja? Na, dann schließt sich der Kreis?«

»Scheint so.« Thomas machte ein Gesicht, bei dem sich Johanna gut vorstellen konnte, dass er mit diesem Ingrimm auf die Kapuzen losgegangen war.

»Ich habe auch eine Idee, wie wir weiterkommen. Sie ist gut, aber sie umzusetzen, würde mir schwerfallen. Können Sie mir das nicht abnehmen und Manuels Vater anrufen und ihn über Wallers Firma ausfragen? Bei seiner Position kennt der Hinz und Kunz in der Branche. Mich kann er nicht ab, der hat sogar versucht, mir Besuchsverbot erteilen zu lassen – über Vormwald. Aber da hat Manuel sich quergestellt.«

Den Anruf nahm Johanna Thomas gern ab. Sie sah auf die Uhr. »Dann mal los. Haben Sie die Rufnummer?« Sie stellte den Lautsprecher des Telefons auf Raumklang und wählte. Sie gelangte direkt zur Sekretärin von Herrn Stern und trug ihr Anliegen vor: »Es geht um die Mordanklage gegen seinen Sohn.«

So schnell war Johanna noch nirgends durchgestellt worden, Stern meldete sich umgehend. Es war nötig, dass Johanna sich vorstellte und von den Gelegenheiten sprach, an denen sie seinem Sohn begegnet war, in der Pfalz, wo sie das Vergnügen gehabt habe, den vielversprechenden und überaus intelligenten jungen Mann näher kennenzulernen, und bei den Vorlesungen hätte er sich sehr engagiert gezeigt und sei ihr durch seine schnelle Auffassung wie durch sein Engagement aufgefallen. Die Erwähnung von Rechtsanwalt Vormwald sollte Stern zeigen, dass sie mit der Angelegenheit vertraut war, und ihre Bitte um Hilfe war klar ausgesprochen. Nur ein Lump würde sie ihr verweigern.

Stern ließ sie ausreden, fragte lediglich, wie er helfen könne, und das in einem Ton, der ihr eine gewisse Bereitschaft zur Kooperation signalisierte, eine wichtige Voraussetzung für ihr Anliegen.

»Wir benötigen für unsere weiteren Ermittlungen Informationen, die Sie uns sicher beschaffen können«, sagte Johanna und fügte so schnell an, dass Stern nicht widersprechen konnte: »Wir müssen alles über eine Firma Chem-Survey wissen. Einmal, wer dahinter steht, welchen Tätigkeiten sie nachgeht, wer dort mitarbeitet und was die Ziele des Unternehmens sind. Was das Internet hergibt, wissen wir bereits. Sie haben sicher eine umfangreiche Dokumentation über andere Unternehmen und Ihre Mitbewerber, vielleicht haben Sie sogar Mitarbeiter, die dort jemanden kennen, oder haben Sie selbst sogar mal was mit der Firma zu tun gehabt? ... Herr Stern? ... Hallo?«

Johanna hörte seinen Atem, er schwieg, es war ihr, als dächte er angestrengt nach, als hole er Luft, er setzte kurz an, um etwas zu sagen, dann brach er den Gedanken wohl innerlich ab – und stellte seinerseits eine Frage:

»Wieso gerade Chem-Survey? Was hat Chem-Survey mit ... Manuel ... mit meinem Sohn zu tun?«

Johanna sah, dass Thomas etwas auf einen Zettel schrieb, den er ihr hinhielt, *er kennt den Laden*, stand darauf. Das war auch ihr Eindruck.

»Es geht um das Mordopfer, um Alexandra Lehmann, und darum, dass sie in einer Wohnung verkehrte, die von Chem-Survey gemietet worden ist. Chem-Survey wird von einem Herrn Waller geleitet, der mir in Sachen Wein mal persönlich begegnet ist, und wir wollen den Hintergrund dieser Alexandra Lehmann durchleuchten. Dadurch ergibt sich womöglich das Motiv für den Mord.«

Zuerst fand Stern keine Worte; Johanna baute ihm auch keine Brücke, das Schweigen war vielsagend. Sie sah Thomas an, dass auch er Manuels Vater wahnsinnig gern vor sich gehabt hätte. Worüber dachte er nach? Was verschlug ihm die Sprache? Kannte er die Firma und möglicherweise sogar diesen Waller?

»Der weiß was«, flüsterte Thomas, als Stern fortfuhr.

»Wie schnell benötigen Sie die Informationen, Frau Breitenbach? Es kann dauern, sie zu beschaffen.«

Johanna entschloss sich zu einer längeren Pause, um ihn in Verlegenheit zu bringen, diese Technik wandte sie gern an. Sie verabscheute zwar taktisches Vorgehen, doch hier heiligte für sie der Zweck die Mittel. Man musste den Nerv haben, so zu tun, als hätte man die Frage nicht gehört.

»Ich werde eine Mitarbeiterin mit den Nachforschungen beauftragen«, antwortete Stern schließlich. »Ich geben Ihnen morgen, spätesten übermorgen Bescheid.«

»Ich danke Ihnen sehr, Herr Stern.«

Damit, dass es so schnell klappen würde, hatten weder Johanna noch Thomas gerechnet. »Er kennt den Laden«, wiederholte Thomas, »sonst hätte er anders reagiert. Mir gegenüber hat er sich anders, viel ablehnender verhalten und von oben herab. Sie als Dozentin stehen natürlich in der Hierarchie weiter oben. Ich bin eben nur ein Freund des missratenen Sohns. Bei mir hätte er bestimmt aufgelegt. Und – wie machen wir weiter?«

Thomas hatte derweil eine Reihe von Fotos vor sich hingelegt. »Das sind alle Beteiligten, vielmehr alle, die wir bisher kennen. Ich will die Bilder meinem Vater am Wochenende zeigen.«

»Waller fehlt«, sagte Johanna und holte sich sein Porträt aus dem Internet. »Haben Sie ihm gesagt, dass nächste Woche die Betriebsleiterschulung stattfindet? Hat er sich angemeldet?«, fragte sie, während ihr Drucker ratterte.

Thomas bejahte ihre Frage, woraufhin sie Wallers Bild ausschnitt, es dazulegte und die Fotos neu gruppierte. Manuel kam zu Alexandra; die Rosa Handtaschen lagen neben Florian; Waller, Vormwald und Marquardt lagen sowieso zusammen.

Thomas schob die Fotos auseinander und legte ein Blatt Papier mit einer handschriftlichen Aufstellung dazwischen. »Alles offene Fragen«, meinte er, »wenn wir die klären, haben wir den Fall gelöst, und Manuel ist draußen.«

»Ihr Optimismus ist grenzenlos ...«

»Muss er auch sein, Frau Dozentin, denn die Grenzen stecken andere. Von allen Seiten wird man bedrängt und eingemauert. Mein Vater sagt, dass nach sechzig Jahren Propaganda für die Konkurrenz unter den Menschen in Deutschland ...«

»Lass mich trotzdem sehen, was du aufgeschrieben hast«, unterbrach ihn Johanna und sah in Thomas' verdutztes Gesicht. »Was ist?«

»Äh – nichts. Hier ...« Er reichte ihr das Blatt. Sie las.

1. Wie kam der Riesling in unseren Kühlschrank? *Mit Alexandras Schlüssel.*
2. Wer hat den Auftrag zum Überfall erteilt? *Florian oder Vormwald?*
3. Weshalb hat V. die Haftprüfung versaut? *Um den wahren Täter zu decken, er kennt ihn also.*
4. Wer hat den Kapuzen den Anwalt geschickt? *Der Auftraggeber des Überfalls.*
5. Wer hat mich beobachten lassen? *Manuels Vater? Der Mörder?*
6. Was hat der mit Vormwald zu tun, woher kennen sie sich?
7. Wer hat das Gerücht von mir und Johanna in Umlauf gebracht? *Florian – aber hat er es auch erfunden?*
8. Wer hat meine Klausur geklaut?
9. Wer hat das Siegel an Alexandras Wohnung aufgebrochen? *Der Mörder. Wozu? Um Spuren zu beseitigen.*
10. Wer hat Rechner u. Laptop geklaut, wenn die Polizei sie nicht hat? *Der Mörder ...*
11. Wer ist auf dem Foto im Reitstall? *Keine Ahnung ...*
12. Wen hat Johanna in Lorch mit Alexandra gesehen?
13. Wer ...

»Die Liste ist nicht komplett«, sagte Thomas. »Heute müssten wir zum Beispiel einfügen, wer Ihren Vortrag gelöscht hat.«

»Allerdings, und es fehlt die Schlüsselfrage: Warum wurde Alexandra ermordet? Ich hoffe, Sie haben diese Liste niemand anderem gezeigt.«

»Nein, wieso?«

»Weil jetzt klar ist, dass Sie in Alexandras Wohnung waren. Vor oder nach dem Mord?«

»Au Schei ... – da habe ich nicht aufgepasst. Frage 9, nicht wahr?« Thomas kratzte sich ausgiebig am Kopf. »Natürlich vorher. Weil ich sie nicht leiden konnte, und weil ich schwul bin und mit Manuel was anfangen wollte, war sie mir im Weg, und dann habe ich sie mit dem Oscar erschlagen. Das wäre die Version für die Handtaschen und die Sensationspresse.«

»Wie gut, dass Sie Ihren Witz nicht verloren haben.«

»Das ist Galgenhumor.«

»Noch etwas finde ich bemerkenswert – nämlich dass Sie mich hier Johanna nennen und nicht Frau Breitenbach.«

»Sie haben mich eben auch geduzt.«

Das war zwar schlagfertig, es war ihm trotzdem peinlich. Johanna ging darüber hinweg und fühlte sich genauso verwirrt und auch zu ihm hingezogen. Sie fragte sich längst, weshalb ein gut aussehender und cleverer junger Mann wie er keine Freundin hatte, oder hielt er sie versteckt? War er wirklich ein Hagestolz, war ihm keine gut genug, oder schreckte er alle mit seiner Hyperaktivität ab? Gab es für ihn nichts anderes als seine Weinberge und das Studium? Menschenscheu war er nicht – es gab schließlich Manuel und Regine und seinen Vater, und bei den Winzern hatte sie ihn als umgänglich erlebt. Aber eine Freundin gehörte zum Leben, besonders in diesem Alter. Auch sie hatte in seinem Alter studiert, sie war in der Anti-Atomkraft-Bewegung und in einer Frauengruppe aktiv gewesen, da war Carl längst auf der Bildfläche erschienen, und für ihre Liebe hatten sie immer Zeit gefunden. Sie dachte an ihn und an das letzte Wochenende und an seinen nächsten Besuch und daran, was sie unternehmen könnten und wo sie zusammen hinfahren würden ...

»Sie sind weit weg, Frau Dozentin«, sagte Thomas, »wo sind Sie?«

»Sehr weit weg, Thomas.« Johanna schüttelte die Gedanken ab und überflog die Liste noch einmal. Sie stutzte, dann erinnerte sie sich an einen sehr heißen Nachmittag. »Der Riesling aus Ihrer Küche, vom Altensteineck – der wurde beschlagnahmt? Weiß man etwas über den Mageninhalt des Opfers?«

»Es soll sich um genau den Wein handeln, ein Institut hat ihn untersucht. Der neue Anwalt ist da dran, denn Marquardt hat was mit der Untersuchung zu tun. Wieso fragen Sie?«

Sie erzählte Thomas ausführlich von ihren Begegnungen in Gigondas, dann ließ sie ihn erstaunt am Tisch zurück und brühte einen neuen Tee auf. Sie hatte noch einen sehr schönen Assam, einen First Flush, und es fanden sich in ihrem fast leeren Vorratsschrank noch ein paar nicht allzu harte Makronen, die sie Thomas nach Prüfung des Mindesthaltbarkeitsdatums anbot.

»Es kann bedeuten, dass Marquardt dort ein Weingut besitzt und seine Mutter als Aufpasserin hinbeordert hat. Wieso hat er nie darüber gesprochen? Er leitet schließlich ein Frankreich-Seminar, das würde passen, Alexandra hat daran teilgenommen, wie ich von Manuel weiß.« Thomas zog Johannas Laptop zu sich heran.

»Mir kommt es so vor, als ob sie abgeschoben wurde. Sie redete ständig von einem Sohn, der dieses und jenes will und anderes wieder nicht und sie mit Verboten gängelt.« Johanna schaute Thomas belustigt zu, mit welcher Inbrunst er auf die Tasten hämmerte. »Weshalb sollte Marquardt ein Geheimnis daraus machen? Ich habe ihn neulich danach gefragt – er blieb mir die Antwort schuldig.«

Thomas saß wie ein Geier über das Gerät gebeugt. »Mein Vater hat noch nicht geantwortet, unter den E-Mails ist nichts. Philipp wird alt, früher war er schneller.«

»Oder er hat zu viel zu tun. Er braucht Ihre Hilfe.« Johanna strich die Seite mit dem Fragenkatalog glatt. »Es wird wirklich Zeit, dass Manuel entlassen wird.« Als sie auch die Rückseite glättete, bemerkte sie das Bild von Alexandra auf dem Reiterhof, Thomas hatte die Fragen auf der Rückseite der Fotokopie notiert. Mitten in der Bewegung hielt sie inne und blickte Thomas an. »Wo ist das? Wo wurde das Foto gemacht?«

»Auf einem Reiterhof«, sagte Thomas, »habe ich Ihnen doch von erzählt, hier ganz in der Nähe. Ich habe das Bild in Alexandras Schreibtischunterlage gefunden und etliche Leute darauf angequatscht, ob sie den Typ neben ihr kennen. Das spricht sich rum, und der Mörder wird auf mich aufmerksam ...«

»Du bist wirklich lebensmüde. Bietest dich als Köder an?« Johanna hielt plötzlich inne. »Aber das ist doch ... Wieso haben Sie mir das Bild nicht längst gezeigt?« Johanna war aufgeregt. »Das ist doch Marquardt, unser Professor. Genau so sah er aus, als er sich bei dem Vortrag neulich weggedreht hat. Warum hat das bisher keiner erkannt?«

»Bist du sicher?« Thomas riss ihr das Blatt aus der Hand.

»Ich geb's auf«, seufzte Johanna. »Bleiben wir beim du, zumindest unter uns. Aber nicht an der Hochschule, klar?!«

»Dann hängen die also alle zusammen: Waller, Vormwald und der feine Professor. Hatte der was mit Alexandra, ich meine ein Verhältnis? Der ist doch verheiratet, drei Kinder, große Villa im Mainzer Nobelviertel Gonsenheim.«

»Eine praktische Doppelmoral ist besser als gar keine«, Johanna lachte. »Man sollte Einblick in seine Beraterverträge nehmen. Wenn der Staat, also die Hochschule der Hauptarbeitgeber ist, müssen Nebentätigkeiten genehmigt werden.«

»Und die ungenehmigten?«

Johanna breitete in einer Geste übertriebener Hilflosigkeit die Arme aus. »Diese Chose von wegen alter Professor und junge Studentin hat einen ellenlangen Bart und ist nicht sein Problem ...«

»Woher wollen Sie ... woher willst du das wissen? Na

gut, wenn Waller die Wohnung in Lorch gemietet hat, dann vielleicht er? Florian treibt es lieber mit Mädels aus der Slowakei. Die werden nicht renitent und sind weniger anspruchsvoll.«

»Vielleicht hatten beide mit ihr ein Verhältnis, aber dazu waren sie sich zu nahe, und sie war keine ...«

»Für Geld tat Alexandra vieles, vielleicht auch das. Ich habe es von Anfang an vermutet, aber das habe ich Manuel vorsichtshalber nicht gesagt. Sie war nur des Geldes wegen mit ihm zusammen.«

»Was haben die Männer ihr gegeben, und was hat sie ihnen gegeben?«

»Gut aussehende Frauen gibt es viele. Mir ist das zu wenig. Ich glaube, dass es um mehr geht als um Mord. Ein Verbrechen wird oft begangen, um ein anderes zu verdecken.«

»Was meinst du damit? Was verbindet diese vier miteinander?«

»Die Chemie«, antwortete Thomas wie aus der Pistole geschossen. »Bis auf den Anwalt.«

»Wie wir gerade erfahren haben, fällt der nicht aus der Reihe. Anwälte braucht man heute für alles, auch für jedes Verbrechen; in jeder Lobby sitzen sie, in jeder Partei. Manuels Vater bringt hoffentlich Licht in die Sache. Habe ich erzählt, dass Marquardt mich angesprochen hat, ob ich mich nicht mehr in die Arbeit der Forschungsanstalt integrieren will?«

»Wozu das?«

»Wahrscheinlich um zu forschen, und außerdem macht er mir Avancen.« Johanna fühlte Thomas' skeptischen Blick auf sich.

»Was hätte Marquardt davon? Haus, Familie, teure Weine, ein teures Auto, das alles kostet Geld. Dann hetzt er hinter meinem Rücken. Von Regine weiß ich, dass er sich über meine angeblich katastrophalen Leistungen auslässt, dass ich meine Klausuren angeblich verschwinden lasse. Ich sei nur gut gewesen, solange ich von Manuel profitiert hätte. Nur deshalb wolle ich ihn aus dem Knast holen und weil wir sein Geld für unser Weingut brauchten. Wenn es mit mir so weiterginge, würde ich exmatrikuliert.«

»Das sind harte Geschütze. Dann informieren wir besser die Polizei über alles, auch darüber, was wir jetzt herausgefunden haben, bevor wir uns weiter in Gefahr begeben.«

»Bloß nicht, Johanna.« Thomas wollte ihr die Hand auf den Arm legen, zuckte aber im letzten Moment zurück.

Johanna bemerkte es und lächelte. Sie fragte sich kurz, ob sie die Hand hätte liegen lassen ... nein! Unter keinen Umständen, und doch ... Verflixt – was zog sie nur zu diesem Jungen hin?

»Wir müssen überlegen, was wir sagen. Am wichtigsten ist die Untersuchung der Wohnung in Lorch. Wenn DNA-Spuren ohne Zuordnung aus Alexandras Wohnung auch dort gefunden werden, dann ermittelt die Polizei weiter. Und wenn sie das Keyboard ausgewertet haben, sind neue Sachverhalte da.«

Gegen einundzwanzig Uhr erhielt Johanna einen Anruf von Thomas. Er bat sie, noch einmal auf die andere Seite zu kommen, er wisse jetzt, was alle Beteiligten verbinde. Er habe von Sechser Informationen über die beschlagnahmten Dokumente bekommen und Verbindungen herstellen können, aber am Telefon wolle er das nicht sagen. Und am Nachmittag habe der Wagen eines Malerbetriebs vor der Wohnung gestanden, wie die Nachbarin gesagt habe, die auch er nach der freien Wohnung gefragt habe.

Eigentlich war es zu spät, aber die Fähren verkehrten fast bis Mitternacht, und länger als eine Stunde würden sie nicht brauchen. Sie könnten sich in Rüdesheim treffen, dann wäre sie rechtzeitig zurück. Sie hatte die Wohnung für den morgigen Besuch aufgeräumt und geputzt, obwohl sie wusste, dass Carl es kaum bemerken würde. Sie duschte, band sich das kurz geföhnte Haar zu einem Pferdeschwanz zusammen, schlüpfte schnell in Jeans und Bluse, zog leichte Slipper an und warf sich der Kühle des Abends wegen die Jeansjacke über. Handtasche und Autoschlüssel lagen wie immer im Flur vor dem Garderobenspiegel.

Es herrschte wenig Verkehr, und auf der Rampe war sie die Erste und gänzlich allein, sie konnte als Erste auf die Fähre fahren und sie drüben auch als Erste wieder verlassen. Sie stoppte an der Haltelinie, stellte den Motor ab und öffnete beide Fenster. Der Abend war lau, es ging ein leichter Wind, sie hörte dem Zwitschern der Vögel zu und sah, wie die letzten Strahlen der untergehenden Sonne die Wolken erleuchteten, rot wie Zuckerwatte.

Dieser Abend war voller Ruhe, sie hatte die anstehenden Klausuren vorbereitet, vor dem Wochenende keine Besprechungen mehr. Sie kamen ihrem Ziel langsam, aber stetig näher, eine Information ergänzte die vorherige, ein neues Bild entstand. Im Grunde hatte Thomas es verstanden, sie in seine Pläne einzubauen, sein Ziel war zu ihrem geworden. Außerdem gewann sie ihren Mut und ihre Zuversicht zurück, sie haderte viel weniger mit ihrem Schicksal und den Verhältnissen. Wenn es junge Menschen gab, die so waren wie er, wie Manuel oder Regine, dann brauchte man doch noch nicht zu verzweifeln, dann gab es vielleicht eine Chance ...

Es knallte fürchterlich, Johannas Kopf wurde nach hinten gerissen und gegen die Nackenstütze geschleudert. Sie erschrak so heftig, dass sie glaubte, vom Kopf bis zu den Füßen unter Strom zu stehen. Sie prallte zurück, blieb im Anschnallgurt hängen und sackte benommen in sich zusammen. Dann hob sie mühsam den Kopf und sah in den Rückspiegel. Verschwommen nahm sie eine riesenhafte weiße Fläche wahr, in der Mitte ein Stern ... Schon wieder ein Stern, fuhr es ihr durch den Kopf, nur war dieser auf dem weißen Kühler eines Lieferwagens ...

Hinter ihr heulte der Motor des Kleintransporters, er schob sie vor sich her, als gäbe es keine Johanna Breitenbach in ihrem kleinen Auto. Da erst begriff sie, dass der Wagen sie gnadenlos in Richtung Wasser schob, egal wie stark sie in Panik an der Handbremse riss. Sie roch verbranntes Gummi, roch den überdrehenden Motor, sie stemmte sich mit aller Kraft in die Bremse, doch der Rhein kam auf sie zu, die Rampe neigte sich, sie wollte den Wagen zur Seite steuern, aber bei abgestelltem Motor schnappte das Lenkradschloss ein.

Rechts neigte sich die Rampe, der Wagen bekam einen Rechtsdrall, Johanna sah das Wasser auf sich zukommen, sah die winzigen Wellen, die weit entfernte Mole, die den Hafen begrenzte, und auf den Wellen tanzende Lichter. Alles erschien riesenhaft, wurde immer größer und unwirklich. Ihr Wagen stellte sich quer, der Transporter drückte jetzt von der Seite, gleich würde ihr Peugeot umkippen und sich auf die Fahrertür legen, sie würde sie nicht mehr öffnen können und eingeschlossen sein. Aber die Fenster waren offen. Die andere Tür hatte sich verklemmt, eine Scheibe barst im Inneren der anderen Tür mit lautem Knall, alles ging rasend schnell, nur für sie geschah alles wie in Zeitlupe.

Wie gut, sagte sie sich, jetzt ohne jedes Gefühl von Panik, dass ich mich nicht vor dem Wasser fürchte. Es hat mir nie Angst gemacht, weder bei Flaute noch bei Sturm auf dem Surfbrett, das Wasser wird mich retten, es ist mein Element. Johanna wartete sogar darauf, endlich ganz ins Wasser geschoben zu werden, aus dem Auto könnte sie sich in jedem Fall befreien. Wenn nur der Motor hinter ihr nicht so entsetzlich jaulen und das Blech nicht so fürchterlich knirschen würde, das machte sie wahnsinnig.

Jetzt brach ein trüber Schwall zum Fenster herein. Das Wasser kam schnell von unten auf sie zu, der Auftrieb hob sie, dadurch ließ sich der Gurt lösen, sie wurde weiter nach oben gedrückt, sah durch die Windschutzscheibe das Was-

ser steigen, als würde sie die Anzeige einer Wassersäule beobachten, und dicke Luftblasen quollen unter der Motorhaube hervor. Der Auftrieb brachte sie mit dem Kopf zum
Fenster der Beifahrertür, als auch dort das Wasser herein-
brach, aber sie schwamm, sie war frei, unter ihr wurde der
Wagen weiter ins Hafenbecken geschoben, hinter ihr war
der Lieferwagen, dessen Motor plötzlich erstarb – und dann
war Stille – bis auf ein leises Plätschern.

War es anders, als wenn sie mit dem Surfbrett gekentert
und unters Segel gekommen war? Nein. Die Aufregung
wich, da hatte sich jemand was Falsches ausgedacht, es war
nicht das Ende.

Prustend tauchte sie auf und wischte sich das Wasser aus
den Augen. Sie spürte die leichte Strömung, so leicht, dass
sie nicht abgetrieben werden konnte. Ihr Auto war untergegangen, der Lieferwagen war die Rampe abwärts geradeaus
weitergefahren und dampfend stehen geblieben. Drei
Schwimmstöße brachten Johanna an die Rampe. Leute, die
sich wie Scherenschnitte am Ufer bewegten, kamen gelaufen, einer trug einen Rettungsring, verwirrt, ratlos, man
streckte ihr die Hände entgegen, aber Johanna wollte sich
um den Fahrer des Lieferwagens kümmern. Sie hangelte
sich am Fahrzeug entlang, doch die Kabine war leer.

Das, was sie geahnt hatte, wurde Gewissheit – es war ein
Anschlag auf sie gewesen, und wahrscheinlich fasste nur sie
das so auf. Für die Schaulustigen am Ufer war es ein Unfall.
Johanna hangelte sich am Wagen zurück, vorbei an den
Buchstaben

Farben – Schmidt – Lacke

mit einem Farbeimer darunter, der Deckel war daneben
abgestellt, wie sie erstaunt bemerkte. Sie hatte Grund unter
den Füßen und kroch über glitschige Steine ins Trockene.

Jemand legte ihr eine Decke um, man fragte, wie es ihr

gehe, sie schaute nach ihrem Wagen, aber da stand nur der Sprinter mit dem Stern. Es war dunkel geworden, die Sonne war längst untergegangen, dort wo der Rhein herkam, warme Rottöne zogen sich in Schlieren über den Himmel. Die Fähre vom anderen Ufer war herangekommen, der Suchscheinwerfer erfasste sie, riss sie wie einen Bühnenstar aus dem dunklen Hintergrund. Als sie begriff, dass jemand sie hatte töten wollen, jemand, den sie nicht kannte, begann sie zu zittern, sie fror jämmerlich und wollte jetzt lieber allein sein. Fremde redeten auf sie ein, zogen sie und schoben sie herum. Alle diese Leute um sie herum, die wirklich besorgt waren, die so taten oder einfach nur neugierig waren, wünschte sie zum Teufel.

19

Thomas fuhr am Montag so rechtzeitig los, dass er zur ersten Vorlesung um vierzehn Uhr in Geisenheim zurück sein würde. Sein Vater wollte erst am Abend nachkommen und in der WG übernachten, denn der Betriebsleiterlehrgang sollte am Dienstag um acht Uhr beginnen. Das Wochenende war erholsam gewesen, so wie die Arbeit im Weinberg. Beim Ausbrechen überflüssiger Triebe und Einflechten der gewünschten, eine monotone Arbeit, war Thomas zur Ruhe gekommen, und an den Abenden hatten er und sein Vater lange geredet. Philipp war auf die Idee gekommen, Pascal Bellier um Hilfe zu bitten, den jungen Kriminalbeamten, den sie aus Metz kannten. Über die Kontakte des Kölner Staatsanwalts hatten sie erfahren, dass Thomas' Verfolger bei einer Mainzer Detektei angestellt war, was Sechser bereits wusste. Den Kommissar hatte es geärgert, dass Thomas auf gleichem, wenn nicht sogar auf einem fortgeschrittenerem Erkenntnisstand war und vor ihm den Staatsanwalt informiert hatte.

»Wie sind Sie an die Information gekommen?«, hatte Sechser gefragt, ohne seinen Unwillen zu verstecken.

»Durch Wikileaks.« Das Sticheln konnte Thomas sich nicht verbeißen, dann hatte er aufgelegt. Mit Sechser würde er sich nie verstehen.

Da war Pascal Bellier von anderem Kaliber, noch dazu war er ein Freund. Pascal hatte Thomas' Hilferuf verstanden und keinen Moment gezögert. Er kannte das Weingut in der Pfalz, er war bereits zweimal dort gewesen. Er war der einzige Polizist, dem Thomas wirklich vertraute, hinzu kam, dass er sich als Franzose wenig an deutsche Gesetze gebunden fühlte.

Pascal verstand sich nach den beiden Anschlägen in der Champagne damals als Thomas' Leibwächter, gleichzeitig brachte er die nötige Umsicht eines einsatzfreudigen Kriminalbeamten mit. Mut und Ehrgeiz hatte ihm bereits zwei Auszeichnungen und Beförderungen eingebracht, aber auch zwei Versetzungen, die letzte nach Metz – weg von den Vorgesetzten, denen sein Begriff von Gerechtigkeit und seine Selbstständigkeit zu unbequem waren.

Thomas hatte ihn nach seiner Ankunft ins Bild gesetzt, und nachdem auch sein Vater in Geisenheim eingetroffen war, hatten sie nach dem Abendessen mit Regine, der Pascal schöne Augen gemacht hatte, was ihr keineswegs missfiel, Kriegsrat gehalten.

Was ihm selbst zugestoßen war, beunruhigte Thomas weniger als der Mordversuch an Johanna. Beide Angriffe zusammen hatten eine neue Qualität erreicht. Sie hatte Thomas nach dem unfreiwilligen Bad im Rhein von einem geliehenen Mobiltelefon aus angerufen, denn er hatte am jenseitigen Rheinufer gewartet, von den Blaulichtern von Polizei, Feuerwehr und Rettungswagen nervös gemacht und davon, Johanna auf ihrem Telefon nicht erreichen zu können.

Thomas hatte in der Nacht noch aus seiner Werkzeugkiste den Metallkleber geholt, eine Büroklammer eingesteckt sowie die Gummihandschuhe, hatte sich seine Kapuzenjacke übergezogen und war nach Lorch gefahren. Der Metallkleber, aus zwei Komponenten bestehend, wirkte innerhalb von einer Minute, wenn man die Komponenten vermischte und mit einem Stück Büroklammer in den Zylinder des Schlosses steckte. Diese Tür müsste aufgebrochen werden. So war am Montag der Maler unverrichteter Dinge wieder abgefahren. Vielleicht erreichten sie so einen Aufschub, bis Sechser endlich seinen Hintern hochkriegen und die Spurensicherung losschicken würde. Dass der Kommissar bewusst die Ermittlungen verschleppte, womöglich auf Anweisung, konnte Thomas sich nicht vorstellen. Das kam nur bei politischen Fällen infrage oder bei Korruption auf höchster Ebene.

Wie Touristen, die Hände in den Hosentaschen, schlenderten Thomas und Pascal durch das alte Eltville. Sie hatten noch Zeit bis zum Treffen mit Waller. Thomas war am Weinprobierstand am Rheinufer mit ihm verabredet. Er wusste wenig über die knapp eintausend Jahre alte Stadt. Die Fachwerkhäuser gehörten für die Bewohner zum Alltag, und sie hatten nicht das Gefühl, in einer Ferienkulisse zu leben. Die Kurfürstliche Burg und die Pfarrkirche, die bei der Orientierung halfen, hatte er nicht besichtigt. Genauso verhielt es sich mit der Burg Crass und der berühmten Villa G. H. von Mumm, die nicht zur Besichtigung stand. Das imposante Biedermeiergebäude am Rheinufer diente angeblich Thomas Mann als Vorbild für das Geburtshaus seines Hochstaplers Felix Krull. Thomas überlegte, ob sie nach dem Treffen mit Waller bei Koegler essen sollten. Sein Restaurant im Hof Bechtermünz war sicher für Pascal interessant; hier war 1467 unter Johannes Gutenberg der »Vocabularius Ex Quo«, das älteste Wörterbuch der Welt, von den Gebrüdern Bechtermünz gedruckt worden. Thomas hatte es besonders Koeglers Spätburgunder angetan. Und sein Vater, mit dem er hier gewesen war, hatte ihn mit Weinen aus dem Burgund verglichen.

»Mir würde es reichen, so etwas wie diesen zu schaffen«, hatte Thomas gesagt, dem die Dichte, die Ausgewogenheit und die Geschliffenheit des Weins besonders gefallen hatten. »Dazu brauchen wir die entsprechenden Trauben, die haben wir längst nicht, und um unseren Keller entsprechend umzubauen, brauchen wir Jahre.«

»Dann steht für dich das Schwierigste bevor«, hatte sein Vater geunkt, ohne ihn kritisieren zu wollen: »Du musst warten und warten und warten – wie auf alle großen Weine.«

Jetzt wartete Thomas auf Pascal, der über den Hof des Weingutes Langwerth von Simmern schlenderte. Thomas war am grün überwachsenen Tor stehen geblieben, es hätte sein können, dass Waller vorbeikäme, es gab nicht viele Wege zum Ufer. Für eine Probe im Weingut reichte ihre Zeit nicht, aber wenn sie schon hier waren, konnten sie die Weine des Freiherrn auch unten am Probierstand genießen. Das konnte der erfreulichste Teil des Treffens, vor dem Thomas sich zu fürchten begann, werden. Was mochte es bedeuten, dass Waller ihn sprechen wollte?

Der Rhein zeigte immer seine beruhigende Wirkung. Wenn er nur lange genug am Ufer entlanglief, fand er zwar nicht für jedes Problem eine Lösung, aber er kam ihr ein beträchtliches Stück näher. Thomas sah auf die Uhr, lehnte sich mit der Schulter gegen den Eckpfeiler des Probierstandes, eines kleinen Pavillons neben einer Reihe von Tischen, und beobachtete unruhig die Menschen auf der Uferpromenade.

»Da kommt er«, sagte Thomas leise auf Französisch, erstaunt, wie gut er in die Sprache zurückfand, nach nur einer Nacht endloser Diskussionen.

»Der im grauen Anzug, unter der Platane neben dem Mülleimer, vor der Frau in Gelb?«

»*Exactement*. Woran hast du ihn erkannt?«

»Schon vergessen? Du hast mir ein Bild von ihm gezeigt. Immerhin bin ich ein *taureau*, wie ihr uns nennt, ein Bulle.«

»In natura sieht er anders aus, auf dem Foto im Internet ist er sympathischer.«

Waller machte einen gehetzten Eindruck. Er sah sich um, steckte einen Kaugummi in den Mund, steckte das Einwickelpapier ein, statt es in den Mülleimer vor sich zu werfen, und trat aus dem Schatten der Platanen ins Licht der Promenade. Ab und zu riskierte er einen unauffälligen Blick in Richtung Pavillon.

»Er hat uns, oder besser dich, längst gesehen«, murmelte Pascal, und Thomas brummte zustimmend.

Als sich ihre Blicke kreuzten, nickte er kurz, Waller schaute sich erneut um, gab sich einen Ruck und setzte sich in Bewegung. Unter den leger gekleideten Ausflüglern an diesem schwül-heißen Tag wirkte er in seinem grauen Anzug wie ein Fremdkörper. Seine Lässigkeit war aufgesetzt, die Hand in der Jackentasche mit dem angewinkelten Arm wirkte, als wäre ein Gipsarm an einen Torso geklebt worden.

»Es würde mich nicht wundern, wenn er sich gleich in die Hose scheißt.« Pascal besaß die Fähigkeit zu reden, ohne die Lippen zu bewegen, er hätte als Bauchredner sein Geld verdienen können.

»Wenn er das macht, sind wir umsonst hergekommen.« Thomas verbiss sich das Lachen. »Dann muss er die Hose wechseln, statt mit mir zu reden.«

Das vertrauenheischende Begrüßungslächeln wirkte falsch, weil die obere Gesichtshälfte starr blieb und Waller nur die Zähne fletschte. Sein Haar war dunkelblond, das Gesicht schmal und blass, einige Tage im Weinberg bei strahlender Sonne würden ihm guttun. Er war jünger als Philipp, sein Aussehen entsprach dem Bild eines Versicherungsvertreters. Dabei war er laut Homepage Diplom-Chemiker und hatte promoviert.

»Sie wollten mich sprechen, Herr Waller?« Thomas streckte ihm die Hand entgegen, die Waller zögernd ergriff. Lasch war sein Händedruck nicht. »Hier bin ich! Und dieser Herr ist ein Freund von mir aus Frankreich. Monsieur Pascal Bellier spricht kein Deutsch. Sie werden entschuldigen, dass ich ab und an etwas übersetze.«

»Das war so nicht vereinbart. Sie wollten allein kommen.« Wallers Stimme war rau, er räusperte sich mehrmals, sein Misstrauen flackerte auf, er machte Anstalten, zu gehen.

»Nach zwei Anschlägen werden Sie das bestimmt verstehen. Mein Freund und Kompagnon Manuel ist seit Monaten im Gefängnis, eine Kommilitonin von mir wurde ermordet – was sollte da noch lustig sein, Herr Waller?«

»Zwei Anschläge?«, fragte Waller. »Ich weiß davon nichts. Und ich bin hier, um Missverständnisse auszuräumen.«

»Sie nennen das Missverständnisse? Dass Mord inzwischen als Missverständnis bezeichnet wird, ist mir neu.«

»Ihr Sarkasmus hilft uns nicht weiter, Herr Achenbach. Mir geht es darum, die Position von Chem-Survey klarzustellen.« Jetzt trat ein Lauern in Wallers Blick.

Er will mich reinlegen, dachte Thomas, er weiß mehr, vielleicht spricht er sogar Französisch. Er übersetzte, dann wandte er sich erneut Waller zu. »Dann stellen Sie klar. Was im Internet steht, wissen wir bereits.« Er nickte Pascal zu. Es war ihm nicht wohl dabei, derart aufzutrumpfen.

»Sie haben die Wohnung in Lorch gemietet und die Maler bestellt. Welche Spuren sollen beseitigt werden? Die von Herrn Professor Dr. Marquardt und von Alexandra Lehmann? Beide wurden dort gesehen.«

»Es ist üblich, dass man renoviert ...«

Thomas unterbrach ihn sofort. »Nicht, wenn der Hausbesitzer es nicht will ... aber weiter. Sie haben eine Detektei damit beauftragt, Frau Breitenbach und mich zu beschatten. Das war die Grundlage für Gerüchte, die Herr Florian über uns verbreitet hat. Und dann wurden die Lügen noch von den Handtaschen ins Netz gestellt. Haben Sie das bezahlt?«

»Welche Handtaschen?« Waller sah Pascal an, als könne der darauf antworten.

»Zwei Studentinnen, die wir so nennen.«

»Damit hat Chem-Survey nicht das Geringste zu tun.«

»Was noch zu beweisen wäre ...« Thomas wehrte Wallers Entgegnung mit der Hand ab und übersetzte.

In Wallers Augen war zu lesen, dass er vom Gesagten

nichts verstand. »Wer ist dieser – junge Mann wirklich? In welcher Beziehung stehen Sie zu ihm?«

»In derselben Beziehung wie zu Manuel Stern.« Thomas konnte sich des Eindrucks nicht erwehren, dass Waller sich bei Manuels Namen wieder umgeschaut hatte. »Was beunruhigt Sie?«

»Nichts, ich habe viel Arbeit und wenig Zeit. Können wir nicht woanders hingehen? Beim Mittagessen redet es sich leichter, ich lade Sie ein.«

»Dürfen wir unseren Wein noch austrinken?«

Während Waller verstohlen von einem Bein aufs andere trat, tranken die Freunde ihren Wein betont langsam. Pascal hatte den Rauenthaler Baiken vor sich. Im ausgehenden 19. Jahrhundert hatten die Weine dieser Lage Weltruf erlangt. Thomas, der wie immer aus Neugier auch den Wein seines Freundes probierte, empfand ihn schöner als den Eltviller Riesling in seinem Glas. Beide stammten aus dem letzten Jahr. Es war für den Rheingau insgesamt grandios gewesen, anders als dieser verregnete Sommer.

Schweigend bogen sie vor dem Schloss ab und betraten den Hof Bechtermünz. Am äußersten Rand des Gartens fanden sie einen freien Tisch.

»Waller hat den strategisch günstigsten Platz angesteuert«, meinte Pascal, »er hat sowohl den Zugang wie auch die Gäste im Blick und die Sonne hinter sich.«

Man setzte sich, das Schweigen war spannungsgeladen, Waller zeigte nicht die geringste Regung. Der Ober kam, Thomas bat um seinen geschätzten Spätburgunder, was Waller kategorisch ablehnte. »Ich sage nur Robert Weil. Das sind die besten Rieslinge des Rheingaus.«

»Den besten Wein gibt es nicht«, konterte Thomas. »An der Spitze ist alles Geschmacksache, Herr Waller. Es gibt viele tolle Weine und großartige Winzer hier.«

»Haben Sie die Weil-Weine überhaupt probiert? Ich glaube, dass sie für Studenten kaum erschwinglich sind.«

Allein für das blöde Grinsen hätte Thomas ihm eins auf die Nase geben können. »Glauben Sie nicht, dass Sie etwas vorschnell urteilen?« Thomas hielt es für dumm, mit seinem Weinwissen anzugeben, aber dieser Herr hier brauchte wirklich einen auf die Nase, nur in anderer Form.

»Die Spätburgunder vom vorletzten Jahr sind zwar sehr schön, sowohl der aus dem Stückfass wie auch der im Barrique ausgebaute, aber Letzterer braucht mehr Zeit, das Holz ist noch nicht ideal eingebunden. Bei den Weißen gefallen mir die jungen am besten, die Lage Klosterberg hingegen ist vom Aroma schwächer, auch der Gräfenberg ist noch verhalten. Noch – sage ich ganz bewusst, doch er kommt. Meinen Sie nicht?«

Waller nickte, und Thomas merkte, dass er ihm auf diesem Gebiet nicht das Wasser, geschweige denn den Wein reichen konnte. Es zeigte sich mal wieder, dass sein Vater Chef-Einkäufer eines Weinimporteurs gewesen war und er früh mit dem Probieren angefangen hatte. Es machte ihm riesigen Spaß, und jetzt machte es ihm Spaß, Waller vorzuführen.

»Beim Ersten Gewächs von dieser Lage steht mir persönlich das Holz noch zu sehr im Vordergrund. Die halbtrockenen Qualitäten sind ausgezeichnet, angenehm im Mund, Süße und Säure harmonieren, und trotz der fülligen Aromen bleiben die Weine schlank. Probieren Sie mal, Herr Waller. Von den Spätlesen, den Auslesen und den Beerenauslesen habe ich leider nur den Gräfenberg probiert. Aber ich sage Ihnen, die sind alle exzellent, sehr dicht, auch vielseitig im Geschmack, reife gelbe Früchte zeigen sich, etwas Paprika, Aprikose – alles Weine mit Tiefe ... Aber eigentlich wollte ich keinen Fisch essen.« Mit diesen Worten schloss Thomas den Vortrag und übersetzte für Pascal die Speisekarte. Auch er entschied sich für ein Fleischgericht.

Waller war nur kurz eingeknickt. »Fisch zu Weißwein

und Rotwein zu Fleisch – das ist längst passé, dass sollten Sie als Geisenheimer wissen.«

»Woher wissen Sie, was ein Geisenheimer weiß, Herr Dr. Waller? Von Professor Marquardt?«

»Hören Sie zu«, sagte er barsch, »hören wir auf, um die Sache herumzureden. Es geht um etwas ganz anderes. Ich möchte Ihnen den Hintergrund erklären ... Ich habe über viele Jahre ein nationales Informationssystem aufgebaut, das sich mittlerweile auch auf die anderen EU-Länder erstreckt. Sie sagten, Sie hätten die Homepage gelesen, dann wissen Sie, was wir tun. Wir bieten Forschern, die sich austauschen wollen, ein Forum. Wir suchen für sie die Partner in anderen Einrichtungen und Finanzquellen. Darüber hinaus suchen wir Möglichkeiten zur Vermarktung von Wissen, und wir verwalten Patente. Wir eruieren, woher die Mittel dazu stammen und wer welche Art Forschung fördert. Ich selbst stelle Kontakte zu den Einrichtungen und den Wissenschaftlern her. Wir sind Wissenschaftsmakler. Das geschieht keineswegs selbstlos, Chem-Survey verdient daran. Kommt es zu interessanten Ergebnissen, kaufen wir sie auf und bieten sie möglichen Interessenten an. Auch damit haben wir Erfolg.«

»Das hört sich alles schön an, nur was haben Manuel Stern, Frau Breitenbach und ich damit zu tun?«

»Direkt nichts – aber indirekt. Lassen Sie mich ausreden. Nie verläuft alles nach Plan, besonders dann nicht, wenn man mit Menschen zu tun hat. Und diese Menschen verhalten sich nicht wie vorgesehen, wie es weder für andere noch für sie selbst gut ist.«

»Das ist Ansichtssache ...«

»Nicht, wenn andere daran beteiligt sind. Um es klar zu sagen: Professor Marquardt ist unser Problem geworden. Das überrascht Sie nicht, wie ich sehe?«

Thomas schüttelte den Kopf und übersetzte. Pascal lächelte verständnislos.

»Professor Dr. Marquardt hat seinen Auftrag missverstanden«, fuhr Waller fort. »Wir waren der Meinung, er solle sich in die Forschungsanstalt Geisenheim integrieren und sich nach Partnern umsehen, mit denen man zusammenarbeiten kann. Es gibt da gute Wissenschaftler, die unsere Ansprüche erfüllen. Nur manchmal verselbstständigen sich die Dinge leider, und manch einer schießt über das Ziel hinaus, andere verstehen ihren Auftrag falsch ...«

»Das ist eine gern genutzte billige Ausrede«, fuhr Thomas dazwischen. Er war kurz davor, aufzustehen. Hier war kein Weiterkommen.

Waller sprach schnell weiter, als wolle er Thomas am Aufstehen hindern. »Der Professor sollte aber keine Studenten dazu auffordern, Forschungsergebnisse auszuspionieren, geschweige denn es selbst tun. Das ist für uns absolut inakzeptabel.«

Darauf wollte er also hinaus, darauf hatte Marquardt es abgesehen, deshalb die Chemie-Lehrbücher in Alexandras Wohnung. Da waren sie endlich ein kleines Stück weiter, aber war das wirklich der Hintergrund, auf dem sich alles abspielte?

»Deshalb tötet man niemanden, und wozu diente die Wohnung in Lorch? Weshalb haben Sie Frau Breitenbach und mich überwachen lassen?«

Thomas' Kenntnisstand verwirrte Waller offenbar, er begann zu stammeln. »Viele Firmen verfügen ... über ein Apartment, um Geschäftsfreunde ... unterzubringen. Professor Dr. Marquardt ... er hatte Zugang.«

»Und das hat er jetzt nicht mehr?«

Waller war perplex, er brauchte eine Sekunde zu lang für die passende Antwort. »Wir ... wir haben eine Wohnung in Mainz gefunden, die erfüllt ihren Zweck.«

»Sie kommen vom Thema ab, Herr Waller. Was ist wirklich mit Marquardt los?«

»Er ist für uns nicht mehr zu erreichen. Er entzieht sich.

Das hat mit dieser Studentin begonnen, er war völlig vernarrt in das Mädchen, wie von Sinnen – er hat immerhin Frau und Kinder.«

»Der arme Professor.« Thomas verbiss sich das Grinsen und spielte den Mitfühlenden. »Man hört es ja immer wieder, dass ältere Männer jungen Frauen geradezu verfallen, nicht?«

»Es ist die Jugend, die einen Mann in der Mitte des Lebens betört. Es scheint, dass Marquardt sie für sich hat arbeiten lassen. Sie hat ihm wohl Material beschafft, es hat ihr geschmeichelt, dass ein Professor sich für sie interessierte. Uns gegenüber hat er ihre Zuverlässigkeit in höchsten Tönen gepriesen, ihr eine glänzende Karriere bei uns vorausgesagt. Es ist wirklich dumm, dass ein hochintelligenter Mann wegen eines Flittchens alles aufs Spiel setzt ... dabei war sie kalt wie Eis.«

»Ach – Sie kannten sie? Wo haben Sie sich getroffen? Auf Marquardts Weingut in Gigondas oder in Lorch?« Es war ein Versuch, ein Schuss ins Blaue. Der mordlüsterne Blick Wallers zeigte ihm, dass er ins Schwarze getroffen hatte.

»Er will sich Marquardts entledigen«, sagte er zu Pascal auf Französisch. »Sie liefern uns den Sündenbock ...«, er suchte nach dem Wort, »... *bouc émissaire*, genau, aber damit sind längst nicht alle Fragen beantwortet.«

»Frage ihn, weshalb er euch hat überwachen lassen«, riet ihm Pascal.

»Wir wollten wissen, ob Marquardt nicht auch Sie und Frau Breitenbach einbezogen hat. Das hätten wir unterbinden müssen. Und da Sie, Herr Achenbach, in engem Kontakt zu ihr stehen ... wir müssen uns schützen. Das verstehen Sie doch?«

»Durchaus«, sagte Thomas. Da meldete sich das Mobiltelefon. Er entschuldigte sich und ging zu den Bäumen, wo er außer Hörweite war.

Es war sein Vater. »Wie läuft's?«

»Ausgezeichnet. Und dein Betriebsleiterkurs?«

»Ebenfalls ausgezeichnet. Aber erzähl du!«

Thomas fasste sich kurz. »Waller ist nicht dumm, er verbindet geschickt die Wahrheit mit der Lüge. Sie wollen sich von Marquardt trennen oder ihn opfern.«

»Deine Johanna hat was Interessantes von der Staatsanwaltschaft erfahren. Der Wagen, der sie in den Rhein geschoben hat, war gestohlen. Vormwald hat den Anwalt für die Schläger geschickt, für deine Kapuzen. Die haben Schiss gekriegt und geredet. Die Fahndung nach dem Messerstecher läuft …«

Diese Neuigkeit kam Thomas gerade recht. Und sein Vater sagte ihm noch etwas, das sein Herz höher schlagen ließ, er durfte es aber nicht zeigen, um seinen Plan nicht zu gefährden. Er hatte die Farce mit Waller sowieso satt.

»Ich danke dir Papa, tausend Dank. Heute Abend reden wir weiter. Ich mache Schluss, der Ober bringt gerade das Essen.«

Er drückte auf die Schnellruftaste und hatte Regine am Ohr. Sie war gleich nebenan in einem Stehcafé und wartete auf Anweisungen. Am Rheinufer hatte sie an einem der Tische in der Nähe des Pavillons gesessen, die Touristin gespielt und alles fotografiert.

»Es geht los. Ich werde ihn provozieren. Wenn er geht, folgst du ihm und führst uns zu seinem Wagen.« Was für ein Glück, dass Regine sich zum Mitmachen bereit erklärt hatte.

»Auch wenn ich Ihnen den Appetit verderben sollte, Herr Waller, ich glaube Ihnen kein Wort! Ich weiß auch gar nicht, was das hier soll. Herr Vormwald, der für Sie arbeitet …«

»Er arbeitet nicht für uns …«

»Doch, das tut er – und zwar in der Kanzlei in Frankfurt, die auf Ihrer Homepage als Partner angegeben ist. Er hat die Schläger geschickt, denn der Anwalt, der sie nach der Festnahme rausholen sollte, stammt aus einer befreundeten

Kanzlei. Woher sollte er wissen, dass der Anschlag fehlgeschlagen war? Weil Ihr Privatdetektiv, der alles fotografierte, ihn informiert hat. Der soll gefälligst die Bilder rausrücken. Und Sie wussten es auch. Fragen Sie Vormwald, wie viele Jahre Knast der Mitwisser eines Mordversuchs aufgebrummt kriegt!«

Waller trat in ein Zwischenstadium ein, das Pascal für sehr gefährlich hielt. Würde er kämpfen oder aufgeben? Pascal sprach leise und tat, als wenn ihn das, was er zu sagen hatte, ungeheuer amüsiere: »Wir kennen das. Es ist der Moment, wenn der Delinquent sich zwischen Angriff und Rückzug entscheiden muss. Da versichere ich mich immer, dass ich meine Waffe bei mir habe.«

»Und? Hast du sie dabei?« Thomas mochte nicht weiter essen.

»Ich darf im Ausland hier keine tragen.«

»Die Antwort einer Schlange, Pascal ...« Thomas wandte sich wieder an Waller. »Es ist nicht vorbei. Hier die nächste Frage: Manuel Sterns Vater hat den Anwalt geschickt, den Vormwald ...«

»... Herr Dr. Vormwald bitte ...«

»... von mir aus auch Doktor. Was haben Sie mit Manuels Vater zu schaffen?«

»Absolut nichts, wie kommen Sie darauf?«

»Frau Breitenbach hat ihn angerufen, um sich über Chem-Survey zu informieren, kurz darauf kommen Sie her. Stern hat den Anwalt besorgt, der Manuels Haftprüfung versaubeutelt; derselbe Mann besorgt den Schlägern Rechtsschutz, vielleicht hat er sie sogar geschickt, denn er arbeitet in Ihrer Firma mit. Was verbindet Sie mit Herrn Stern? Wenn Ihr Kollege Dr. Vormwald Stern kennt, dann kennen Sie ihn auch. Nur der ach so arme, von der Jugend verwirrte Professor hat mit Stern nichts zu tun? Sie brauchen nicht zu antworten, Herr Waller. Das kriegen wir auch ohne Sie raus. Und dann habe ich noch eine großartige Nachricht. Freuen

Sie sich mit mir, Manuel Stern hat für die Tatzeit ein Alibi ...« Er wiederholte es auf Französisch. »Ist das nicht wunderbar? Ich habe immer gesagt, dass er unschuldig ist.«

Wallers Blick war nicht zu deuten, sein Gesicht blieb ausdruckslos.

»Sie können gehen, Herr Waller, die Spesen übernehmen wir gern, denn die Rechnung, die Sie zahlen, wird weitaus höher sein. Der Wein von Weil ist übrigens klasse, ohne Zweifel, mir ist er allerdings ein wenig zu weich, zu geschmeidig, aber das ist, wie gesagt, lediglich Geschmackssache.«

Ohne einen der beiden jungen Männer nach dieser Brüskierung eines Blickes zu würdigen stand Waller auf. »Das wird Ihnen leidtun!«

»Das tut es schon jetzt, Herr Dr. Waller.«

»Weshalb hast du ihm das gesagt und ihn gleichzeitig weggeschickt?« Pascal sah Waller nach, der den Garten durchquert hatte und in der Ausfahrt verschwand. Regine, die sich kurz an der Einfahrt gezeigt hatte, folgte ihm.

»Weil wir wissen müssen, was er jetzt macht und wem er das erzählt.« Thomas sah auf einmal nicht mehr glücklich aus. »Es ist nicht so positiv, wie ich es eben dargestellt habe«, und er berichtete von dem Keyboard und seinen Speichermöglichkeiten. »Für die Staatsanwaltschaft ist das noch immer kein Entlassungsgrund. Die Polizei sagt, dass Manuel kurz vor dem Mord das Keyboard eingeschaltet haben kann, um sich ein Alibi zu verschaffen. Wir sind also noch nicht am Ende.« Er nahm die Flasche, »so was Edles lässt man nicht stehen«, ging zum Tresen, ließ sich einen Korken geben und zahlte. Dann rannten sie durch die Kirchgasse zu Pascals Wagen. Regine lotste sie per Handy zum Kiliansring, wo Waller sein Auto abgestellt hatte, und sobald Regine zugestiegen war, folgten sie ihm.

Auf dem Rhein-Main-Schnellweg war die Verfolgung

schwierig, denn Waller hielt sich selten an die Geschwindigkeitsbegrenzung, und ein Auto, das genauso idiotisch fuhr, fiel auf. Immer wenn Waller langsamer fuhr, telefonierte er, dann holten sie auf, danach gab er wieder Gas. Glücklicherweise behinderte ihn der dichte Verkehr bei der Raserei. Über die A 671 kamen sie zur Abfahrt Mainz-Kastell und fuhren weiter in Richtung Innenstadt.

»Französische Gangster sind einfach besser«, sagte Pascal, als sie auf der Theodor-Heuss-Brücke Schritt fuhren. »Bei uns hätten sie richtig zugeschlagen, die hätten dir keine Kapuzen, sondern Männer geschickt. Ein gezielter Schlag, ein Schuss ...«

»Ich weiß, bei euch überfallen sie die Tankstelle mit der Maschinenpistole statt wie bei uns mit Pfefferspray ...«

»Und deine Johanna wäre längst Fischfutter geworden.«

»Sie ist nicht meine Johanna.«

»*Bêtises*, Quatsch, das sieht doch jeder.«

»Das siehst du Sachen, die ich nicht sehe. Komm mir jetzt nicht wieder mit ›ein Bulle sieht so was gleich‹.«

Regine hatte sich auf dem Rücksitz nach vorn gebeugt, ihr Kopf war fast auf gleicher Höhe von Pascal, der sie immer wieder kurz von der Seite her angrinste, was ihr ausnehmend gut gefiel. Thomas hatte sie nie so locker erlebt.

Pascal fuhr ausgezeichnet, sein mindestens zehn Jahre alter Citroën musste frisiert sein, so schnell wie er anfuhr und überholte. Und allein hätte Thomas Waller längst aus den Augen verloren.

Hinter der Rheinbrücke bogen sie ab und folgten ihm am Ufer entlang bis zum Park. Er führte sie zum »Favorite Parkhotel«, wo er den Wagen abstellte und in den Glaskasten eilte. Es war eines der besten Hotels der Stadt. Thomas schickte Regine vor, um Waller in der Lobby ausfindig zu machen.

»Wenn du mit ihr was anfängst, dann sei fair«, sagte Thomas.

»Bist du ihr Bruder?«, fragte Pascal, aber er verstand, was Thomas ausdrücken wollte, und nickte.

Regine stürzte plötzlich aus der Hotelhalle, schaute sich um, als würde sie verfolgt, und lief direkt auf sie zu. Thomas und Pascal gingen ihr entgegen. Pascal mit der rechten Hand unter der Jacke. War er doch bewaffnet?

»Der hat einen Typen getroffen, der sieht aus wie Manuel«, sagte sie atemlos, »nur dreißig Jahre älter! Ich wette unsere gesamte Weinlese, dass der Typ sein Vater ist. Unglaublich ...«

»Bei dem miesen Wetter kommt dieses Jahr sowieso nur die Hälfte zusammen ...«

»Du sollst übersetzen und keine Sprüche klopfen, Thomas!«

»Ich habe verstanden«, sagte Pascal, »Waller trifft Manuels Vater.«

»Da soll einer kapieren, was da abgeht«, schnaufte Regine, es war die Entdeckung, die sie außer Atem brachte. »Was bedeutet das?«

Thomas starrte zum Hoteleingang. Er hatte einen schrecklichen Verdacht: Waller und Stern, das System, von dem Waller gesprochen hatte, das europaweite Informationssystem, das Weingut in Gigondas, dazu der Rechtsanwalt, der die Schläger losschickte, und Manuel war im Knast. Opferte da ein Vater den Sohn seinen persönlichen Interessen? Der Gedanke erschütterte ihn zutiefst.

»Er ist es, glaub mir!«

»Ich muss ihn trotzdem sehen«, sagte Thomas wie in Trance und ging los, ließ sich von Pascal nicht aufhalten und schüttelte Regine ab, die ihn am Arm festhalten wollte. Er sah den abgemagerten Manuel vor sich, das Häufchen Elend, dann das Arschloch Vormwald, der ihn versauern ließ – auf Geheiß des Vaters? Dann Waller, wie er aufgestanden war und diese Drohung ausgestoßen hatte, »es wird Ihnen noch leidtun«.

Vor den großen Glasscheiben des Eingangs blieb Thomas stehen, sah sich nach seinen Freunden um, Pascal nickte, es war das Zeichen zum Weitergehen, er würde ihn decken.

Von der Rezeption aus sprach ihn jemand an, Thomas hörte nicht hin, er wusste, wer Stern war, er erkannte ihn von hinten, er war kräftiger als Manuel, aber sonst glichen sie sich in der Haltung, in der Haarfarbe, im Gestus. Hinter einer Schmuckvitrine blieb Thomas stehen. Das war eindeutig Manuels Vater. Die Ähnlichkeit war verblüffend, aber die Stimmen waren verschieden.

Thomas war zu weit entfernt, um den Wortlaut ihres Gesprächs zu erfassen, und näher traute er sich nicht heran. Waller redete eindringlich auf Stern ein, was Stern reglos über sich ergehen ließ. Eine Bewegung weiter rechts ließ Thomas zusammenfahren. Vormwald, wieder in Schwarz, schob seinen massigen Körper durch die Halle, ließ sich grußlos in einen der Sessel fallen und hörte Waller zu. Er wird durch die Tiefgarage gekommen sein, das hatte Thomas nicht bedacht. Hätte Vormwald aufgeblickt, dann hätte er Thomas wahrscheinlich bemerkt, daher war es besser, schleunigst zu verschwinden.

Regine und Pascal schienen ihn vergessen zu haben, sie schauten erst auf, als er vor ihnen stand. »Regine, jetzt bist du wieder dran. Vormwald ist aufgekreuzt. Das sieht wie ein Treffen der Mafia aus. Setze dich zu ihnen, zumindest in die Nähe. Dich kennt keiner.«

»Du bist verrückt. Ich gehe da nicht wieder rein.« Sie sah nicht ihn, sondern Pascal fragend an. »Unmöglich, meine Haare – und dann in Jeans, in diesen alten Schuhen – wie sehe ich aus?«

»*Magnifique.*« Pascal hielt ihr strahlend seinen Kamm hin, »großartig«, aber das nahm ihm Regine nicht ab. »Ich passe nicht in den vornehmen Laden.«

»Du warst doch eben drin.« Thomas winkte ab. »Heutzutage gibt's keine Kleiderordnung mehr.«

Regine protestierte weiter: »Dann muss ich mir wenigstens den Lidstrich nachziehen.« Sie setzte sich auf den Beifahrersitz und klappte die Sonnenblende herunter. Thomas und Pascal sahen ihr zu. »Guckt weg, dabei kann sich ja kein Schwein konzentrieren.«

»Der spezielle Charme einer Winzerin«, sagte Thomas. »Ihr Ton ist gewöhnungsbedürftig. Du musst sie mal fluchen hören, wenn sie eine Filteranlage reinigt und die Teile passen nicht richtig . . .«

Als sie mit dem Schminken fertig war, mussten die Freunde Regine fast zum Hoteleingang schieben.

»Wir haben uns in Eltville genau richtig verhalten, und meine Vermutungen haben sich bestätigt. Die hängen alle miteinander zusammen.«

»Nur dieser Marquardt fehlt.« Pascals Einwand war berechtigt. »In welcher Beziehung steht er zu den dreien?«

Dazu fiel Thomas lediglich ein, dass Marquardt für irgendetwas herhalten musste, »außerdem frage ich mich, ob Stern in diesem Informationssystem drinhängt. Wenn es um die Chemieindustrie geht, hat er damit zu tun.«

»Merkwürdig, wie unterschiedlich Menschen sind. Manuel, sagst du, sei seinem Vater wie aus dem Gesicht geschnitten. Aber charakterlich liegen sie meilenweit auseinander. Wodurch werden Menschen zu dem, was sie sind?«

Thomas machte ein Gesicht mit dicken Backen wie ein Kugelfisch und ließ hörbar Luft ab. »Durch die Familie, durch die Umstände, Erziehung und durch Prägung, wenn du so willst, auch durch Anerkennung, was auf Manuel weniger zutrifft. Er ist mehr durch Widerspruch zu dem geworden, was er ist, durch Widerspruch zu seinem Vater, durch Wünsche und dann durch den Entwurf des eigenen Lebens, durch Vertrauen und durch Wahl. Von allem was.«

»Von wem hast du das?«

»Von einem deiner Landsleute, von Sartre . . .«

»Aber Freud sagt, dass der Mensch nicht Herr seiner

Möglichkeiten ist, bei ihm sind wir auch mit sechzig noch die Daumenlutscher und Muttersöhnchen.«

»Wird Freud an französischen Polizeischulen gelehrt? Ich glaube, seine Theorie gilt mehr für neurotische Wiener ...«

Während sie weiter darüber debattierten, ob nun Freud oder Sartre richtig lag, wurde Pascal unruhig, er wollte nach zwanzig Minuten unbedingt nach Regine sehen, als Stern und Vormwald aus dem Hotel kamen. Der Anwalt redete auf Manuels Vater ein, er versuchte ihn anscheinend von etwas zu überzeugen, aber Stern schob ihn beiseite. Es sah aus, als lehne er Vormwalds Vorschlag kategorisch ab. Der begleitete den Vorstandsvorsitzenden bis zu einem schwarzen BMW, in dem ein Fahrer gewartet hatte. Den Parkplatz nicht zu checken, war Pascals Versäumnis gewesen. »Eine Bülle darf das nischt passieren«, sagte er auf Deutsch und ärgerte sich maßlos, doch der Fehler blieb ohne Folgen, sie waren dem Fahrer nicht aufgefallen.

Vormwald sah dem BMW lange nach, der lautlos vom Parkplatz rollte, und rieb sich ausgiebig den Nacken, wobei er das Gesicht zu einer Grimasse verzog. Er steckte die Hände in die Jackentaschen und ging mit gesenktem Kopf zu seinem Geländewagen, stieg ein und verließ ebenfalls den Parkplatz. Als Letzter kam Waller aus dem Hotel. Er wirkte fahrig, er rieb die Hände an den Hosenbeinen, als würde er schwitzen, kein Wunder an diesem schwülen Tag. Wann das Gewitter begann, war nur eine Frage der Zeit.

Hoffentlich bringt es keinen Hagel, dachte Thomas mit Sorge und überlegte, ob es richtig war, ihre Weinbergsflächen möglichst eng zusammenzulegen. Es hagelte meist punktuell, und wenn sie beieinander lagen, wäre alles hin. Lagen die Flächen weit auseinander, waren sie sicherer, aber die Kosten der Bewirtschaftung und der Energieeinsatz höher, wie Johanna gesagt hatte, und sie brauchten mehr Zeit ...

»Marquardt ist das Problem, hat Stern gesagt.« Regine

war unbemerkt zurückgekommen, sie konnte sich extrem unauffällig bewegen. »Das ist die Quintessenz. Stern hat es mehrmals wiederholt und dabei Waller fixiert. Es sei seine Aufgabe, das zu regeln. Auch Vormwald hat auf ihn eingeredet und mit seinen Wurstfingern Kringel auf dem Tisch gezeichnet. Dann ging es um irgendeine Firma in Frankreich und um Steuern und um das Weingut in Gigondas. Stern hat die Fragen gestellt, Waller hat meist geschwiegen, und Vormwald hat irgendwelche Vorschläge gemacht, mehr habe ich nicht mitgekriegt. Die haben mich angestarrt und gleich leiser gesprochen, als ich mich hingesetzt habe.«

»Dann sind wir auch nicht viel weiter.«

Pascal widersprach: »Wir wissen jetzt, dass alle vier sich kennen. Dein Florian, Thomas, bleibt weiter außen vor. Marquardt hatte was mit dieser Alexandra. Und Marquardt ist für die anderen das Problem. Entweder er hat sie umgebracht oder die anderen sie, weil er ihr Problem ist. Es geht um dieses Informationssystem, so wie es sich mir darstellt, hängen alle mit drin ...«

Damit war es ausgesprochen: Marquardt war der Mörder Alexandras, oder die anderen hatten sie ermorden lassen. »Oder alle zusammen«, sagte Regine.

Sie fuhren nach Hallgarten zum Weingut Altensteineck. Regine protestierte und schmachtete Pascal an. »Ich würde lieber nach Hause fahren, und bis wir hier fertig sind, ist an der FH sowieso nichts mehr los.«

Sie fuhren unter einem Torbogen auf den Hof des Winzers, parkten neben einem Stapel eingeschweißter Flaschen und betraten das kleine Büro, dessen rechter Teil zur Probierstube umgebaut war. Aus der Tür hinter dem Tresen kam eine junge Frau und begrüßte Regine. Sie kannten sich von irgendeiner Party. Dann wurden Pascal und Thomas eingehend gemustert.

»Ja, wir versenden auch Wein«, bestätigte die junge Frau auf Nachfrage.

»Ich möchte einige Flaschen verschicken, nur leider habe ich die genauen Adressen nicht mehr.« Thomas nannte Wallers und Marquardts Namen und Mainz als Wohnsitz. »Schauen Sie mal in Ihre Kundenkartei, die haben den schon einmal bekommen ...«

Von beiden fand sich die Adresse. Marquardt war der Empfänger, die Rechnung war auf Waller ausgestellt.

»Jetzt wissen wir, von wem der Wein in unserer Wohnung stammt.« Thomas stieg hinten in den Wagen, damit Regine neben Pascal sitzen konnte.

»Wenn du zu Hause bist, rufe bitte Johanna an und informiere sie über alles.«

»Und du?«

»Ihr bringt mich jetzt zum Bahnhof. Ich fahre nach Frankfurt.«

»Was musst du denn jetzt wieder recherchieren?«, fragte Regine.

»Nichts, nur was ausbauen ...« Thomas lachte.

Sie verstand ihn nicht. »Und welchen Wein willst du ausbauen?«

»Keinen Wein, vielmehr die deutsch-polnischen Beziehungen ...«

20

Carl fuhr am Montag nicht nach Stuttgart zurück, Johanna war ihm dankbar dafür, aber sie war nicht in der Lage, es ihm so deutlich zu sagen. Der Schock nach dem überstandenen Anschlag hatte erst eingesetzt, als Carl sie in der Nacht bei der Polizei in Bingen abgeholt hatte. Er war eine große Hilfe gewesen.

Sie hatten seinen Wagen nehmen müssen – ihr Peugeot hatte sich als nicht schwimmfähig erwiesen und war von der Polizei zur Untersuchung abtransportiert worden. Carl musste sie nach Geisenheim fahren, sie hätte nicht selbst am Steuer sitzen können, sie wäre niemals auf die Fähre gekommen, es kostete sie viel Kraft, überhaupt in ein Auto zu steigen, und als sie die Rampe hinab zur Fähre rollten, hielt sie sich die Hand vor den Mund, um nicht zu schreien, als die Bilder jener grauenhaften Nacht zurückkamen. Sie hielt sich nicht für zartbesaitet, aber bei jedem weißen Lieferwagen zuckte sie zusammen. Es wäre unerträglich, mit einem solchen Wagen im Nacken auf die Fähre fahren zu müssen.

Sie hatten viele Stunden bei der Polizei verbracht, zuerst in Bingen, dann, als die Tragweite des Anschlags, vielmehr seine länderübergreifende Dimension deutlich wurde, im Polizeipräsidium in Mainz. Nein, sie hatte nicht bemerkt, dass ihr jemand gefolgt war, sie hatte auch keine Vermutung, wer dahinterstecken konnte. Sie war sich nicht einmal sicher, ob die Gestalt, die in dem Moment kurz vor dem Zusammenstoß nach rechts aus dem Rückspiegel gerannt war, ein Mann gewesen war. Der Lieferwagen war in Ingelheim gestohlen worden. Fingerabdrücke hatte die Polizei nicht gefunden, die Spuren in der Fahrerkabine waren weggespült worden.

Es hatte Johannas Erinnerung nach eine Ewigkeit gedauert, bis die Kriminalbeamten aus Rheinland-Pfalz eingesehen hatten, dass nicht ein Autodieb die Kontrolle über das Fahrzeug verloren und sich aus dem Staub gemacht hatte, sondern dass ein gezielter Anschlag stattgefunden hatte, der mit anderen Ereignissen im Bundesland Hessen in Zusammenhang stand. Was sie an Johannas Glaubwürdigkeit zweifeln ließ, war der Umstand, dass der Stein, mit dem das Gaspedal beschwert worden war, bei der Bergung verloren gegangen war. Erst als der Polizist, der die Beifahrertür geöffnet hatte, sich an den Stein erinnerte, konnte Johanna sich vom Verdacht des Verfolgungswahns befreien.

Danach begann der Kampf um Zuständigkeiten. Kriminalhauptkommissar Sechser und der ermittelnde Staatsanwalt in Wiesbaden hätten die Ereignisse rasch ins richtige Licht rücken können, aber sie waren am Wochenende nicht erreichbar gewesen.

Über das Treffen mit Waller und die Zusammenkunft im Hotel hatte Regine sie mittels Skype ins Bild gesetzt, Johanna hatte sich Pascals Tonbandaufnahme angehört und war informiert. Aber für sie war nicht nur Marquardt das Problem.

»Sie sind nicht so dumm, einen Mordbefehl wörtlich zu formulieren, aber alle Beteiligten wissen, was gemeint ist«, hatte Thomas Pascal Belliers Worte übersetzt.

Das traf selbstredend auf Stern zu. Allerdings konnte sich Johanna nicht vorstellen, dass er den Lieferwagen geschickt hatte, obwohl er in der Hierarchie dieser Viererbande ganz oben stand. Demnach war er der Chef. Steuerte er Wallers Informationssystem? Wie weit reichte es? Wer war beteiligt?

Und was hatte das alles mit dem Mord an Alexandra Lehmann zu tun?

Erst mittags wollte Johanna sich mit Thomas und Regine treffen, um sich über ihr weiteres Vorgehen klar zu werden, und inzwischen waren auch die Mordkommission und die Staatsanwaltschaft aktiv geworden. Als sie nach Geisenheim kamen und zu ihrem Büro in der Brentanostraße fuhren, erschien ihr der Ort so fremd wie nie. Sie sah die Straße neben dem Bahndamm, in der sie ihren Wagen sonst abstellte, mit anderen Augen, denn hier hatte sie sich noch nie bedroht gefühlt. Im Schritt fuhren sie an einem Fußgänger vorbei, der Johanna bekannt vorkam. Sie wagte nicht, in den Rückspiegel zu sehen, geschweige denn sich umzudrehen. Sie fürchtete sich davor, wieder einen Lieferwagen zu entdecken, sie schloss die Augen wie ein Kind, das sich die Hände vors Gesicht hielt und glaubte, nicht mehr gesehen zu werden.

»Hoffentlich werde ich das bald los«, stöhnte sie entnervt beim Aussteigen und hielt sich an Carl fest. »Du wirst mich nicht immer fahren können.«

»Solange es nötig ist, werde ich es tun – vielleicht hole ich mir nur geschwind einige Bücher aus Stuttgart und arbeite bei dir. Wenn ich morgens losfahre, kann ich abends zurück sein.«

Seit Carl begonnen hatte, sich mit Wein zu beschäftigen, wurde er auch als Übersetzer für weinbauliche und kellertechnische Fragen herangezogen. Gegenwärtig arbeitete er an der Übersetzung eines Buches über Portugals Weine und Weinbaugebiete. »Wenn ich nicht weiterkomme, frage ich deine Weinexperten.«

Johanna wusste, dass er sie beruhigen wollte. »Vielleicht kannst du deine Wissenslücken schließen, indem du den Achenbachs auf ihrem Weingut hilfst? Sie brauchen dringend jemanden und haben ein wunderschönes Gästezimmer.« Johanna konnte sich gut vorstellen, dass es Carl dort gefallen würde.

Sie stieg aus, derweil war der Mann, den sie eben überholt hatten, herangekommen. Sie kannte ihn. Sie rannte um den Wagen herum und hielt sich an Carl fest.

»Hilf mir!« Sie hatte den Mann in der WineBank getroffen, zusammen mit Marquardt und Vormwald. »Es ist einer von denen! Waller ...«

Carl wirkte nicht besonders kräftig, er war auch nicht groß, wichtig war seine Entschlossenheit, sie zu verteidigen. Sie griff nach ihrem Mobiltelefon, aber das lag irgendwo im Rhein, dafür hatte Carl seines bereits in der Hand, um den Notruf zu betätigen. Da hob Waller beide Arme, als sei eine Waffe auf ihn gerichtet.

»Ich will mit Ihnen reden, Frau Breitenbach, nur reden. Bitte.« Waller reckte sich, um an Carl vorbeizusehen. »Sie müssen mir helfen.«

»Ich muss gar nichts. Sind Sie allein?«

»Ja. Bitte, haben Sie keine Angst, das am Rheinufer hat nichts mit mir zu tun, das war ich nicht.«

Johanna spähte die Straße entlang, noch immer hinter Carl verborgen.

»Ich brauche Ihre Hilfe«, wiederholte Waller flehentlich.

Als er näher kam, bemerkte Johanna in Wallers Gesicht die Angst. Er sah schlecht aus, bleich, zerknirscht, kleinlaut, da war nichts von der Großspurigkeit von damals in dem Keller und beim anschließenden Essen im »Krug«. Er glich jemandem, der bereits aufgegeben hat und nach dem rettenden Strohhalm sucht. Johanna beschloss, ihm entgegenzukommen, aber nur mit einem Strohhalm.

»Was wollen Sie? Ein Kuhhandel ist mit mir nicht möglich.«

»Ich will mit Ihnen allein sprechen. Wer ist der Herr hier?«

Als Johanna Carl vorgestellt hatte, ließ Waller unschlüssig die Arme hängen, er überlegte, ob er sich mit der Antwort zufrieden geben sollte.

»Sie müssen schon auf ihre Bedingungen eingehen.« Carl

machte einen Schritt auf Waller zu. »Meine Frau bestimmt die Bedingungen, andernfalls verabschieden wir uns hier!«

»Nein, nein, ich komme mit. Sie sind bei dem Gespräch auch dabei?«

»Nach den Angriffen der letzten Tage sehen wir uns dazu leider gezwungen.« Johanna breitete entschuldigend die Arme aus.

»Ich habe damit nichts zu tun!«

»Das erzählen Sie uns am besten drinnen ...«

Johanna nahm keine Rücksicht auf Wallers Verfassung, sie betrat den dunklen Eingang der Villa, die Männer folgten ihr. Ohne Carls Begleitung hätte sie sich nie auf das Gespräch eingelassen. Als sie ihre Bürotür öffnete, sah sie das Chaos. Die Schränke und der Schreibtisch waren aufgebrochen worden, nicht aber die Zimmertür. Sie sah Carl an, der zuckte mit den Achseln, dann blieb ihr Blick an Waller hängen.

Der hatte einen unschuldigen Gesichtsausdruck aufgesetzt. »Wonach hätte ich hier suchen sollen?«

Neben dem Schreibtisch stand ein kleiner runder Tisch mit zwei Stühlen, Carl rückte alles ans Fenster und stellte den Schreibtischstuhl dazu. »So sehen wir, wer kommt.«

Carl schien die Ruhe selbst zu sein, er hantierte mit dem Kocher, maß den Tee ab und stellte die Tassen auf den Tisch. Das leise Klirren des Geschirrs war das einzige Geräusch im Raum.

Johanna hielt es nicht mehr aus. »Sagen Sie endlich, was Sie wollen.«

Waller war ihr für die Einleitung dankbar. Er holte tief Luft. »Ich möchte Ihnen ein Geschäft vorschlagen.«

»Ein Geschäft? Ich habe nichts zu verkaufen.«

»Doch. In gewisser Weise schon. Sie können mir einen diskreten Zugang zu Ihrem Staatsanwalt ermöglichen.«

Also darauf lief das Treffen hinaus. Waller wollte sich retten, aber auf wessen Kosten? Johanna atmete auf, noch versteckte sie ihre Erleichterung. Es war womöglich tatsächlich ein Handel, aber ein fauler? Leicht würde sie es Waller nicht machen. »Wieso gehen Sie nicht direkt zur Staatsanwaltschaft? Nehmen Sie gleich einen Anwalt mit. Herr Vormwald wird kaum Zeit haben, er muss sicherlich seine eigene Verteidigung vorbereiten. Vielleicht treffen Sie den Kollegen Marquardt ja im Präsidium. Auch der scheint mit der Angelegenheit bestens vertraut zu sein, und dann sagen Sie dem Staatsanwalt, was Sie wissen.«

»Ich will nicht ins Gefängnis.« Es klang sehr kläglich.

Carl konnte sich das Lachen nicht verbeißen. »Wer will das schon? Wenn Sie was zu sagen haben, Herr Waller, dann beeilen Sie sich. Wir wissen mehr, als Sie glauben. Eine Aufnahme Ihres Gesprächs in Eltville liegt der Staatsanwaltschaft bereits vor.«

»Wer hat …? Das dürfen Sie gar nicht, das zählt nicht …«

»Ach – nein? Machen Sie sich nicht lächerlich. Der Franzose, der dabei war, ist ein Kriminalbeamter aus Metz. In Frankreich ermittelt man bereits wegen Steuerhinterziehung in Bezug auf das Weingut Ihres ehrenwerten Freundes in Gigondas.« Der Bluff zeigte Wirkung, Waller wurde eine Spur blasser. »Ansonsten sieht es nicht gut für Sie aus. Ich denke, es läuft auf Beihilfe zum Mord hinaus, Deckung einer Straftat, oder wie immer das juristisch heißt …«

»Das mit den Schlägern war ich nicht – und das am Rhein auch nicht.«

»Wenn Sie es nicht waren – dann wissen Sie aber, wer die Leute auf uns gehetzt hat, und Sie kennen die Gründe dafür.«

Waller rang mit sich selbst. Er quälte sich, er machte auf Johanna den Eindruck einer Würgeschlange, die sich selbst die Luft abdrückt. Er schnappte verzweifelt nach Luft, er setzte an, um etwas zu sagen, brach ab, begann von Neuem. »Ich will eine Kronzeugenregelung. Herr … Stern … hat mich angerufen. Er verlangt Dinge von mir, die ich nicht … leisten kann und auch nicht will. Darüber will ich lieber nicht sprechen.«

»Warum schlagen Sie mir einen Deal vor und lügen mich gleichzeitig an? Glauben Sie, das sind gute Voraussetzungen zum Verhandeln? Wenn Sie helfen, eine Straftat zu verhindern, haben Sie bessere Karten.«

Waller fiel das Kinn herunter, er verstand nicht, worauf Johanna hinauswollte.

»Stern hat Sie nicht angerufen, er hat es Ihnen persönlich gesagt, in Anwesenheit von Herrn Vormwald im Parkhotel ...«

»Davon wissen Sie?« Der Würgeschlange in ihm ging die Puste aus. »Woher?« Das klang kleinlaut.

»Sie mögen ein guter Chemiker gewesen sein, ein guter Administrator von Informationssystemen, aber Sie sind ein schlechter Krimineller.«

»Das bin ich nicht, ich bin kein Krimineller.«

»Was denn sonst?«

Johannas Kälte brachte Waller endgültig aus dem Konzept. Er griff nach seiner Teetasse, schlürfte, entschuldigte sich, setzte die Tasse viel zu heftig auf die Untertasse zurück, der Tee schwappte über. »Also gut, einverstanden. Sie reden mit dem Staatsanwalt?«

Johanna nickte, sie konnte alles versprechen, halten musste sie nichts, aber einiges *arrangieren* durfte sie schon.

»Wenn Sie vom Gespräch in Eltville wissen, dann wissen Sie auch von unserem – Informationssystem? Ich habe es, wie gesagt, über viele Jahre aufgebaut, zusammen mit Stern ...«

»Mit Stern?«, unterbrach ihn Johanna fassungslos.

»Ja, mit ihm. Damals war er Assistent des Vorstands. Mir imponierte sein Ehrgeiz. Er war ein Arbeitstier, kannte keine Arbeitszeit, keine Rücksicht, weder anderen noch sich selbst gegenüber. Was er anpackte, wurde zu einem Erfolg. Wir wollten herausfinden, woran, wo und von wem geforscht wurde, woher die Mittel dazu stammten und ob marktfähige Produkte dabei entwickelt würden.«

»Das wissen wir bereits«, sagte Johanna tonlos. »Und weiter?«

»Ich stellte die Kontakte zu den Einrichtungen und den Wissenschaftlern her, nichts lief direkt über den Konzern, bei dem Stern beschäftigt war. Wir waren so eine Art Wissenschaftsmakler. Dann begannen wir Forschungsergebnisse zu kaufen, auch damit hatten wir Erfolg. Also keine offene Kooperation mehr, sondern verdeckte ...« Waller suchte nach dem richtigen Wort, er fuhr mit der Hand in der Luft herum, »... verdeckte Operationen, wenn Sie so wollen. Dann wurden Wissenschaftler mit Geld dazu bewogen ...«

»... bestochen ...«, unterbrach ihn Johanna.

»... bewogen, überzeugt, ein Anreiz geschaffen, möchte ich das nennen, damit sie auch nichtöffentliche ...«

»... vertrauliche und geheime Unterlagen ...«, steuerte Johanna bei.

»... wenn Sie so wollen, weitergaben oder zugänglich machten. Und dann konnten sie nicht mehr anders, als uns zu helfen.«

»Sie haben die Wissenschaftler erpresst, wollten Sie sagen, mit dem, was sie vorher geliefert hatten?«

Waller ging darüber hinweg. »Das war für CWML bedeutend billiger, als selbst Forschung zu betreiben. Und was man nicht selbst verwertete, wurde weiterverkauft. Das hat uns neue Betätigungsfelder erschlossen, es hat die Innovationskraft von CWML beträchtlich erhöht.«

»Sie haben also, offen gesagt, einen Ring für Wirtschaftsspionage aufgebaut? Bundesweit? International?«

»Was ist heute nicht global?« Der Satz diente Waller quasi als Entschuldigung. Er hatte jetzt den Teelöffel in der Hand und kratzte mit dem Stil so intensiv auf dem Holztisch, dass er ihn in Kürze durchbohren würde. »Die Wissenschaftler sahen sich dann gezwungen, weiter mitzumachen.«

Johanna blickte Carl an. Beide überraschte das Gesagte nicht sonderlich. Johanna hatte selbst mitgeholfen, fragwürdige Industrieprojekte umwelttechnisch »grün« und »ökologisch sinnvoll« umzudefinieren. Mit Geld ließ sich alles regeln. Und wenn Konzerne wie Siemens, MAN und Mercedes weltweit Hunderte Millionen an Bestechungsgeld zahlten, wieso dann nicht auch die CWML? »Der Unterschied zwischen Illegalität und Legalität liegt im Erfolg«, hatte ihr damaliger Chef auf ihre Bedenken hin von sich gegeben und sie rausgeschmissen.

»Was hat das alles mit der FH und Professor Marquardt zu tun?«, fragte sie barsch. Wallers Art, sich rauszureden, kriminelle Umtriebe als normales Geschäftsgebaren darzustellen, machte sie wütend.

»Das kann ich Ihnen sagen. Auch in diese Richtung haben wir unsere Fühler gestreckt, gerade weil die Hochschule und die Forschungsanstalt in bestimmten Bereichen wegweisend und international anerkannt sind. Und weil ... weil gerade die Verbreitung ökologischer Verfahren unseren – äh – Interessen zuwiderläuft. Wir verkaufen Insektizide, Herbizide und Fungizide, dazu Mineraldünger ... Uns würden langfristig Produktionszweige wegbrechen ...«

»Mir kommen die Tränen, Herr Waller. Deshalb halten Sie Vorträge für diese Angeber-Partei über die Bedeutung der Chemie für die Region?«

»Das sind imagebildende Maßnahmen. Der ganze ökologische Quatsch stört uns.«

»Haben Sie deshalb mit dem Weingut in Gigondas für diesen Fall vorgesorgt, als Fluchtpunkt?«

»Er ist noch immer nicht beim Wesentlichen angekommen«, bemerkte Carl. »Mich würde interessieren, wen Sie mit *wir* meinen. Sie haben eben wir statt ich gesagt.«

Die Schramme auf der Tischplatte war tiefer geworden und Waller leiser. »Das *wir* bedeutet, dass ich ... äh ... sozusagen – Mitarbeiter von CWML bin.«

Johanna konnte es kaum fassen. »Dann ist Stern Ihr Chef – sozusagen?«

Waller druckste. »Sozusagen – ja.«

»Und Ihre Firma, die Chem-Survey?«

»Die läuft unter meinem Namen. Dadurch kann Stern sein Büro und die CWML aus allem raushalten.« Wieder zögerte er, knetete die Hände unter dem Tisch, als bete er zu sämtlichen Göttern um Gnade. »Alles läuft bei mir zusammen ...«

»Dann sind Sie für ihn eine tickende Zeitbombe, weil Sie alle Kontakte kennen und reden könnten?«

»Eben. Ich – und Vormwald auch. Aber der ...«

»Und jetzt haben Sie Angst, dass Ihnen was Ähnliches zustößt wie Thomas Achenbach – oder ...« Johanna kam ein ganz anderer Gedanke, »was für Marquardt vorgesehen ist oder war ...?«

Das konnte Waller nicht laut zugeben. Er nickte nur. »Marquardt arbeitet seit Mitte der neunziger Jahre für uns. Er agiert sozusagen als Headhunter für uns, auf Kongressen in Deutschland, bei internationalen Tagungen und Konferenzen, nur an der FH Geisenheim nicht. Er hält es für zu gefährlich, er steht unter direkter Beobachtung, außerdem brauchte er einen Ruheraum.«

»Was Berlin für die Russenmafia ist Geisenheim für Marquardt?«

»In diesem Sinne, ja. Dann tauchte diese Studentin auf, diese Alexandra Lehmann. Er hat sie, also Vormwald und mir, in glühenden Farben und als absolut zuverlässig geschildert und ihr eine glänzende Karriere vorausgesagt.«

»Wusste Stern davon?« War Manuels Vater für die Inhaftierung seines Sohns verantwortlich?

»Mir gegenüber hat er nichts verlauten lassen.«

»Dann war Marquardt so eine Art IM, ein Informeller Mitarbeiter?«, fragte Carl.

»Viel mehr, er hat die IMs angeworben.«

»Hat er das Mädchen erschlagen?«

»Ich war nicht dabei.« Dass seine Antwort geschmacklos

369

war und nicht witzig, merkte Waller selbst. »Sie stellte Forderungen, sie wollte in das System, sie wollte Geld. Von allem anderen weiß ich nichts. Ich glaube, ihre Forderungen sind ihm über den Kopf gewachsen. Sie hatten ein Verhältnis. Er meinte, dass sie zum Problem würde, aber er würde das in Ordnung bringen. Und als Stern mir dann sagte, Marquardt sei unser Problem und ich solle es lösen, da dachte ich, er meint dieselbe Art von Lösung wie bei der Lehmann ...« Waller war gänzlich in sich zusammengesunken, ein zusammengefaltetes Fragezeichen. Es schien, als spräche er mit der Tischplatte. »Leute wie er sagen das, was sie wollen, nie direkt. Sie erwarten, dass ihre Mitarbeiter es wissen und ... das Problem lösen. Was ist nun?« Er hob den Kopf. »Kann ich mit Ihrer Hilfe rechnen, Frau Breitenbach?«

Carls Meinung konnte Johanna nach den fünfundzwanzig Jahren, die sie sich kannten, an seinem Gesicht ablesen, ohne dass er die geringste Regung zeigte. Er war dafür. Sie war einverstanden und griff nach dem Telefon.

»Ich rufe jetzt den Staatsanwalt an. Einverstanden?«

»In Gottes Namen, tun Sie's.«

»Den lassen Sie besser aus dem Spiel, bei dem haben Sie bis zum Jüngsten Gericht verschissen.« Zuvor schickte sie Thomas von Carls Handy aus eine SMS.

Beim Tippen stierte ihr Waller auf die Finger, als versuche er mitzulesen. Auch als sie danach in ihrem Notizbuch die Rufnummer des Staatsanwalts suchte, nahm er den Blick nicht von ihren Händen, zog einen Kaugummi aus der Tasche und kaute wütend darauf herum.

»Glauben Sie, dass er allein kommt, oder ist es nötig, ihn von der Polizei abholen zu lassen?«, fragte Altmann, als Johanna ihm kurz von Wallers Geständnis berichtet hatte.

»Er kommt selbst – nicht wahr, Herr Waller?« Die letzte Frage war an den Mann gerichtet. Er machte den Eindruck, als würde er sie und nicht den Kaugummi zwischen den Zähnen zermalmen.

»Sonst wäre ich ja wohl nicht zu Ihnen gekommen ...«

»Ja, er kommt von hier aus direkt zu Ihnen. Eine halbe Stunde etwa wird er benötigen – nicht wahr, Herr Waller?«

Der nickte und kaute weiter. »Da hätte ich mir den Besuch bei Ihnen sparen können, wenn Sie nichts für mich tun.«

Johanna legte den Hörer zurück, als das Gespräch beendet war. Sie hörte eilige Schritte auf der Treppe, dann im Flur. Thomas kam hereingestürmt und wäre fast über Waller gefallen, dann folgten Bellier und Regine. Johanna schmunzelte über so viel Engagement und schob alle drei auf den Flur und klärte sie über Wallers Geständnis auf.

Regine war kurz vor den Tränen. »So ein Gangster. Dann ist Manuels Vater schuld, dass sein Sohn im Gefängnis ist? Er hätte ihn für Marquardt geopfert?«

»Nicht für Marquardt«, korrigierte Johanna, »für seine Position.«

»Er wird alles abstreiten und vertuschen. Die Zeiten, dass sich ein Boss hinterm Schreibtisch erschoss, wenn es sie je gegeben hat, sind lange vorbei. Verantwortung übernimmt niemand mehr. Falls er abtreten muss, kriegt er noch einige Millionen nachgeworfen. Als Vorstand reicht sein Einfluss bis in die Politik, und die kontrolliert die Staatsanwaltschaft, vielleicht sogar unseren Herrn Altmann. Und der pariert auch. Marquardt und Waller werden dran glauben, und vielleicht weiß Stern sogar, dass Waller hier ist.«

»Ihr könnt froh sein, dass wir hier nicht in Frankreich sind«, sagte Pascal zu Thomas, »da wärest du im besten Fall auf der Intensivstation und Frau Breitenbach eine Wasserleiche.«

Thomas übersetzte, aber um darauf einzugehen, war die Stimmung zu betreten. Dann bot er sich an, Waller nach Wiesbaden zu fahren.

»Pascal kommt mit, das ist sicherer. Ich habe übrigens vorhin Marquardt gesehen, er läuft drüben im Hauptgebäude herum. Kennt jemand seinen Stundenplan?«

Regine rief in der Verwaltung an und erhielt die gewünschte Auskunft. »Am Nachmittag hat er eine Veranstaltung.«

»Mein Vater ist auch noch hier«, warf Thomas ein, »aber er fährt nachher wieder rauf, die Betriebsleitertagung endet gegen sechzehn Uhr. Dann sind wir zurück. Jetzt müssen sie Manuel entlassen!«

Erleichtert, ja geradezu euphorisch ging Johanna in ihre Vorlesung. Sie bestritt das Thema heute mit einer Bravour, die ihr selbst und den Studenten unheimlich war. Die anderthalb Stunden gingen rasend schnell vorbei. Sie beantwortete danach noch einige Fragen der Studenten bezüglich der anstehenden Klausuren zum Semesterende und ging, als hätte sie eine riesige Aufgabe bewältigt, zum Kaffeeautomaten und wollte dann hinüber zum Laborgebäude. Sie schlenderte mit dem Pappbecher am Parkplatz vorbei und auf die Brücke zu, als ihr Marquardt hechelnd entgegenkam. Er trug einen anscheinend sehr schweren Karton, der ihm jeden Moment unter dem rechten Arm herauszurutschen drohte, mit der linken Hand presste er ein Mobiltelefon ans Ohr. Johanna trat hinter das Gebüsch, das Brückenauffahrt und Parkplatz trennte, und beobachtete ihn. Er lief in ihre Richtung, ging dann keuchend an ihr vorbei und nahm die Abkürzung durch die Rabatten zum Parkplatz.

». . . habe ich alles bei mir, ja, alles aufgeräumt . . .«, hörte sie ihn sagen, dann setzte er umständlich den Karton ab und drehte sich weg, sodass sie nichts mehr verstehen konnte.

Es war für Johanna klar, dass sie ihn im Auge behielt, etwas anderes kam für sie gar nicht infrage. Wollte der Professor sich absetzen und Beweise verschwinden lassen? Auf seinem Rechner würde man nichts finden, niemand speicherte dort noch kompromittierende Informationen, heute lag alles auf der externen Festplatte oder dem Datenstick, und da genügte ein rascher Wurf vom Rheinufer aus, und man war die Dateien los. Johannas Gedanken rasten. Wenn

Marquardt abtauchte, stand Manuels Freilassung wieder auf dem Spiel. Die Beweislage war dürftig, ein Geständnis war nötig. Sie suchte nach ihrem Wagen, aber sie fand ihn nicht, da fiel ihr ein, dass er gar nicht da sein konnte. Sie war mit Carl gekommen, also musste sie auf ihn warten und den Professor aufhalten. Sie rief mit Carls Handy in ihrem Büro an, wo Carl noch immer dabei war aufzuräumen. Er rannte sofort los. Johanna ging zu Marquardt, der seinen Karton mit nur einem Arm aufheben wollte, was ihm nicht gelang.

»Kann ich helfen, Herr Professor?«, fragte sie scheinheilig.

»Nein, lassen Sie, ich war nur ungeschickt ... was?« Er telefonierte noch immer und winkte ab. »Nein, ich kann jetzt nicht, Frau Breitenbach steht neben mir.«

Johanna bemühte sich, den Karton für ihn aufzuheben, Marquardt bückte sich, noch immer das Mobiltelefon am Ohr. »Nun lassen Sie doch«, sagte er ärgerlich. Endlich steckte er das Telefon weg und packte den Karton mit beiden Händen, Johanna wollte mit anpacken.

»Wieso lassen Sie sich nicht helfen und telefonieren in Ruhe weiter? Ich wollte Sie sowieso sprechen. Sie haben sicher fünf Minuten Zeit?« Die würden reichen, bis Carl hier wäre.

Aber Marquardt wehrte die Hilfe ab. Er ging zum Wagen, blieb unschlüssig vor dem Kofferraum seines blauen Lexus stehen – und stand wieder vor dem Dilemma, den Autoschlüssel aus der Tasche ziehen zu müssen und nicht zu wissen, wohin derweil mit dem Karton, den er Johanna auf keinen Fall überlassen wollte. Er sah sie an, sie erwiderte kopfschüttelnd seinen Blick, dann schaffte er es, den Karton mit seinem Körper gegen die Karosserie zu drücken und den Schlüssel in den Jackentaschen zu suchen. Er fand ihn nicht, suchte in den Hosentaschen, Geld und Schlüssel klimperten, der Karton rutschte. Als die Blinklichter aufleuchteten, rutschte ihm der Karton endgültig aus den Händen, der Deckel klappte auf, und Hunderte von beschriebenen Seiten, Aktendeckel und Ordner rutschten über den Asphalt.

»Verfluchte Scheiße …« Wutschnaubend, als würde er im nächsten Moment über sie herfallen wollen, sah Marquardt Johanna an und richtete sich auf.

»Was ist denn mit Ihnen los, Herr Professor? Wieso lassen Sie sich nicht helfen?« Sie kniete sich neben ihn und reichte ihm Papiere an, ohne darauf zu blicken. »Sie hatten mich vor einiger Zeit gefragt, ob ich nicht mit Ihnen zusammenarbeiten wollte, und jetzt möchte ich natürlich wissen, wie Sie sich das vorstellen.«

»Das hat sich zerschlagen«, erwiderte Marquardt barsch und machte keinen Hehl daraus, dass ihm Johannas Gegenwart mehr als lästig war.

Was wusste er von der Entwicklung der letzten Tage? Wusste er, dass er für andere zum Problem geworden war? Für Johanna war es das Zeichen, aufzustehen und den Professor das, was ihn dem Anschein nach belasten würde, selbst wegräumen zu lassen. »Na, wenn das so ist – wenn Sie mich nicht mehr brauchen – dann … ja, nichts für ungut, Herr Dr. Marquardt. Ich möchte Ihnen nicht die Zeit stehlen. Guten Tag.«

»So war das nicht gemeint, Frau Kollegin …« Marquardt wischte sich den Schweiß von der Stirn, sein Gesicht war rot angelaufen, als hätte er viel zu hohen Blutdruck.

Carl hatte Johannas Zeichensprache richtig gedeutet und war direkt zu seinem Wagen gegangen, er wartete, bis sie eingestiegen war, um Marquardt zu folgen. Der Professor fuhr zur Brentanostraße, stieg aus, ließ den Karton mit den Unterlagen im Kofferraum und ging direkt ins Gebäude. Nach kaum fünf Minuten kam er mit einem Rechner unter dem Arm zurück, den er zu den Akten in den Kofferraum stellte. Dann fuhr er durchs Zentrum, auf der Rüdesheimer Straße an der Villa Monrepos vorbei und über den Kreisverkehr geradeaus nach Rüdesheim. Dort war es schwierig, ihm zu folgen, ohne entdeckt zu werden, sie mussten Abstand halten, aber Marquardts Lexus fiel auf. Sie quälten sich in Kolonne an der Uferstraße entlang bis zur Wartezone für die Fähre.

»Ich hasse diese Fähren.« Johanna verzog das Gesicht, als sei ihr übel. »Ist das jetzt die Radikaltherapie gegen meine Fährphobie? Was will der Kerl da drüben? Über die Autobahn kommt er schneller nach Mainz. Oder will er den Kram zu Waller ins Büro bringen – oder nach Mannheim zu Stern?«

Dass Marquardt so schnell das Weite suchte, bedeutete Carls Ansicht nach, dass ihn jemand gewarnt hatte.

Johanna hielt es für ausgeschlossen, dass es Waller gewesen sein konnte, höchstens Stern. »Und der kann das nur von der Staatsanwaltschaft oder von jemandem aus dem Polizeipräsidium wissen.«

»Was ist mit dem Anwalt, dem Starverteidiger? Er scheint mir, nach allem, was du mir über ihn erzählt hast, gewieft genug, um den Hals aus der Schlinge zu ziehen. Wenn in Wiesbaden was durchgesickert ist, hat man ihm das gesteckt, und er hat's weitergegeben.«

»Der gewiefteste von allen ist Stern, du wirst es erleben.«

Die Fähre kam näher, drehte langsam gegen die Strömung. Der Fluss kümmert sich wenig um das, was die Menschen an den Ufern treiben, dachte Johanna. Er ist wie immer an diesen warmen und hellen Tagen, er lächelt, er strahlt, obwohl sie ihn zerfurchen, aufwühlen, Abfälle hineinschütten, ihm einen Teil des Wassers für ihre Zwecke entnehmen, und Johanna dachte daran, welche Kriege in den Jahrtausenden an seinen Ufern geführt worden waren, weitaus bedeutendere Kriege als ihr Kleinkrieg, den sie gerade ausfochten. Sie hatte Vertrauen zu dem Strom, weitaus mehr als zu den Menschen in den Autos, die ihnen von der Fähre entgegenkamen, und denen, die neben ihnen warteten. Wenn sie an Typen wie diesen Stern dachte, der den Sohn dem Gott seiner Aktienkurse opferte, wie Abraham den Isaak, wurde ihr angst. Aber es gab auch Beispiele von Mut und von Freundschaft, und dass sie etwas wie eine Perspektive überhaupt wieder in Erwägung zog, verdankte sie Thomas.

Mit Carls Telefon rief sie ihn an und erklärte ihm, wo sie

sich befanden und dass Marquardt sich mitsamt seinen Geschäftsunterlagen absetzen wollte.

»Bleib auf jeden Fall an ihm dran.« Thomas gab ihr die Rufnummer des Staatsanwalts. »Altmann schreibt ihn zur Fahndung aus. Ich informiere alle, auch die Kripo, aber ruf du auch bei ihm an. Das zieht mehr, mich ertragen sie überhaupt nicht mehr.«

Carl ließ den Wagen an. »Es geht los, wir fahren weiter.«

Die vor ihnen stehenden Wagen rollten die Rampe hinab, auch Marquardt war dabei, jetzt kam der schlimmste Moment auf Johanna zu, doch dann schaltete die Ampel vor ihnen auf Rot, und sie mussten halten. Die Fähre war voll.

Johanna riss die Wagentür auf. »Ich muss auf jeden Fall an ihm dranbleiben, irgendwas fällt mir ein.«

Carl war entsetzt. »Du bist nicht zu retten. Der schmeißt dich ins Wasser.«

»Schwimmen kann ich besser als der«, rief sie, rannte los und war mit einem Satz auf der Fähre, eine Sekunde, bevor sie ablegte, zum Entsetzen der Ausflügler und der Radfahrer, zwischen denen sie untertauchte.

Maquardts Wagen stand ziemlich weit hinten in der äußeren Reihe. Geduckt schlängelte sich Johanna weiter nach vorn, sie musste zur Treppe, die zur Kommandobrücke mit dem Stand des Rudergängers führte. Von oben konnte sie sich einen Überblick verschaffen.

»Hallo«, rief ein Mann hinter ihr, »Frau Breitenbach! Was machen Sie denn hier? Feierabend?«

Sie erschrak, blieb geduckt stehen, sah sich um – und erkannte den Rufer. Es war Thomas' Vater. Hastig erklärte sie ihm, wer mit an Bord war.

Achenbach war im Bilde. »Das kriegen wir hin.« Er zwinkerte ihr zu und zog sie die Treppe hinauf zur Brücke. Viel Zeit für Erklärungen blieb ihnen nicht, die Überfahrt dauerte maximal fünfzehn Minuten. Der Rudergänger stellte sich anfangs quer, er nahm den beiden ihre Geschichte nicht ab.

Sie waren bereits in der Mitte des Stroms, das jenseitige Ufer kam näher, als sie endlich den Staatsanwalt ans Telefon bekamen und er dem Rudergänger Johannas Worte bestätigte. Noch immer machte er keine Anstalten, die Maschine zu stoppen, als Johanna ihn wütend anfuhr, ob er nicht zugehört habe.

»Mädchen«, sagte der Mann gemütlich, »überlass das mir. Ich kenne den Strom. Soll ich in der Fahrrinne einen Zusammenstoß riskieren?«

Auf Höhe der Mole kamen sie in ruhiges Wasser und fuhren ins Hafenbecken. Da erst ließ das Vibrieren der Maschine nach, die Fähre verlor an Fahrt und hielt sich im schwachen Neerstrom. Als die Fähre weiter auf Abstand zum Ufer blieb, wurden die ersten Passagiere unruhig, einige Autofahrer stiegen aus, gingen zur Reling, schauten ins Wasser, Nervosität verbreitete sich auf dem Schiff, auch Marquardt verließ seinen Wagen. Als sein Blick zufällig nach oben schweifte und er Johanna erblickte, die ihm zuwinkte, begriff er. Philipp Achenbach rannte die Treppe runter und erreichte Marquardts Lexus genau in dem Moment, als der Professor die Kofferraumklappe öffnen wollte. Mit einem Satz saß er oben drauf und ließ die Beine baumeln.

»Das, Herr Professor«, Johanna war leise hinzugetreten und zeigte auf den Kofferraum, »das heben wir uns für den Staatsanwalt auf.«

Marquardt, der die Arme ausgestreckt hatte, um Philipp vom Wagen zu zerren, ließ sie mutlos fallen.

Johanna hielt ihm Carls Mobiltelefon hin. »Wenn Sie einen Anwalt brauchen – aber mit Vormwald werden Sie sich wohl in Zukunft mehr per Klopfzeichen von Zelle zu Zelle verständigen. Schauen Sie!« Johanna wies zum Ufer.

Zwei Polizeiwagen warteten an der Stelle, wo jemand sie vor wenigen Tagen hatte umbringen wollen.

21

»Komm runter, Thomas, du bist schon wieder auf Hundert«, rief Regine vom Flur her. »Ob sie nun eine Viertelstunde früher oder später kommen – was soll's? Wir sind auf jeden Fall pünktlich.« Sie lief seit einer Stunde zwischen ihrem Zimmer, dem Bad und dem großen Spiegel im Flur hin und her und machte sich zurecht.

»Das musst gerade du sagen. Letzte Nacht hast du kaum ein Auge zugemacht, nur weil Pascal heute kommt.« Thomas war auf den Balkon getreten und hielt nach dem Wagen seines Vaters Ausschau, der seine Freundin Verena und den Franzosen mitbringen sollte. Pascal war eigens zu Manuels Konzert angereist und hatte auf dem Weingut übernachtet. Thomas war so nervös wie Manuel, der bereits seit dem frühen Nachmittag im Kloster am Flügel saß und probte. Gestern hatte er den ganzen Tag dort mit dem Klavierstimmer verbracht.

Zwei Tage nach Marquardts Verhaftung und Wallers Geständnis, womit sich Manuels Unschuld endgültig herausgestellt und die Presse ihn als Opfer einer groß angelegten Verschwörung gewürdigt hatte, war »sein« Konzert ausverkauft. Seitdem hatte er in jeder freien Minute geprobt, nur unterbrochen von Fressanfällen, hatte die Semesterferien mit dem Grünschnitt im Weinberg verbracht, seine Gefängnisblässe bei der Weinlese verloren und nachts den versäumten Stoff nachgeholt. Jetzt, zu Beginn des neuen Semesters waren von allen Seiten Entschuldigungen eingetroffen, auch Mitleids- sowie Solidaritätsbezeugungen der Leute, »die schon immer von seiner Unschuld überzeugt gewesen waren«. Manuels Euphorie kannte keine Grenzen, so glücklich war er.

Vor einer Woche war er zu Alexandras Grab gefahren, er hatte niemanden dabeihaben und es allein verarbeiten wollen, und seitdem verkroch er sich. Aber es war keine Depression, er sammelte Kraft für sein Konzert. Jedes Wort war ihm zu viel. Als Thomas ihn gefragt hatte, ob er den Auftritt als eine Art Rache verstehe, hatte sein Freund nur nachdenklich gelächelt.

Jetzt verweilte Thomas' Blick auf dem Bürgersteig vor dem Haus. Er würde den Tag nie vergessen, an dem Kriminalhauptkommissar Sechser Manuel abgeholt und dessen Kopf in dieser anmaßenden Geste nach unten gedrückt hatte. Regine zupfte noch immer an sich herum, Thomas lehnte in der Küchentür und sah ihr dabei zu. Unter seinem vermeintlich kritischen Blick wurde sie unsicher, aber er dachte lediglich daran, wie sehr sie seit dem Bruch mit ihrem Vater aufgeblüht war. Manuels *Erzeuger*, wie er seinen Vater neuerdings nannte, hatte weder ein Wort des Bedauerns noch eine Entschuldigung geäußert, stattdessen hatte er jede Verantwortung für sein kriminelles Netzwerk abgestritten. Thomas ging auf den Balkon zurück und erschrak, als ihm von draußen sein Vater zuwinkte. Thomas hatte den Wagen weder gehört noch kommen sehen.

»Einsteigen! Abfahren! Beeilt euch.«

Pascal kam ihm an der Haustür entgegen. »Alles klar?«, fragte er auf Deutsch, klopfte Thomas kurz auf die Schulter, dann fiel ihm Regine in die Arme.

»Ich habe dir gleich gesagt, warte mit dem Lippenstift! Das ist Verschwendung von Zeit und Rohstoffen.« Thomas ging kopfschüttelnd auf seinen Vater zu.

»Ist doch nur Wachs, Pigmente und Konservierungs-stoff«, sagte Philipp. »Was nimmt denn Kamila? Einen bio-logisch-dynamischen aus Cochenille-Schildläusen?«

Thomas hielt die hintere Wagentür auf. Das Pärchen rutschte auf die Rückbank, Philipps Freundin Verena quetschte sich dazu, damit Thomas vorn sitzen konnte; hinten hätte er die Beine verknoten müssen.

»Und was ist mit deiner neuen Freundin?«, fragte Verena.

»Kamila wartet in Hattenheim am Bahnhof. Wir müssen sie abholen.«

»Meinst du, sie passt hier noch rein?«

»Sie ist schlank, und für die Rückfahrt zur Feier haben wir noch Manuels Auto.«

»Hat er die Kiste endlich lackieren lassen?«, fragte Pascal.

»Nein, er will die Schramme immer sehen, er will an alles erinnert werden, er will nichts vergessen, er will sie erst zu-spachteln lassen, wenn die innere Schramme weg ist.«

»Die bleibt für immer«, meinte Pascal lakonisch, und jeder im Wagen wusste, dass er an die Schussverletzung damals in der Champagne dachte.

Kamila stand wie angekündigt in Hattenheim. Vor vier-zehn Tagen war sie mit in die Pfalz gekommen und hatte sich unauffällig eingefügt. Es hatte sich gezeigt, dass sie wirklich auf dem Land aufgewachsen war, sie wusste, wo und wie man anpackte, und ohne zu fragen und ohne Widerspruch hatte sie die Küche übernommen und unter den kritischen Blicken der Männer für alle gekocht. Als Ein-stand bot sie *Pierogi*, halbmondförmige Teigtaschen mit Fleisch- und Käsefüllungen, Thomas kannte sie von den Latinofeten an der Kölner Uni als *Empanadas*, für Manuel waren es Schwäbische Maultaschen auf Polnisch. Danach hatte es *Zrazy* gegeben, nichts weiter als Rindsrouladen, aber so schmackhaft, dass die Männer ihr die Küche an einem Wochenende pro Monat nicht streitig machen wür-den. Außerdem konnte sie backen. Aber sie war eifersüchtig, besonders auf Manuel, mit dem sie sich Thomas' Aufmerksamkeit tagsüber teilen musste.

Sie waren spät, der Parkplatz an der Hauptzufahrt der ehemaligen Zisterzienserabtei war überfüllt, sie versuchten es auf der linken Seite, mussten aber den Wagen an der Straße abstellen und noch ein Stück laufen. Atemlos erreichten sie die Klosterkirche. Ihre Plätze lagen vorn, wo bereits Johanna Breitenbach und ihr Mann saßen. Das Orchester stimmte sich ein, der Platz am Flügel hingegen war leer, und auch der Dirigent fehlte noch.

Thomas kannte die Stücke, die sie erwarteten, inzwischen auswendig, aber in diesem Raum und in diesem Rahmen würde alles anders sein. Er hätte lieber weiter hinten gesessen, um den Klang und die Schwingung des gewaltigen romanischen Kirchenschiffs in sich aufzunehmen. Anders als Manuel wollte er vergessen. Er wollte vergessen, wie viel Mühe es sie gekostet hatte, ihn aus dem Knast zu holen. Was interessierte es ihn, ob Marquardt ein Mörder war, ob Waller ein Netz für Industriespionage aufgebaut hatte, ob Vormwald sämtliche Gesetze heranzog, um sich herauszuwinden, und ob Manuels Vater als geistiger Urheber galt, der wahrscheinlich unbestraft aus der Sache hervorgehen würde. Der Mann war mit sich selbst genug gestraft.

Man würde mit dem Klavierkonzert Nr. 1 in e-Moll Opus 11 beginnen und das Konzert nach der Pause mit dem Konzert Nr. 2 f-Moll Opus 21 sowie einer Fantasie und einer Berceuse fortsetzen. Was für eine gewaltige Aufgabe. Unter den Rieslingen wären das nur Erste und Große Gewächse.

Das Orchester verstummte, als der Dirigent erschien, das Publikum applaudierte, und als Manuel im Frack aus dem Seitenschiff trat, wurde der Beifall gewaltig. Thomas erhob sich als Erster, sein Vater, Regine und Johanna folgten, bis alle standen. Es gab kaum jemanden unter den Zuhörern, der Manuels Geschichte nicht kannte. Dann senkte sich Stille über den Raum, jedes Geräusch verbot sich von allein, sogar das Hüsteln und Knarren der Stühle erstarb, als Manuel sich auf die Bank an seinen Flügel setzte. Er verharrte vorn übergebeugt, sein langes Haar verdeckte sein Gesicht.

Just in dem Moment, als der Dirigent den Taktstock hob, stand er wieder auf, warf das Haar zurück und gebot mit erhobener Hand dem Dirigenten Einhalt. Thomas erstarrte – genau wie seine Begleiter, die ihn anblickten, als wisse er mehr.

Leichtfüßig verließ Manuel die Bühne, tauchte im Seitenschiff unter und kam mit einem Lehnstuhl zurück, den er wie selbstverständlich vorn in den Mittelgang stellte. Unter den fassungslosen Blicken von Orchester und Publikum holte er einen zweiten Lehnstuhl und stellte ihn neben den ersten, dann strich sein Blick über die Zuhörer. Als er Johanna entdeckte, bat er sie mit ausgestreckter Hand herauszutreten. Sie gehorchte mit hochrotem Kopf, er bot ihr die Hand und führte sie zu einem der beiden Stühle. Dann winkte er Thomas zu sich, dem es höllisch peinlich war, dass sich die Aufmerksamkeit auf ihn richtete. Er folgte der Geste und nahm neben Johanna Platz. Als beide saßen, verneigte sich Manuel vor ihnen, ging zurück zu seinem Flügel und nickte lächelnd dem Dirigenten zu, man konnte beginnen.

Das Orchester leitete den ersten Satz sehr anmutig ein, exponierte ein kraftvolles, dann ein elegisches und ein lyrisches Thema, bis schließlich der Solist am Flügel mit reicher Figuration und Kraft den gewaltigen, achthundert Jahre alten Raum der schlichten Kirche für sich selbst und auch für alle anderen einnahm.

Verstohlen neigte sich Thomas zu Johanna: »Einen Moment lang hatte ich schon befürchtet, es würde ein Requiem für einen gefallenen Engel werden …«

Danksagung

Manche Menschen, mit denen man etwas zu tun haben will, kann man sich aussuchen, anderen wird man ausgeliefert. Nicht anders ergeht es mir bei meinen Recherchen.

Die Winzer, deren Weingüter ich besuchen möchte, suche ich mir mittels ihrer Weine aus, studiere Weinführer, komme über Empfehlungen an sie heran und suche sie bei Weinmessen auf. Denn wenn mir die Weine zusagen, heißt das noch lange nicht, dass mir der/die Winzer/in sympathisch ist und ich Lust habe, mit ihm/ihr durch seine/ihre Weinberge und Keller zu stromern – Werk und Künstler/in sind schließlich zweierlei.

Bei den Winzern, die im Roman genannt sind, stimmte sowohl die persönliche wie auch die Weinchemie: Das sind Peter Barth (Schloss Schonborn), Theresa Breuer, Tom Drieseberg (Wegeier), Ferdinand Koegler, Peter Jakob Kühn, Gunther Künstler, Hans Lang, Gundolf Laquai, Freifrau Langwerth von Simmern und Christian Witte (Schloss Johannisberg). Stefan Ress traf ich zufällig in seinem Hof, als ich skeptisch den Schriftzug WineBank beäugte. Es wurde eine Szene draus.

Am Fachbereich Geisenheim stimmte einfach alles, die Herren Löhnertz und Schultz öffneten mir die Türen der Hörsäle und Labors, und die angehenden Önolog/innen bildeten den Rahmen. Sogar die Küche stimmte ...